A REBOURS

LÀ-BAS

J.-K. HUYSMANS

À REBOURS

*Chronologie, introduction
et archives de l'œuvre*

par

Pierre WALDNER
chargé d'enseignement à l'Université de Poitiers

GF

FLAMMARION

CHRONOLOGIE

1848 : Naissance le 5 février, à Paris, de Charles-Marie-Georges Huysmans. Par son père il est le descendant de toute une lignée d'artistes et de peintres hollandais, en fidélité auxquels il transcrira plus tard ses prénoms en celui de Joris-Karl. Par sa mère il appartient à une famille relativement modeste d'employés de ministère.

1856 : Mort du père de Huysmans. Sa mère ne tardera pas à se remarier. Il fréquente l'institution Hortus, dont il gardera un souvenir excessivement sévère.

1862 : Il suit les cours du lycée Saint-Louis et à partir de 1865, reçoit un enseignement exclusivement composé de leçons particulières.

1866 : Bachelier le 7 mars, il entre dès le 1er avril au ministère de l'Intérieur, comme employé de bureau de 6e classe, aux appointements annuels de 1 500 F.

1867 : Reçu à un premier examen de Droit, il renonce à s'inscrire à nouveau à la Faculté. En revanche, la vie du quartier Latin, de ses lieux de plaisir, de ses petits théâtres et de leurs coulisses, lui est familière. Il a une liaison avec une actrice de bas étage et fait dans la critique des débuts très modestes.

1870 : Enrôlé comme mobile dans la Garde nationale de la Seine et bientôt malade, il ne connaît de la guerre que son visage le plus dérisoire. Sa prévention à l'égard de toutes les formes d'organisation sociale et de vie politique sort définitivement renforcée de l'expérience.

1871 : Affecté à un bureau du ministère de la Guerre, il assiste à la Commune depuis Versailles, mais se réinstalle à Paris dès l'été.

1874 : *Le Drageoir à épices,* qui deviendra ultérieurement *Le Drageoir aux épices,* refusé par Hetzel, atteste, plus encore que l'influence de Baudelaire, des dons très réels de peintre de la réalité.

1876 : Mort de sa mère. Huysmans tiendra désormais, en marge de son travail à la Sûreté Générale, la comptabilité de l'atelier de brochage du 11, rue de Sèvres, où son beau-père avait acquis une participation importante et dont il héritera en partie.
Marthe, histoire d'une fille, premier roman publié en Belgique, (exploitation des souvenirs de bohème des années 1867-1870). Début des relations suivies avec Goncourt et surtout Zola.

1877 : *Emile Zola et l'Assommoir* permet à Huysmans de définir sa foi naturaliste.
Le 16 avril, dîner Trapp avec Flaubert, Goncourt, Zola et le groupe des Cinq.
Sac au dos paraît en août dans *L'Artiste,* de Bruxelles.

1879 : *Les Sœurs Vatard,* où Huysmans utilise son expérience d'un milieu qu'il connaît bien, celui de la brochure parisienne et du quartier de la Gaîté.

1880 : *Les Soirées de Médan,* recueil collectif de nouvelles, dans lequel paraît une version corrigée de *Sac au dos.*

1881 : Reprise dans les *Croquis parisiens* des meilleurs textes publiés dans des journaux et des revues depuis 1876.
Projet et échec de la *Comédie humaine,* revue naturaliste dont Huysmans devait être le rédacteur en chef.
Publication d'*En Ménage,* chef-d'œuvre du naturalisme intime.

1882 : *A Vau-l'eau.* C'est le grand moment de l'influence de Schopenhauer.

1883 : *L'Art Moderne* réunit la critique d'art de Huysmans, articles publiés dans diverses revues depuis 1879 et textes inédits. A la défense vigoureuse de l'impressionnisme se joint déjà l'admiration de Gustave Moreau et Odilon Redon.

1884 : *A Rebours.* Un froid, mais non une rupture, en résulte entre Huysmans et Zola. A l'automne la *Revue Indépendante* publie *Un dilemme.*

1885 : Séjour au château de Lourps (près de Provins) avec sa compagne Anna Meunier — il la connaît depuis 1872 au moins — et son nouvel ami, Léon Bloy.

1886 : Nouveau séjour à Lourps, où Huysmans écrit *En Rade*.
Bloy, Villiers de l'Isle-Adam et lui-même forment un groupe d'amis que rapproche le même pessimisme désespéré.

1887 : Publication d'*En Rade* dont le réalisme onirique déconcerte les lecteurs.
Inquiétudes croissantes sur la santé d'Anna Meunier.

1888 : *La Retraite de Monsieur Bougran,* nouvelle qui demeurera inédite jusqu'en 1964.
Au cours d'un voyage en Allemagne, découverte de la *Crucifixion* de Grünewald, qui donne à Huysmans l'idée d'un « naturalisme spiritualiste ».

1889 : A la mort de Villiers, il devient, avec Mallarmé, son exécuteur testamentaire.
Berthe Courrière et Henriette Maillat l'initient à l'occultisme et en particulier au monde des occultistes parisiens qui ne lui plaît guère. En septembre, voyage avec Poictevin à Tiffauges, pays de Gilles de Rais. Publication de *Certains* en novembre.

1890 : Pour écrire son roman sur le satanisme, mi-historique, mi-contemporain, il fréquente d'inquiétants milieux et assiste peut-être à une messe noire. Mais c'est de l'ex-abbé Boullan, hérésiarque lyonnais en lutte avec les occultistes parisiens accusés par lui de satanisme alors qu'il satanise lui-même, qu'il obtient les plus curieux renseignements. Il séjourne à Lyon en septembre.

1891 : *Là-Bas*. Le livre suscite de nombreux remous et un éreintage de Léon Bloy, avec qui Huysmans s'est brouillé. Toute l'année se passe en pratiques tantôt religieuses, tantôt obscènes. Les angoisses spirituelles se canalisent en un « à rebours de là-bas » *Là-Haut* qui sera retrouvé et publié seulement en 1965. En juillet, il séjourne à Lyon chez Boullan qui l'accompagne à La Salette. En novembre, premier contact avec la liturgie bénédictine.

1892 : En juillet, retraite de Huysmans à la Trappe d'Igny : confession le 14, communion le 15. Puis il passe deux semaines à Lyon chez Boullan.

1893 : Mort de Boullan le 3 janvier; internement d'Anna Meunier le 12 avril; séjour à la Trappe pendant l'été. Grande appétence du cloître (pour la vie duquel il sait pourtant qu'il n'est pas fait). Durant les années suivantes, il rêvera de se retirer successivement à Saint-Wandrille, à Fiancey, à Solesmes, etc. En fait, il se bornera à profiter de ses vacances pour séjourner dans ces divers abbayes et monastères.

1894 : Les archives de Boullan l'éclairent définitivement sur les pratiques du thaumaturge, auquel sa pensée restera cependant toujours reconnaissante.

1895 : Décès d'Anna Meunier. Publication d'*En Route*. Fréquents voyages à Chartres.

1898 : *La Cathédrale*, ce mélange parfois aride de symbolique et d'autobiographie spirituelle connaît un succès inespéré.
Le 16 février, Huysmans prend sa retraite du ministère, avec le grade de chef de bureau honoraire. Il décide de se fixer à Ligugé où il acquiert un terrain et fait construire la maison Notre-Dame près du monastère de Saint-Martin. Il repousse (il aura plusieurs fois à le faire encore) les assiduités et les agaceries de femmes qui tournent autour de lui.

1899 : Installation à Ligugé et publication, en novembre, sous l'égide de l'abbé Mugnier, de *Pages catholiques* extraites de son œuvre.

1901 : Le 21 mars, Huysmans fait sa profession solennelle d'oblature après un an de noviciat. Beaucoup d'amis se succèdent à Ligugé et il publie *Sainte Lydwine de Schiedam* où s'épanouit sa doctrine de la substitution et de la souffrance mystiques. La loi sur la séparation contraignant les moines à l'exil, Huysmans rentre à Paris et s'installe fin octobre chez les bénédictines de la rue Monsieur. *De Tout* paraît en novembre.

1903 : Premier dîner de l'académie des Goncourt dont Huysmans est président. Publication de *L'Oblat* et, en septembre, voyage en Allemagne avec l'abbé Mugnier (les Grünewald de Colmar, en cours de route et les primitifs du musée de Francfort lui inspireront les plus belles pages des *Trois Primitifs* (1904).

1906 : Publication des *Foules de Lourdes*, préparées depuis 1903, au cours de plusieurs séjours auprès de ses amis Leclaire. Il ne cesse d'avoir à se défendre contre des tentations bien précises que pour faire face à des souffrances presques intolérables des yeux et de la gorge. En fait, le cancer qui va l'emporter progresse à pas de géant. L'homme de lettres est élevé en novembre au grade d'officier de la Légion d'honneur; le fonctionnaire avait été fait chevalier en 1893.

1907 : Les derniers mois de Huysmans ne sont qu'un douloureux martyre qu'il accepte dans un esprit d'expiation mystique. Il meurt le 12 mai.

INTRODUCTION

« Voici un étrange monstre » : la fière déclaration de Corneille présentant à Mademoiselle son *Illusion comique*, avec combien plus d'à propos ne l'appliquerait-on pas au curieux texte qu'on va lire ! Dans le cadre singulier d'un roman à un seul personnage (où l'auteur se prive donc des ressources du dialogue et de la plupart des possibilités romanesques traditionnelles) se déploie un véritable festival d'excentricités, d'extravagances, de folies inquiétantes, accomplies avec autant d'application que de raffinement par le plus décadent des esthètes. Cela va des fantaisies relativement anodines du dandysme aux curiosités morbides ou mortelles des joies déviées et de l'assassinat considéré comme un des beaux-arts. C'est un tel débordement d'excès, de délires, d'inventions ou de rêveries cocasses ou monstrueuses, que le livre s'enlève constamment, avec son héros, dans une atmosphère de folie superbe mais à peine croyable, et que la tentation est grande de le considérer comme un de ces bibelots bizarres mais sans importance dont l'époque fin-de-siècle raffolait. Dès sa parution, Jules Lemaitre ne se demandait-il pas avec beaucoup d'apparente pertinence, si ce ne serait pas « être dupe » que de « prendre au sérieux un ouvrage qui ressemblait si fort à une gageure » ?

Quand Huysmans publie *A Rebours* en 1884, il est bien l'auteur, en effet, dont on peut le moins attendre un livre aussi déconcertant. Il fait figure aux yeux de tous d'un des plus fidèles et des plus sérieux disciples de Zola. Non seulement il a défendu avec passion, à propos de *L'Assommoir*, l'orthodoxie contestée de Médan, mais il s'est imposé avec trois romans et deux importantes nouvelles comme l'espoir par excellence du naturalisme militant. Depuis dix ans, il apparaît comme le romancier des vies

grises, des personnages médiocres, des intérieurs pauvres,
de toutes les laideurs délabrées de l'existence, et il s'est
même fait, « du diaconat des misères moyennes », une
spécialité où il dépasse son maître dans le refus du dramatique et des effets hors du commun. Et voici que délais-
sant d'un seul coup, comme dira Barbey d'Aurevilly
« le pâturage de Monsieur Zola » où il broutait « le serpolet
des réalités les plus basses », il cède à l'attrait d'une
gravitation contraire et se met à exalter les valeurs les
plus opposées à celles du naturalisme, le mensonge,
l'artifice et la contre-nature. On conçoit que la presse et le
public se soient « désordonnés » (c'est le mot de Huysmans) devant ce brûlot ou, pour parler avec l'auteur,
devant « cet aérolithe tombé à l'improviste dans le champ
de foire littéraire ».

Eût-on connu les propos tenus en privé par le romancier sur son livre, les déclarations qui émaillent sa
correspondance, que le désarroi engendré par une volte-
face aussi rapide n'eût plus laissé place à la moindre
hésitation. A Zola qui s'inquiétait du mauvais coup porté
au naturalisme, Huysmans assurait qu'il s'agissait d'un
livre de « toquade », d'une « assez vaste blague » qu'il
avait dans la tête et qu'il avait « lâchée », avant d'ajouter
que, maintenant, « c'était fini ». Langage diplomatique,
objectera-t-on, destiné à calmer les appréhensions d'un
ami ? Mais à Théodore Hannon, qu'il n'avait aucune
raison de ménager, il parlait plus clairement encore de
« folie nerveuse » et de « furieuse fantaisie » à propos d'une
œuvre que sa désinvolture décrivait ailleurs encore comme
« un étrange bouquin, clérical vaguement et pédéraste un
peu ». En vérité trop de témoignages concordent sur
l'état d'esprit du créateur au moment de la création, pour
qu'il soit possible de douter, au moins lors d'une première
approche, qu'il y ait dans A Rebours une sorte de jeu
consenti ou de récréation du génie, quelque chose comme
des saturnales de l'esprit ou un de ces « canulars » énormes,
si chers aux « pions » de l'Ecole normale, que Huysmans
pourtant ne prisait guère.

On commettrait néanmoins une grave erreur en per-
sévérant dans cette voie, ainsi que la carrière ultérieure de
Huysmans ne manque pas de le prouver. L'écrivain
évolue en effet dans les années qui suivent A Rebours, et
dans un sens précisément que le livre paraît indiquer.
Non qu'il se soit jamais mis à ressembler à son équivoque
personnage ; mais des inquiétudes, procédant des curiosités

d'*A Rebours*, n'ont cessé de s'affirmer en lui. Il n'eut aucune peine en 1903, à l'occasion d'une préface écrite pour une réédition de l'ouvrage, à montrer que les principaux chapitres de son roman contenaient le germe de ses livres futurs et qu'il n'était pas jusqu'à la fulgurante réponse de la conversion de 1892 qui ne s'y trouvât mystérieusement annoncée. Dès lors le provocant bréviaire des anomalies les plus bizarres change de visage : loin d'être seulement le lieu du mensonge et de la déraison, il apparaît comme un ouvrage clé, un livre-pivot qui parle un langage de destin et fait basculer le sens de toute une œuvre et de toute une vie. Il est permis de voir dans *A Rebours* une de ces œuvres que chérissait entre toutes les Gide de *Paludes*, où « la part de Dieu » est grande et qui acquièrent du fait même qu'elles disent sur leur auteur plus de choses que celui-ci n'en paraît savoir sur lui-même, un pouvoir de fascination peu commun. Incontestablement, le lecteur se trouve ici en présence d'un roman qui mérite plus d'attention qu'il ne risquait d'abord de lui en concéder et qui détient, parmi tous les livres de Huysmans, le privilège d'une place, d'un rôle et d'une importance hors de pair.

La critique a souvent décrit ce privilège déroutant d'*A Rebours*, mais elle a failli un peu à expliquer le paradoxe d'une signification profonde si contraire à l'apparence immédiate. C'est là pourtant le point crucial de l'analyse, le rôle du roman dans le devenir biographique de l'écrivain important sans doute moins que les mécanismes qui l'ont rendu possible. Et comme l'apparition successive des visages différents du livre souligne à l'évidence qu'il existe dans *A Rebours* des niveaux divers de vérité, dont la communication assure le ressort du texte et dont le synchronisme stupéfiant — explicite ou implicite — unit l'acquis naturaliste, la tentation de l'esthétisme et la possibilité d'une spiritualité ultérieure, il ne s'agit de rien d'autre que de rendre compte de la coexistence de ces éléments difficilement conciliables et de décrire l'articulation qui les rapproche et favorise leur efficacité. L'intérêt d'*A Rebours*, « ce qui en fait la richesse de texture », comme dit Victor Brombert — et nous ajouterons la richesse tout court — tient à « ce synchronisme des catégories ». C'est donc l'existence même du livre, sa raison d'être, avec la finalité qui est la sienne, la substance qu'on lui connaît et la forme sous laquelle elle s'impose qui doivent être éclairées en dernière analyse, comme c'est toujours le cas pour les ouvrages réellement importants, Léo Spitzer l'a montré.

On n'y parviendra — et ce sera tout l'effort de ces pages introductives, où les innombrables problèmes de détail que soulève un livre particulièrement riche et complexe ne sauraient être examinés — qu'en serrant au plus près la genèse interne d'une œuvre qui obéit à des motivations contradictoires et ne réussit que par un extraordinaire tour de force littéraire la symbiose d'exigences opposées. Aussi bien est-ce par cette intelligence de la constitution du texte que passe la compréhension de l'œuvre entière et, par delà, celle de l'écrivain lui-même et de son destin.

Huysmans a toujours affirmé qu'*A Rebours* était « un ouvrage parfaitement inconscient, imaginé sans idées préconçues, sans intentions réservées d'avenir, sans rien du tout »; mais cette déclaration ne doit être reçue qu'avec prudence. Un écrivain aussi lucide que le nôtre (les transes de l'inspiration ne sont pas du tout son fait) n'ignore rien de ce qu'il met dans ses ouvrages, même s'il peut se méprendre sur la portée des éléments qu'il retient ou sur le développement ultérieur des intentions qu'à l'origine il a délibérément élues. En particulier, lorsque l'œuvre s'alimente aux sources vitales de l'être, là où ne règnent ni la clarté ni la cohérence, ce phénomène peut paraître normal. Tel est bien, semble-t-il, le cas d'*A Rebours*, qui puise dans les zones les plus reculées de la conscience et procède avant tout des élans et des refus de l'être intérieur. Or Huysmans est parfaitement conscient du malaise existentiel auquel l'a conduit la pratique du naturalisme et l'on peut, sans risque d'erreur, désigner cette crise, première étape de sa « *route* », comme le point de départ de toutes les réactions qui vont conduire au livre. Quand on a suivi, même sommairement, le travail intime de la conscience huysmansienne dans les années qui précèdent *A Rebours*, le texte cesse d'apparaître comme l'inexplicable monstre dont nous parlions et une grande logique, à défaut de la continuité qui est évidemment absente, se révèle dans la substitution des valeurs qui sont ici prônées à celles du naturalisme antérieur.

Contrairement à ce qu'on pourrait croire, la naissance de Huysmans à la littérature ne s'est pas faite immédiatement sous le signe du naturalisme qui convenait si bien à son tempérament et à ses aptitudes. Il lui est toujours resté quelque chose de ce goût pour la couleur, la truculence ou la surprise, qui le sollicitait avant qu'il ne ressentît l'appel d'une représentation exacte du réel. Il a fallu les proses réalistes du *Drageoir aux épices*, et leurs réussites d'écriture, pour que l'artiste reconnût comme sienne la voie qu'il ne devait plus quitter. Mais dans *Marthe* encore, qui est son premier roman, on sent bien que l'ivresse de rivaliser par les mots, en couleur et en intensité, avec le spectacle du monde est au principe d'un art dur, violent et caricatural auquel conviendrait le mieux la qualification d'expressionniste.

Si le naturalisme, qu'il découvre alors, séduit Huysmans, c'est parce qu'autant que du vrai, il se réclame de l'audace, de la force, de l'originalité et du courage de tout dire, qui sont sans doute les qualités maîtresses du jeune écrivain. Peut-être y a-t-il plus d'art à donner à voir exactement le réel qu'à jongler avec lui ? Déjà cependant se laisse percevoir la faille qui distinguera toujours le naturalisme huysmansien de celui, par exemple, du maître de Médan : tous deux auront beau s'efforcer à l'observation la plus stricte de la réalité, l'impassibilité du regard sera à la limite impraticable à Huysmans, et il ne faut pas chercher ailleurs l'origine des drames et des séparations à venir. Les spectacles qu'il représentera (et qui appartiendront toujours davantage au cercle de son expérience étroitement personnelle) retentiront profondément en lui, au point d'ébranler peu à peu ses convictions et son équilibre. Ecrire devient alors pour lui une manière de constamment se remettre en cause soi-même, en même temps que le monde où il vit, et partant d'évoluer. Alors que Zola, fort de ses principes et de ses certitudes, ne laisse guère entamer son assise intellectuelle et morale par la conclusion de ses enquêtes, Huysmans, sensible et plus fragile, ne cesse de s'interroger sur la valeur de ce qu'il découvre et sur le sens d'une expérience du réel qui, d'esthétique à l'origine, s'approfondit rapidement en expérience morale. Son regard devient vision et la vision découverte éventuellement subversive de l'objet, cependant que l'observation des choses induit en une nostalgie de l'être, avant d'aboutir à un constat de carence et à une condamnation radicale. Ainsi pourrait-on résumer la carrière naturaliste de Huysmans et le mûrissement de la crise qui s'ouvre ostensiblement dans les années 1880.

Dans *Marthe* la distance du regard artiste maintenait

une extériorité de l'objet qui épargnait à la conscience de l'écrivain d'être le moins du monde altérée. Mais dès *Les Sœurs Vatard*, où Huysmans s'efforce de suivre les leçons de Zola, d'assagir sa palette, de « répandre des cendres sur ses braises » afin de mieux se concentrer sur les caractères propres de son sujet, l'évocation pittoresque (en dépit de morceaux encore luxuriants et d'orientations çà et là singulières, critiqués les uns et les autres par Flaubert) cède la place à une enquête sans complaisance d'où ressort le caractère profondément décevant de la nature et de la vie. Il n'est plus question pour lui d'en prendre son parti comme naguère et de tirer des laideurs de la réalité des effets d'art truculents ou singuliers. La découverte métaphysique de la vie, résultat d'un effort de peindre qui s'est doublé peu à peu d'un souci de vérité intime et éthique, pose à Huysmans un problème qu'il ne songe pas à éluder, celui de l'acceptation ou du refus de l'existence, ou plus simplement des moyens qui permettraient de s'en accommoder au moindre mal. *En Ménage* approfondit la question, vaste interrogation sur la vie et les valeurs, exemple parfait et trop rare d'un naturalisme de la conscience où la représentation du monde extérieur cède progressivement la place à l'exploration des problèmes du dedans. Depuis longtemps en état de frustration ou de déception devant l'être, l'auteur se met avec son personnage en quête d'une réalité dont la femme, l'amour, le foyer peuvent être tour à tour le symbole, et cette quête tourne si mal qu'elle se solde par la reconnaissance d'une complète absence de l'être. *En Ménage* aboutit donc à l'impitoyable découverte de la précarité et de l'insuffisance du réel. Huysmans sait désormais, parce que son travail même d'écrivain le lui a fait découvrir — et il ne l'oubliera jamais — que non seulement la laideur, mais le mal et la non-valeur sont les caractéristiques de la nature et de la vie. L'une et l'autre sont tout juste propres à inspirer le dégoût ou la haine, et bien qu'en dehors d'elles rien n'existe apparemment qui puisse combler les aspirations de l'homme, plus jamais il ne pourra se satisfaire de leur néant métaphysique. L'artiste en lui a pu trouver son compte dans l'horreur qui fouettait son génie, l'homme ne prendra pas son parti de cette blessure de l'être que cinq ou six ans de naturalisme n'ont cessé d'élargir.

En 1882, on peut considérer que cette découverte essentielle du mal de vivre est accomplie : nihilisme et pessimisme en sont les conclusions naturelles, et cette sorte de tentation d'un anarchisme moral, que la brève mais capitale nouvelle d'*A Vau-l'eau* exprime avec autant de sobriété que d'éloquence. Ce texte, décisif pour la genèse d'*A Rebours* (puisque, comme on le verra, le roman en constitue d'une certaine manière sa reprise inversée) se soucie beaucoup moins de raconter une histoire que de rassembler les éléments d'un bilan personnel. Folantin est le symbole d'une conscience malheureuse, sans racines dans l'être véritable, et voué, comme Huysmans lui-même, à l'errance répétitive vers le néant de la vie de bureau, des gargotes ou des bordels familiers; comme lui, il aspire à se retirer du monde, à distendre ses liens avec la vie et à meubler son existence d'activités décoratives qui en rendraient le contact supportable. Mais il sait bien que le mal dont il souffre est d'ordre métaphysiqiue et qu'il appellerait un remède de même nature. Seulement la foi, à laquelle il lui arrive de rêver avec nostalgie parce que les pratiques de la religion combleraient non sans beauté le vide ennui de ses journées, lui paraît exiger une telle désertion du sens commun qu'elle est incompatible avec son rationalisme tenace et le matérialisme spontané auquel il entend demeurer fidèle. Et la tentation religieuse n'est évoquée ici que pour être plus énergiquement écartée. En vérité, Huysmans ignore encore que lorsque la haine de la vie conduit un homme à la haine abyssale de soi, il ne pourra, comme l'écrit Urs von Balthasar à propos d'un personnage de Bernanos, « se réconcilier avec lui-même qu'en Dieu ». Pour l'heure son nihilisme serait sans issue si Folantin, dans son désespoir, ne trouvait à se raccrocher aux certitudes et aux promesses du pessimisme absolu dont Schopenhauer se fait le héraut en de longues invectives contre la vie, l'amour ou la nature, qui lui paraissent le rempart le plus solide et le plus vrai pour une conscience réfractaire à l'irrationnel.

On est parfois étonné de l'avidité avec laquelle Huysmans, qui est si manifestement peu philosophe (« il n'est pas sûr qu'on doive l'être, ni qu'on puisse ne l'être pas », remarque malicieusement Valéry) s'est jeté sur la doctrine de Schopenhauer. Faut-il attribuer à la mode, qui faisait enfin du philosophe de Francfort la coqueluche des beaux-esprits, une adhésion dont la sincérité serait douteuse ? Ce serait faire peu de cas, nous semble-t-il, des expériences qui avaient fait découvrir à Huysmans, sans qu'il eût besoin d'aucune aide, le sens intime du néant et le malheur radical de l'existence. Simplement Schopenhauer, dont la vogue lui fait connaître sans doute la doctrine, apporte à une position chez lui tout instinctive l'inappréciable justification théorique qu'il éprouve nécessaire. Car malgré l'assurance de ses démarches, le tranchant de ses jugements et son manque évident de respect pour les conventions, Huysmans est un être timide qui a besoin d'être soutenu, épaulé et pour ainsi dire autorisé à être soi. Il ressent comme un vertige la découverte du mal de vivre et aspire à une protection contre la panique qu'il lui inspire. Le système de Schopenhauer, qui se présente à lui comme une explication générale du monde et une réponse à toutes ses questions, lui fournit la sécurité intellectuelle qui s'attache aux certitudes et aux doctrines globales. Il ne faut pas chercher plus loin la raison d'un enthousiasme dont Huysmans, lorsqu'il en sera revenu et croira presque devoir s'en justifier, dira qu'il avait au moins une excuse, son absolue sincérité.

Mais si Huysmans, à ce moment de sa carrière, exalte à ce point Schopenhauer, c'est aussi qu'il trouve dans la cohérence d'une pensée fraternelle un gage de paix et de sérénité. Il se dégage du pessimisme absolu la recommandation d'un détachement et d'une résignation qui apparaissent à Folantin comme la seule façon logique et satisfaisante de s'accommoder théoriquement de l'existence. En outre, si le monde est partiellement ma représentation (mais Huysmans ne s'avisera de cela que plus tard, au moment d'*A Rebours* justement) ne puis-je, en agissant sur celle-ci, régler du même coup mes rapports avec celui-là ? Il reste que l'apaisement auquel incline le schopenhauerisme est très difficilement praticable à Huysmans, dans la mesure même où il est par nature un être chez qui une sensibilité d'écorché vif prend le pas sur toutes les autres facultés, rouvre rageusement toutes les plaies, et exacerbe douleurs et déceptions en hissant les menus désagréments de l'existence — un bouton arraché, des pantalons qui s'effrangent, une remarque acerbe de sa concierge ou de sa femme de ménage — au niveau des plus grandes afflictions. On ne sait que trop quel courage intellectuel est nécessaire pour regarder sans ciller le néant, et qu'à une métaphysique du désespoir correspond alors, le plus souvent, dans la pratique de la vie et des choix existentiels, la mise en œuvre de ce que notre siècle a choisi d'appeler une éthique de la révolte. Or Huysmans,

peu capable de résignation, ne l'est guère davantage, faute
des qualités requises de volonté et d'énergie, d'assumer
les responsabilités de la révolte, dont il ressent par ailleurs
la tentation. Comment un divorce ne s'esquisserait-il pas
entre l'attitude théorique dont il se réclame et la riposte
affective qui est spontanément la sienne, lorsque, avec un
œil auquel rien n'échappe, il discerne implacablement,
dans la déroute de sa vie, de nouvelles raisons de protester
contre l'injustice de toute condition ?

L'être profond vit désormais en lui dans un état
d'insurrection intérieure, de rage froide, d'insatisfaction
poussée jusqu'au refus et au nihilisme le plus violent. Le
moi, déçu et frustré dans ses démarches positives, se
replie sur lui-même et ses aspirations s'exaspèrent en une
intensification de l'existence subjective. On assiste, selon
le mot même de Huysmans, à l'éclosion de « particuliers
phénomènes », à la naissance d'un état d'esprit nouveau où
s'affirme peu à peu le désir irrésistible de fuir « hors du
pénitencier de ce siècle » le « sort absurde » qui oppresse
l'intelligence. Faute de pouvoir jouer les Prométhée,
Huysmans s'adonne « aux désirs confus de migration qui
se débrouillent dans la réflexion et l'étude ». Le « révolté
au sang pauvre » qu'il a conscience d'être se contenterait
d'une évasion toute provisoire dans un monde enfin
conforme aux vœux secrets de son moi, qui sont à peu
près à l'inverse de l'univers qu'il doit quotidiennement
affronter. Le mouvement pointait çà et là dans les œuvres
naturalistes de l'écrivain, mais il prend de l'ampleur à
partir du moment où s'effondre le minimum de confiance
que la réalité lui inspirait. Déjà le héros du *Marthe* rêvait
« d'une fantaisie monstrueuse de poète et d'artiste... d'une
page fourmillante de grotesques terribles, de succubes, de
larves à la Goya ». Dans *Les Sœurs Vatard* le peintre
Cyprien Tibaille, se souvenant sans aucun doute de la
baudelairienne *Fanfarlo*, « aurait voulu étreindre une
femme accoutrée en saltimbanque riche, l'hiver, par un
ciel gris et jaune, dans une chambre tendue d'étoffes
du Japon ». Ailleurs prend forme le désir d'une Thébaïde
raffinée qui permettrait une vie en marge de la vie...
Désormais, ces désirs s'affirment irrésistiblement : tout ce
qui est curieux et rare, original et insolite, tout ce qui est
recherché, exceptionnel, voire subitement pervers, tout
ce qui peut exaspérer les nerfs ou aiguiser la sensation,
exerce sur Huysmans un empire irritant mais souverain.

Ainsi s'opère dans son esprit, aux dépens de la nature

et du réel (et faute de pouvoir tenir pour réelle l'existence de quelque surnaturel que ce soit) une promotion de l'artifice et du rêve qui signifie l'avènement d'un nouvel être. N'allons pas croire, cependant, que cela se fasse sans malaise ni mauvaise conscience. Les tentations qui l'assaillent, Huysmans les considère comme des tentations ; l'unité intérieure qu'elles mettent en pièces, il la regrette, car il croit obstinément qu'il n'est pas possible, qu'il n'est pas raisonnable en vérité, de troquer la vision du monde du naturalisme contre un univers de fantasmes séduisants mais parfaitement vains. Et pourtant, dans le même moment, l'attrait de ces fantasmes est si grand qu'il ne peut s'y refuser... Il y a là le principe d'un écartèlement, d'un déchirement douloureux, bref d'une dualité intérieure qui sera la toile de fond et la constante des années où s'écrit *A Rebours*.

Cette mutation dramatique, qui résulte de la crise de la notion naturaliste du réel, ne se traduit pas seulement par de confuses aspirations intérieures ou par un bouillonnement informe d'idées, de rêves et de sensations ; elle s'accompagne aussi (et c'est peut-être le plus important pour l'avenir) d'une remise en cause des goûts et d'une redistribution des préférences huysmansiennes en matière littéraire et artistique. Ici, tout est si enchevêtré qu'on ne saurait dire exactement ce qui est cause et ce qui est effet, et si le renouvellement du musée imaginaire procède des remous de l'être profond ou inversement. Chronologiquement tout est mêlé et la seule nécessité d'être clair amène à distinguer, dans l'exposé, des transformations qui, si elles ne les produisent pas, favorisent à coup sûr les changements qu'on enregistre par ailleurs.

Prenons le cas de la littérature : le naturaliste des *Sœurs Vatard* ou même d'*En Ménage* ne mettait rien au-dessus des romans de Zola, si vigoureux et si percutants, ou de la fascinante *Education sentimentale* qui demeure vers 1880 le point de convergence des admirations réalistes. On imagine sans peine que le discrédit où sombre peu à peu le réel rejaillit à sa manière sur les œuvres qui lui sont consacrées. Zola est le plus atteint dont on sent bien que Huysmans trouve un peu simplistes la psychologie et l'attitude, comme il trouvait bien secondaire l'apparat scientifique dont il bardait ses théories sur le roman. A propos de la *Joie de vivre* et de la manière dont l'auteur des *Rougon-Macquart* réglait son compte au pessimisme, Huysmans ne peut s'empêcher — tout en demeurant sensible à une puissance de vision et de construction qu'il admire et admirera toujours — de laisser percer une irritation révélatrice des éloignements prochains. Flaubert, certes, continue de le requérir davantage, non seulement parce qu'il est moins systématique et plus subtil, mais parce que *L'Education* distille un désespoir pénétrant qui lui convient infiniment mieux. Mais il est symptomatique qu'à l'époque où nous sommes, relisant Flaubert après la mort du maître, Huysmans commence à modifier la hiérarchie de ses préférences et à mettre *La Tentation de saint Antoine*, avec ses délires et ses visions, les aspirations surtout qu'elle exprime çà et là, au-dessus de *L'Education sentimentale* elle-même. Le dialogue du Sphinx et de la Chimère le fait rêver longuement et une phrase comme celle-ci : « Je cherche des parfums nouveaux, des fleurs plus larges, des plaisirs inéprouvés » l'exalte au plus haut point. Il ne l'oubliera pas, et le lecteur la retrouvera en bonne place dans *A Rebours*.

Mais le romancier qui alors, parmi les réalistes, le requiert de la façon la plus poignante, c'est celui sous le signe duquel l'artiste expressionniste avait fait ses débuts, le subtil, le compliqué, le nerveux et sans doute névrosé Edmond de Goncourt. Sa psychologie torturée, ses raffinements d'écriture, les états rares qu'il explore (et même si la réalisation est parfois inférieure à l'audace du dessein) sont particulièrement du goût d'un homme que la platitude, le commun, le vulgaire irritent chaque jour davantage. Ce retour à Goncourt (« *Marthe* » avait dit Huysmans « est un ovule de jeunesse fécondé par un spermatozoïde de Goncourt ») est presque un retour aux sources.

Huysmans en effectue un autre, singulièrement plus hardi et plus prometteur, lorsque s'accomplit sa redécouverte de Baudelaire. C'est aux *Fleurs du Mal* et à la préface que Gautier avait écrite pour l'édition posthume de 1868 qu'il avait dû en grande partie l'élan et pour ainsi dire le programme de sa vocation littéraire initiale. L'idée de modernité, celle de décadence, toute une conception de la langue et des recherches de style l'avaient marqué dès cette époque, et bien des proses du *Drageoir* sont tributaires des poèmes du *Spleen de Paris*, pour leur expression plus encore que pour leur substance. Il avait

fallu le rendement littéraire de l'écriture du réel pour que
l'inspiration baudelairienne soit éclipsée (mais non point
oubliée, d'innombrables poèmes en prose en font foi)
au profit de l'orthodoxie médaniste qui submerge tout
pendant quelques années. Huysmans, il est vrai, avait
eu de Baudelaire une vision surtout esthétique et finalement superficielle; la portée morale et la dimension
métaphysique de l'œuvre lui avaient échappé, ou l'avaient
dépassé. Il n'en est que plus remarquable que ce soit à la
profondeur de la pensée autant qu'au raffinement de
l'art qu'il se montre le plus sensible lorsque, à partir de
1879-1880, il se remet à pratiquer assidûment l'auteur des
Fleurs du Mal. En 1876, dans le *Salon de Poésie* il porte
encore sur lui un jugement bien conventionnel; même le
compte rendu du *Salon de 1879* ne cite pas son nom parmi
ceux qui pourraient tirer la poésie française du bourbier
où elle s'enfonce. Mais peu de temps après, dans la
préface aux *Rimes de Joie* de Théodore Hannon, il
rapproche Baudelaire de « notre grand Flaubert » et
salue en lui « l'abstracteur du subtil et de l'essence de nos
corruptions ». Dès lors il a reconnu la grandeur du poète
qui tient toute dans son effort pour scruter « les végétations monstrueuses de la pensée », dépasser le mur des
apparences et surprendre derrière lui les vertigineux
abîmes de l'âme que protègent les fleurs vénéneuses par
lesquelles il ne se laisse pas effrayer. La théorie baudelairienne de la nature et du mal, les idées sur le dandysme
et l'artifice, le requièrent autant qu'elles le séduisent.
Et ce poète qui est descendu « jusqu'au fond de l'inépuisable mine », qui a « raconté les symptômes des âmes
requises par la douleur » et qui a su, bien avant Proust,
que la littérature qui se dit « réaliste » est « la plus éloignée
de la réalité », lui apparaît comme ce qu'Edgar Poe avait
été pour Baudelaire lui-même, « un semblable et un
frère », mais surtout un orienteur et un véritable « psycha-
gogue », selon le mot de Pie Duployé. Par-delà les affinités
du goût et les analogies de la sensibilité (et Dieu sait si, en
ces années, elles comptent et s'approfondissent) il y a cette
impulsion décisive que Baudelaire communique à
Huysmans vers l'invisible — surnature ou contre-nature
— et qui tourne le dos, on en conviendra, à toute la
santé et à tout le positivisme de la littérature à la Zola.
Moment capital que celui de cette pénétration dans la
profondeur baudelairienne : tout *À Rebours* est déjà
virtuellement présent dans cette adhésion passionnée du

romancier au poète, et les résistances ou les réticences de la raison critique ne pourront pas grand-chose contre elle. Nous sommes ici au centre vivant de l'œuvre. D'autres écrivains, dans le sillage de Baudelaire, trouveront accès à l'admiration de Huysmans : Poe, bien sûr, mais aussi Barbey et Villiers, connus depuis longtemps et jusqu'alors méconnus, Verlaine, Corbière et d'innombrables autres qui représentent ce que l'apport de la littérature contemporaine a de plus rare et de plus précieux. L'heure de leur assimilation n'a pas encore sonné cependant. Vers 1880 se mettent seulement en place les dispositions qui rendront fécondes, sous le signe des *Fleurs*, les rencontres futures.

En revanche, c'est bien alors que le défenseur de l'art moderne s'enthousiasme pour des peintres, contemporains, certes, eux aussi, mais bien différents de ces impressionnistes en qui, depuis des années et en accord avec Zola, il avait reconnu les compagnons du bon combat qu'il menait pour la vérité, la modernité, l'audace, la reproduction exacte du réel, bref « cette qualité suprême de l'art, la vie ». La correction fraternelle étant l'envers d'une solidarité toujours disponible, il ne manquait pas de souligner les défauts de ses amis peintres, manque de métier ou insuffisance de talent, voire cette insidieuse « maladie de l'œil » qui les empêchait, croyait-il, de saisir tout à fait la réalité. Cette attitude ne disparaît pas au lendemain de 1880, mais il est remarquable qu'à l'heure où la position de Zola à l'égard des impressionnistes ne cesse de se durcir en une incompréhension toujours plus hostile qui conduit à la sévérité irréversible de son jugement dans *L'Œuvre*, en 1886, celle de Huysmans s'assouplit et devient de plus en plus ouverte et favorable. Critiqués durement en 1879 et même en 1880, Pissarro et Monet, par exemple, feront l'objet d'une louange presque sans réticence, le premier en 1881, le second en 1882. La vérité est que tout se passe comme si Huysmans pressentait dans leur art de peindre une subtile contestation de la réalité qui, loin de l'irriter désormais, l'intéresse prodigieusement. Il ne s'agit pas seulement de l'ironie ou de la dérision qu'un Degas (son peintre préféré parmi les impressionnistes) jette sur les choses, mais de ce regard porté par l'impressionnisme sur le monde, qui, en faisant de la lumière, cette réalité insaisissable, le support et comme le principe de tout ce qui existe, aboutit à miner le réel de l'intérieur, à le fragmenter, à l'émietter, à l'émulsionner pour ainsi dire, comme s'il était dépourvu de toute consistance authentique. Cette destruction de l'objet par l'impressionnisme (lequel n'a jamais été au fond qu'une recherche passionnée de la peinture pure et non comme Zola le pensait un pendant du naturalisme) correspond trop aux doutes qu'il commence à nourrir sur la stabilité et la valeur du réel pour ne pas le requérir et lui plaire. D'une certaine manière, le romancier qui découvre dans *En Ménage* le primat de l'intériorité, trouve dans cette vision qui ouvre sur une conception différente de la nature, une confirmation indirecte de son attitude de mépris ou de refus envers la réalité et un encouragement dans son désir d'évasion. « Chacun, dira *A Rebours*, va de préférence aux œuvres qui correspondent le plus intimement à son propre tempérament et finit par reléguer en arrière toutes les autres. » Voilà qui permet de comprendre pourquoi, sans renier ses admirations antérieures, Huysmans aperçoit des précurseurs et des alliés en deux artistes que les manifestations de la vie artistique lui font découvrir alors et qui s'emparent de son admiration avec une fulgurante puissance.

Le premier est Gustave Moreau, peintre des mythes, drogué du rêve, obsédé par le souci d'introduire dans sa peinture outre des idées et « des problèmes éthiques » tout « cet au-delà abstrait qui transporte l'esprit et l'âme dans les domaines rares et sacrés de l'imagination ». Ce n'est pas un nouveau venu, mais son art s'est bien enrichi depuis qu'il faisait ses débuts sous l'influence de Chassériau et de Delacroix; la découverte de Mantegna, de Vinci, des miniatures orientales, l'approfondissement de ses propres pensées[1] l'ont conduit à la pratique d'un hiératisme cérébral et d'une décoration visionnaire où des personnages fabuleux véhiculent insolemment la polysémie inquiétante de leurs symboles. Il en résulte un art surchargé et fascinant, où des complications d'âme, lourdes d'effluves de luxure et de sang, proclament une horreur de l'ordinaire par quoi Huysmans est subjugué. Le peintre enfermé en plein Paris, comme un mystique « dans une cellule où ne pénètre même plus le bruit de la

---

[1]. « Je ne crois, disait-il, ni à ce que je touche, ni à ce que je vois. Je ne crois qu'à ce que je ne vois pas et uniquement à ce que je suis. » — Faut-il rappeler pour mesurer la distance qui se comble les mots que le jeune Huysmans traçait en tête de *Marthe* : « Je fais ce que je vois, ce que je sens et ce que j'ai vécu, en l'écrivant du mieux que je puis, et voilà tout » ?

vie contemporaine » hante de songes fabuleux et corus-
cants les pauvres rêves du chef de bureau que le romancier
est condamné à rester. Et l'œuvre, étrange, énigmatique,
traversée d'âpre misogynie et d'esthétisme hautain, communique à travers « les magismes du pinceau de ce
visionnaire » la révélation du fantastique et de son apport
le plus positif : l'évocation, l'apparition, l'évidence d'une
surréalité. Dès 1880 — et cela ne trompe pas — dans le
compte rendu du *Salon officiel*, Huysmans rapproche le
nom de Gustave Moreau de ceux de Baudelaire, de Flaubert et de Goncourt : « S'il était possible de s'imaginer
l'admirable et définitive *Tentation* de Gustave Flaubert,
écrite par les auteurs de *Manette Salomon*, peut-être
aurait-on l'exacte similitude de l'art si délicieusement
raffiné de M. Moreau. » Et ailleurs : « L'on éprouve
devant ces tableaux une sensation presque égale à celle
que l'on ressent lorsqu'on lit certains poèmes bizarres et
charmants de Charles Baudelaire. » N'en doutons pas,
l'imagerie de Gustave Moreau et la personne même du
peintre entrent pour beaucoup dans la constitution de
l'univers intérieur qui se met en place chez Huysmans
entre 1881 et 1883; la figure-reine de Salomé ne surprendra pas le lecteur, quand il la rencontrera dans *A
Rebours*.

Découvert un peu plus tard, en 1881 mais surtout en
1882, Odilon Redon ne sera pas, pour Huysmans, un
incitateur moins puissant au rêve, à l'heure où il s'oriente
définitivement vers la profondeur et le mystère. C'est, lui
aussi, un merveilleux artiste, dont l'originalité consiste à
imposer, par un univers étrange, la présence d'une réalité
différente. Visionnaire autant que Moreau, quoique d'une
autre manière, Redon crée la vision au lieu de la décrire,
en artiste lucide qu'il est, hanté par le cosmique et non
par le surnaturel, et d'abord soucieux de mettre « la
logique du visible au service de l'invisible ». Il n'est pas
sûr que Huysmans l'ait bien compris en le représentant
comme un créateur halluciné, en proie à ses démons et à ses
cauchemars, prisonnier d'une inspiration morbide et
presque satanique. Mais il importe finalement assez peu :
Huysmans a ressenti intensément, et au moment le plus
décisif pour lui, la puissance d'appel qui émane des
célèbres « noirs » qu'il avait admirés à *La Vie moderne* et au
Gaulois. Il y a répondu avec tant d'enthousiasme que la
réalité du fantastique lui est devenue familière grâce à
eux et que le besoin impérieux de s'y abandonner ne le

quittera plus. Non seulement l'œuvre de Redon le conduira vers d'autres maîtres de l'étrange (ou lui permettra la lecture ou la relecture d'œuvres jusqu'ici superficiellement regardées) mais elle fixe et renforce définitivement le climat intérieur où son esprit va s'installer.

C'est un fait qu'après *A Vau-l'eau*, qui a si magistralement raboté les illusions anciennes et établi sur le roc dur du pessimisme le terrain d'élection des constructions futures, la richesse de la vie profonde, l'exubérance de l'imagination, la force qui suscite chez Huysmans, à côté de l'univers traditionnel, un monde renouvelé, étonnent. L'afflux des idées, des images, des tentations est si puissant que le moi ne peut s'en trouver qu'ébranlé. La pression des songes est si forte qu'elle paraît devoir l'emporter sur la résistance et la solidité des positions rationnelles ou concertées. Tout dessine et dresse, à la veille d'*A Rebours*, un paysage nouveau que le vieil homme, qui ne s'est pas tout à fait dépouillé et ne veut pas y consentir, aperçoit avec autant de frayeur que de fascination. Le lecteur a vu apparaître en Huysmans le principe d'une dualité douloureuse, entraînée par l'éclatement du naturalisme; avec les développements qu'on vient de rencontrer, cette dualité devient proprement intolérable et impose à la conscience une tension dont il lui faut se délivrer de toute urgence. Jamais autant qu'alors, partagé entre la tentation de la fuite intérieure et la survivance des anciennes convictions, Huysmans n'a été déchiré par le malaise. Aux contradictions de l'existence et du rêve il faudrait une solution, que le recours à une écriture libérée hâterait sans doute, mais que la résistance de la technique naturaliste, pourtant contestée fortement elle aussi, essaie vainement de ralentir.

*_**
***

Parallèlement au malaise intérieur qu'on connaît, s'en dessine en effet un autre, qui affecte plus particulièrement en Huysmans l'écrivain, et qui tend à la même promotion d'un complet renouvellement. Huysmans a beaucoup insisté sur ce point en 1903, sans que ses termes satisfassent entièrement. Tout le mal viendrait selon lui d'une sorte d'épuisement des filons traditionnels auxquels le roman naturaliste puisait son inspiration. La vie commune et les vices ordinaires n'étant pas renouvelables à l'infini, « la meule risquait de tourner dans le même cercle » et la même encre d'être constamment remuée dans l'encrier.

Les romanciers suffoquaient dans un cul-de-sac et il devenait pressant d'ouvrir les fenêtres et de changer d'air, sous peine de se condamner à ressasser éternellement les mêmes antiennes.

Cette présentation des choses est discutable. L'histoire du naturalisme et du roman de mœurs qui lui a survécu montre que les périls dénoncés par Huysmans sont en grande partie imaginaires. Zola n'était nullement à court de sujets, et pas seulement parce qu'en « beau décorateur de théâtre, il s'en tirait en brossant des toiles plus ou moins précises ». Les autres écrivains n'éprouvaient pas, eux non plus, le même mal que Huysmans. Peut-être est-il le seul à qui sa remarque s'applique réellement et il ne faut pas être dupe d'une difficulté personnelle camouflée en vérité générale. Huysmans était dépourvu d'invention romanesque et son inspiration se limitait au cadre étroit de son expérience individuelle. Il n'était pas question pour lui — honnêteté intellectuelle ou incapacité de fait — de substituer d'autres formes d'information et de connaissance à celles que sa vie ne lui fournissait pas. Or, après avoir parlé des filles et de leurs drames, des ouvrières de son quartier et de leurs médiocres plaisirs, du collage et de ses misères, des tristesses de l'existence d'un petit fonctionnaire célibataire, il est exact qu'il avait épuisé toutes ses réserves. *A Vau-l'eau* avait déjà repris des thèmes d'*En Ménage* et il lui fallait désormais se taire ou changer, il ne l'ignorait pas. « Le mur du fond » était là.

On peut se demander néanmoins si le dernier stade que l'analyse puisse atteindre n'est pas à chercher plus profondément, et si la force qui suscite *A Rebours* ne doit rien à une expérience plus secrète. Ne serait-ce pas que l'évocation du réel a perdu de son attrait pour Huysmans, dans la mesure même où la réalité a cessé peu à peu de lui apparaître comme une valeur ? Elle lui procurait naguère « des jouissances d'observation et d'analyse », mais qu'en reste-t-il maintenant qu'a disparu la conscience qu'il pouvait avoir de l'intérêt ou de l'importance de la nature ? Dire qu'il n'a plus rien à dire signifie qu'il n'a plus envie de dire les choses qu'il disait. Au vrai, il éprouve alors ce que les plus conscients des artistes réalistes (c'est-à-dire les plus conscients des limites de la réalité) éprouvent toujours peu ou prou, et que son maître Flaubert avait particulièrement ressenti : la difficulté, voire l'inutilité de faire de l'art avec un matériau parfaitement inintéressant. Certes, il est toujours possible de faire de l'art lui-même la valeur dont l'œuvre sera soutenue. D'où la fameuse déclaration de Valéry sur la nécessaire préciosité de l'écriture réaliste et cette surcharge spécifique de l'écriture devenant à elle-même sa propre fin, qui caractérise, selon Genette, le roman de Flaubert. Il ne serait pas impossible de trouver dans la quête huysmansienne d'un concentré d'art, d'un « coulis essentiel », l'équivalent de ces recherches. Mais vers 1882, compte tenu précisément des transformations intérieures qu'on a enregistrées, c'est dans un sens assez différent que Huysmans est porté à chercher la solution de son problème.

Il ne s'agit de rien de moins que d'un changement d'orientation du roman lui-même (qui se vouerait à l'exploration de nouveaux univers) voire d'un changement plus radical de genre. *A Rebours* dira explicitement qu'il est arrivé à Huysmans de rêver à la substitution du poème en prose à la forme romanesque, le poème en prose étant une quintessence de l'écriture, une sublimation des genres descriptif ou informatif, c'est-à-dire liés au réel. Mais le rêve n'a pas eu de lendemain, peut-être parce que le romancier que Huysmans se savait et se voulait être fondamentalement, ne pouvait renoncer à l'évocation d'une certaine forme de la vie, fût-ce au profit d'une quintessence du réel. Au demeurant, si le réel est décrété de non-valeur, quelle justification y aurait-il à se vouer à l'extraction de sa quintessence ? La véritable question est donc celle du remplacement, non pas d'un genre par un autre, mais d'une inspiration par une nouvelle, et c'est bien ce qu'on perçoit lorsqu'on découvre Huysmans à l'affût de tout ce qui pouvait l'aider dans l'embarras cruel qui était le sien. Il continuait de penser en effet, comme précédemment en philosophie, que la vérité, la réalité exacte, se trouvaient du côté du naturalisme et qu'en dehors de lui il n'y avait que jeu et billevesées. Mais le moyen de s'en tenir au naturalisme, quand on vient d'en détailler les défauts et que tout vous porte du côté qui lui est le plus opposé ? Huysmans, bien sûr, aurait pu innover de sa propre initiative, en tirant parti des curiosités qu'il avait acquises, mais le lecteur ne s'étonnera pas que sa timidité lui ait fait chercher des intercesseurs qui l'autorisent à s'abandonner à lui-même.

Il n'a pas beaucoup à attendre des poètes dans le cas présent — directement à tout le moins, car il est clair que certaines attitudes morales et métaphysiques définies par Baudelaire, telles que le dandysme, possédaient une

efficacité romanesque indiscutable. Huysmans n'ignore
pas que la plupart des valeurs dont s'inspirent les œuvres
qu'il apprécie sont littérairement exploitables, mais c'est
Edmond de Goncourt surtout qui va contribuer à la
formation de son nouvel art romanesque. Plusieurs livres
de Goncourt ont récemment retenu son attention, les
Frères Zemgano en 1879, avec le plaidoyer de leur préface
pour un naturalisme qui ne serait plus « canaille », la
Maison d'un artiste en 1881 qui a prouvé (mais Balzac
ne l'avait-il pas déjà fait ?) qu'on pouvait intéresser avec
des recherches aussi peu romanesques en apparence que
la peinture d'un intérieur et des bibelots qui le rehaussent,
et surtout *La Faustin* qui atteste en 1882 une formule
d'art qui préfigure certains aspects d'*A Rebours* par le
dosage d'un romanesque très spécial, d'une précision
quasi médicale et d'un style savamment orfévré. Huysmans s'était rendu sans enthousiasme aux lectures que
Goncourt faisait de son livre chez le peintre de Nittis et
tout donne à penser que bien des éléments de l'ouvrage
durent justement l'irriter. *La* Faustin est souvent un livre
bavard, rempli de « numéros », de « potins », d' « épates »,
comme on peut en attendre des « cabots » de théâtre et
des milieux snobs qu'il met en scène et que Huysmans
détestait. Mais c'est aussi dans le cadre d'un milieu
somptueux et déjà « décadent », un roman de psychologie
rare, de dérèglement d'imagination très moderne et
d'intense curiosité pour « une nervosité non encore
décrite » et parfaitement inquiétante et monstrueuse.
L'exaspération sensuelle de la *Faustin,* les éréthismes de
cervelle de son amant, Lord Annandale, le sadisme
« anti-physique » de leur ami Georges Selwyn, atteignent
en profondeur Huysmans et imposent à son esprit des
visions qui hanteront longuement l'imagination de des
Esseintes, comme celle de cette chambre nuptiale aménagée en « cabine » au dernier étage de la maison, où les
ébats amoureux paraissent la profanation délibérée de la
blancheur virginale du décor. Or toutes ces notations
d'états de nerfs raffinés et savants, qui fascinent et
ravissent Huysmans, s'inscrivent dans l'esthétique exacte
d'un roman naturaliste, puisque le livre est fondé sur
l'étude d'un cas et que la pathologie la plus rigoureuse
n'est jamais loin. N'est-ce pas là ce que cherchait le
romancier en désarroi et ce que postulaient ses vœux à la
fois vagues et précis ? Suffisamment d'audace dans la
nouveauté pour le requérir et suffisamment de solidité

dans la tradition pour le rassurer ? *La Faustin* concilie
aux yeux de Huysmans le nervosisme de l'art auquel il
aspire et la fidélité aux normes qu'il ne veut pas renier.
C'est donc plus qu'un livre qui l'enchante : une œuvre qui
lui confirme par son existence même la réalité des richesses
qu'il entrevoit et qui lui apprend qu'on peut, en même
temps, être soi et ne pas trahir.

Comment l'idée ne lui serait-elle pas venue, dans ces
conditions, de tenter sa chance à son tour dans une voie
dont la fécondité ne fait aucun doute et vers laquelle tout
concourt à le pousser ? Données intérieures et données
esthétiques, doubles fruits de la crise du réel et de la
crise du roman, ne sont-elles pas réunies désormais pour
que le projet d'*A Rebours* voie enfin le jour ? Il va le faire,
et assez vite, mais non sans que l'être ancien manifeste par
ses réticences et les infléchissements qu'il impose au livre,
l'ambiguïté des dispositions de Huysmans à l'égard du
nouvel être triomphant.

$$\textstyle \text{*}_{\text{*}}\text{*}$$

Dans son principe, le sujet est clair. Fort des récentes
conquêtes de sa sensibilité, Huysmans va narrer l'histoire
d'un personnage d'exception qui éprouvera à l'égard de
la vie les mêmes sentiments que Folantin, mais auquel
l'ampleur de ses ressources et l'assurance de son esprit
inspireront de s'abandonner jusqu'au bout, sans limite
et sans frein, aux appels qu'il entend en lui, et qui sont les
mêmes que ceux que perçoit l'écrivain. Ce sera une sorte
d'*A Vau-l'eau* inversé, un à-rebours d'*A Vau-l'eau* si l'on
veut, où le rechigné célibataire cédera la place à un seigneur de haut vol et où les pauvres tentatives qui
échouaient à transfigurer l'existence du médiocre fonctionnaire deviendront les triomphantes fantaisies dont le duc
Jean-Floressas des Esseintes tissera son domaine artificiel.
Comme il va être agréable à Huysmans de s'adonner, le
temps d'écrire l'ouvrage, et sous le couvert de l'art, à ces
ensorcelantes folies intérieures dont il est la proie et dont
l'évocation tiendra, dans *A Rebours*, le rôle qu'occupait
l'observation exacte du réel dans les livres antérieurs !

Mais il ne veut surtout pas qu'on le soupçonne d'ac-
corder à une toquade — dont le fond n'est pas entièrement
gratuit — plus de sérieux qu'il n'est disposé à lui en
reconnaître lui-même. *A Rebours* sera un jeu, une délivrance et peut-être, à la limite, un exorcisme, car Huys-

mans espère qu'en donnant libre cours aux idées et aux obsessions qui encombrent sa conscience il les rejettera hors de lui une fois pour toutes et se retrouvera de nouveau disponible pour ces œuvres de vérité que demeurent à ses yeux les œuvres naturalistes. Cela est si vrai que son seul, son exclusif souci paraît être d'éloigner de lui le héros de son roman et de prévenir d'éventuels rapprochements avec lui-même en le jetant dans une outrance si perpétuelle et des excès tellement systématiques qu'ils le situent hors de tout vraisemblable. Les tendances dont il ne trouve en lui que le principe, il les poussera jusqu'à leurs ultimes conséquences : où il y a postulation, il mettra accomplissement; où il y a désir inquiet, il mettra certitude; où il y a rêve incertain, il mettra intangible réalité. Ce passage à la limite, qui est comme la loi de l'imagination grossissante dans *A Rebours*, implique évidemment toute une part de charge, de bouffonnerie énorme qui est acceptée et même délibérée. Elle fait partie de la volonté de Huysmans de se démarquer de son héros et révèle son incapacité à s'accepter tout entier, en assumant ses contradictions. Son souci ira même plus loin : Huysmans soupçonnait qu'un certain déséquilibre nerveux, jugé par Goncourt indispensable à l'art et aux artistes, était pour beaucoup dans les « particuliers phénomènes » qu'il observait en lui. Il fera de des Esseintes un véritable malade, parvenu au terme extrême de sa névrose et retrouvera du même coup — possibilité rassurante pour lui et combien révélatrice — le moyen de le traiter comme un personnage de roman naturaliste, relevable des modes d'étude et de présentation chers à Zola. Il ne rompra donc pas totalement avec l'esprit de Médan et à l'instant même où il s'en sépare, il lui sera loisible de camoufler en fidélité ce qui constitue bel et bien, dans le fait, un rejet déterminé : attitude hybride, qui entre pour beaucoup dans l'impression de malaise que laisse le livre.

Ainsi divers plans se dessinent-ils dans l'œuvre encore future et le principe d'un double jeu apparaît-il clairement dans les intentions qui président à sa naissance. Une place sera ménagée dans *A Rebours* aux idées, aux goûts, aux expériences qui sollicitent Huysmans, mais le livre ne sera pas du tout un livre sincère, ce sera juste le contraire, un ouvrage d'art pur, plein d'arrière-pensées et de compromis subtils, où les penchants les plus avérés et les moins déraisonnables devront s'intégrer au système retenu et figurer comme autant de signes de la folie menaçante. Il ne s'agit pas de retracer une transformation intérieure dont la légitimité est incertaine aux yeux de celui qui la subit, encore moins d'être fidèle à une vérité du moi contestée par lui-même, mais d'exploiter, de la façon la plus brillante et la plus provocante possible, des états d'exception où l'auteur, momentanément à court d'inspiration — c'est ce qu'il s'imagine en tout cas — entrevoit le point de départ de variations inédites et prometteuses.

En annonçant son œuvre à un ami, Huysmans craint que ce ne soit « le four le plus drôle de l'année », avant d'ajouter, il est vrai, qu'il aura « dit » du moins ce qu'il « avait à dire ». Il sait pourtant que les éléments qu'il y introduit et dont il se forge des possibilités enivrantes et de suggestives nouveautés, toutes ces quintessences d'émotions, ces fièvres de cervelle et ces complications abstraites des joies déviées, par quoi il se voue à la glorication du factice, sont accordées secrètement aux mouvements et à l'attente d'une part grandissante de la conscience contemporaine. Il est suffisamment au fait des manifestations de l'intelligence et de la sensibilité pour ne pas ignorer que d'autres, autour de lui, connaissent les réactions et les désirs qui sont les siens, et que tout un mouvement se dessine, en ces années climatériques, vers un éloge et un appel de ce qu'on désignera assez improprement comme la « décadence » et qui n'est pas le simple triomphe d'un goût de basse époque mais, dans le culte de la fragilité déclinante plutôt que du contentement épanoui, une aspiration peut-être maladroite, sincère en tout cas, à défendre la précarité de la vie intérieure contre les prétentions du positivisme bourgeois. Bourget ne vient-il pas d'écrire, à propos de Baudelaire, une *Théorie de la Décadence* qui a rappelé l'actualité du problème et du propos ? Le mot n'est-il pas sur bien des lèvres avant que l'idée, revendiquée par les poètes, n'inspire le comportement des esthètes fin-de-siècle ? En vérité, un synchronisme singulièrement heureux permet à ce livre, né dans l'hésitation et le déchirement intérieurs, de s'insérer dans le mouvement de son époque et d'en assumer l'esprit. Ce n'est pas le lieu d'examiner précisément la teneur et la signification du phénomène décadent, par lequel la fin du XIXe siècle a manifesté avec le plus d'éclat son refus des valeurs que la civilisation de la science tendait à faire prévaloir. Mais il est intéressant de noter que Huysmans,

indépendamment de la libération personnelle que devait
lui procurer *A Rebours*, risquait de réaliser avec l'exaltation
de la décadence une opération littéraire fructueuse qui
démentirait sa crainte de l'insuccès. D'une certaine
manière, il « devinait la veille la pensée du lendemain » ce
qui est, selon Joubert, qui songeait à Chateaubriand, le
propre du génie. On a souvent répété qu'*A Rebours* était
à la fin du siècle ce que *Le Génie du Christianisme* avait été
à son début. Le lecteur peut s'assurer qu'au stade du
projet, en tout cas, le rapprochement n'est pas infondé.

Peu importent les vicissitudes du livre, à partir du
moment où l'on est à même d'en apprécier les résultats.
Envisagée avec scrupule et d'abord hésitante, la création
d'*A Rebours* s'imposa vite, dès que les difficultés qu'il
rencontrait dans *La Faim*, un roman depuis longtemps
commencé sur le siège de Paris, et dans *Le Gros Caillou*,
un autre texte qu'il remit en chantier au lendemain
d'*A Vau-l'eau*, eurent convaincu Huysmans qu'il
n'aboutirait à rien pour l'instant dans ce genre d'écriture.
Dès lors il s'attela au roman de des Esseintes — le nom
ne fut pas trouvé d'emblée — et le mena à bien en moins
de deux ans. Il n'est pas surprenant que, prévu initia-
lement comme une simple nouvelle, *Seul*, dont la forme
eût accentué son caractère de pendant d'*A Vau-l'eau*, le
livre se soit enflé en volume épais, en authentique roman
qui, c'est le cas ou jamais de le dire, fait vivre le possible
et non revivre le réel. L'abondance de la documentation
tant orale que livresque [1], la prodigieuse érudition, de
qualité souvent incertaine, il est vrai, rassemblée par
Huysmans, le souvenir de ses lectures (Gautier, Catulle
Mendès) ou de ses relations (Francis Poictevin), le
« rendement » littéraire du thème choisi, l'exploitation en
tout sens des « correspondances », le caractère systématique
d'une invention où il n'y a pas, d'après l'auteur d'*Hérodiade*, « un atome de fantaisie », et qui s'applique à

---

1. Les amis furent mis à contribution, comme Hennequin pour
les bibliothèques paroissiales (Huysmans avait trouvé d'une assez
cocasse invention, de faire aimer à son héros certains livres pieux)
et des inconnus furent consultés, comme Mallarmé, qui procura certains de ses textes rares dont des Esseintes était épris, et qui, devenu
à son tour un ami, et s'intéressant au projet, fournit de précieux
renseignements sur Montesquiou, qui sont à l'origine de plusieurs
évocations et anecdotes d'*A Rebours*.

d'innombrables domaines confinant aux cinq sens et aux sept péchés capitaux, tout cela rend compte de l'ampleur d'un livre où le développement de l'imprévu se fait parfois un peu complaisant mais d'où la virtuosité n'est jamais absente. Ne serait-il rien d'autre, qu'*A Rebours* resterait une prouesse littéraire stupéfiante où Huysmans a réussi à mettre au point la langue exacte et le style savant qui convenaient à son sujet et à son héros. Mais ce qui importe le plus — bien davantage en tout cas que les détails de sa genèse matérielle — c'est que ce livre qui fut la grande admiration de jeunesse de Valéry soit devenu rapidement si peu valéryen, c'est-à-dire qu'il ait échappé aux intentions de son auteur et qu'en marge des aspects retenus et des effets visés il en ait développé d'autres qui lui confèrent son caractère pour nous le plus précieux : dans ce glissement qui permet à la logique de l'imaginaire de conduire à leur épanouissement les données du moi réel, résident en effet l'explication de la dualité déroutante de l'ouvrage et partant celle du rôle joué par *A Rebours* dans le destin de Huysmans.

Naturellement, on trouve dans le roman la folie et la démesure que Huysmans considérait comme les preuves du « nervosisme » qui envahissait son esprit ; c'est même l'aspect le plus visible et le plus immédiatement saisissable du livre. Mais, selon le processus que nous avons surpris, il en attribue les manifestations au développement d'un mal qu'en bon naturaliste d'intention il analyse de la façon la plus clinique dans ses symptômes et dans ses phases, en suivant pas à pas les ouvrages de Bouchut et d'Axenfeld sur les névroses, qui faisaient alors autorité. Et par sa naissance, son éducation, son genre de vie, ses aventures, des Esseintes apparaît bien comme ce héros de l'extravagance que nul ne risque de confondre avec le romancier. Partout éclate le délire d'une imagination qu'a saisie le démon de la « décadence » : dans tous les domaines, qu'il s'agisse de l'installation d'une demeure, du choix d'un livre ou d'un tableau, de l'organisation même de ses plaisirs, ou du jugement qu'il porte sur l'existence, le principe fondamental d'une âme est respecté, qui fait de la singularité sa règle et de la volonté de renverser le cours normal de tout, de prendre l'à-rebours de toute chose, sa permanente obsession. La conclusion logique de ce comportement tient dans la théorie de la nature qui fonde les goûts et l'éthique du héros et qui résume tout cet aspect de l'œuvre : « à n'en pas douter, cette sempiternelle radoteuse (la nature) a maintenant usé la débonnaire admiration des vrais artistes, et le moment est venu où il s'agit de la remplacer, autant que faire se pourra, par l'artifice » (Chap. II).

Le lecteur rencontrera aussi dans *A Rebours*, comme il peut s'y attendre, des pages où se reflètent en matière de littérature ou d'art les préférences qu'il a vues éclore. Sur les poètes, les écrivains, les peintres qu'aime Huysmans, que d'analyses et de confidences précieuses ! Mais il faut prendre garde qu'elles voisinent, d'une part, avec des déclarations parfaitement insincères, dictées par l'application de l'esprit de système au domaine considéré (imagine-t-on que Huysmans ait vraiment goûté, et connu, certaine littérature religieuse dont il parle, et que l'éloge de Mallarmé qui n'avait pas le mérite, à ses yeux, d'une profondeur analogue à celle de Baudelaire, ait été autre chose qu'un morceau de bravoure plus enflammé que convaincant ?) et que, d'autre part, elles reflètent elles aussi la déformation outrancière et l'orientation délibérée que l'auteur impose dans son livre à tous les éléments qu'il y admet. Pour ne prendre que deux exemples, la comparaison de ce qui est dit dans *A Rebours* sur Moreau et Redon et de ce qu'écrit ailleurs Huysmans sur ces artistes est instructive, de même que sont révélateurs les propos sur la grande admiration littéraire du livre, son véritable père spirituel, Baudelaire, dont l'auteur exalte surtout ici la bizarrerie et l'étrangeté, alors que la portée humaine et métaphysique qu'il percevait admirablement est, toutes proportions gardées, éclairée moins vigoureusement.

Mais quels que soient l'intérêt de ces notations et l'audience, gage de leur future influence sur le symbolisme, qu'elles connurent dès leur publication, ces pages ne sont pas, en définitive, les plus attachantes du livre. Il faudrait chercher plutôt les passages décisifs parmi ceux où, précisément à l'insu de Huysmans, *A Rebours* se met à dessiner le labyrinthe secret de son esprit et à révéler le sens profond de ses désirs. L'analyse de la conduite concrète de des Esseintes est peut-être tributaire de l'imagination grossissante et caricaturale de Huysmans ; mais il reste que les dispositions mises en œuvre sont celles dont le romancier ressent en lui-même l'appel. De sorte que le comportement peut être faux, sa motivation reste vraie ; et il arrive qu'en laissant jouer librement ses fantasmes, dans l'acceptation de leur dérèglement et de leurs conséquences, l'imagination élabore des structures où la vérité de l'être le plus intime se libère et se fixe. S'il étudie ces structures comme le montage imaginaire d'un test projectif, le lecteur verra où tendent les désirs de l'écrivain, quelle est la pente que suit secrètement son esprit et comment ses réactions caractéristiques s'acheminent vers une conclusion inattendue. Ici Huysmans n'invente pas, il ne se dit pas, il se trahit. Ce n'est pas sa vérité reconnue qui affleure, mais une vérité que refuse son intention la plus lucide. L'inconnu prend forme ainsi dans *A Rebours* et une radiographie du moi profond se révèle sous la déformation boursouflée de l'apparence décadente, conviant à lire le vrai sous l'excessif, l'aveu sous la dérision et l'élan sincère sous la caricature énorme. Tout l'avenir se prépare dans les esquisses innombrables d'une imagination féconde.

Nous n'indiquerons que quelques-unes de ces orientations majeures, laissant au lecteur le plaisir de repérer lui-même les points où s'opère le plus nettement cet engendrement du futur. Mais il est clair qu'excentricités et extravagances ont un sens moins pittoresque que psychologique et métaphysique. L'artifice n'est pas à lui-même sa propre fin ; il dissimule un besoin d'idéal que l'écrivain ne peut ni ressentir clairement ni expliciter tout à fait. Tant de refus de tout disent un fondamental désir d'autre chose, et la nature n'est à ce point humiliée que parce qu'une surnature est postulée. *A Rebours* appelle une transcendance et cherche à se la donner. La grandeur du livre, par-delà ses pitreries, ses voyages imaginaires et ses jeux dérisoires, réside en ce qu'il traduit la nature véritable du besoin qui taraude Huysmans et la signification de l'attente qui se dissimule sous des oripeaux à peine trompeurs.

Il est aisé de se convaincre que l'idéal ainsi postulé sera religieux, ou de nature religieuse. La religion, le catholicisme en particulier, est au bout de tous les horizons comme au terme de tous les forages de ce livre. On surprendra dans ces pages un retour presque obsessionnel des images et des thèmes religieux : c'est l'Eglise que des Esseintes trouve sur le chemin de tous ses égarements, de tous ses rêves, de tous ses délires. Elle est présente dans ses pensées et dans ses raffinements, comme dans le mobilier qu'il utilise, le décor où il se calfeutre, les livres, les tableaux ou les musiques qu'il affectionne. Sans doute pose-t-elle à son scepticisme « d'irritants problèmes », qu'il résout provisoirement par la négative, mais cette gardienne de l'héritage d'art des siècles le laisse le plus souvent dans « une situation d'esprit tout à la fois dévote et impie ». La nostalgie de l'être chez Huysmans, comment ne pas voir qu'elle sera inévitablement, qu'elle est déjà peut-être une nostalgie de la foi ? Des Esseintes rôde autour de l'Eglise avant que son créateur ne se mette à rôder dans les églises. L'étude érudite des manuscrits peut bien nous apprendre la part de hasard qui entre dans l'élaboration de l'étonnante prière finale d'*A Rebours* : « Seigneur, prenez pitié du chrétien qui doute, de l'incrédule qui voudrait croire, du forçat de la vie qui s'embarque seul, dans la nuit, sous un firmament que n'éclairent plus les consolants fanaux du vieil espoir. » Mais à qui fera-t-on croire que ce soit un hasard qui ait inspiré à Huysmans de faire précisément de ces lignes les dernières de son ouvrage ?

La haine vengeresse de la nature s'accompagne d'un désir d'humilier une réalité pleine de pourriture (« tout n'est que syphilis » dira *A Rebours*) et trop longtemps superbe et triomphante. Mais elle entraîne aussi chez des Esseintes un goût irrésistible pour le plaisir de nier et pour la cérébrale ivresse de bafouer l'ordre. Le sens profond de l'œuvre, on le devine, et de sa morale, tient à la révolte que nous avons surprise au cœur d'un homme en état d'insurrection contre le monde. Mais la révolte est-elle jamais plus subtile que dans la tentation de corrompre l'innocent, de détruire l'ordre suprême des choses jusque dans l'innocence et non seulement dans la nature ? C'est une perversité proprement satanique (infiniment plus grave que l'épisode de la tortue empierrée, significatif, pourtant, d'un refus qui n'est pas vulgaire) à l'attrait de laquelle des Esseintes succombe souvent; tout son comportement avec Langlois est là pour le prouver, qui constitue, au chapitre VI, un des temps réellement forts du livre. Du reste, le satanisme, combinaison de révolte et de croyance, est de façon révélatrice une des curiosités et des préoccupations majeures de des Esseintes, qu'il s'agisse — déjà — des formes historiques du satanisme, ou de la définition exacte de sa nature que Huysmans tente de préciser en cernant l'état d'esprit complexe dont il procède. Le très novice théologien qu'est encore l'auteur d'*A Rebours* confond le satanisme avec une sorte de spiritualité de la luxure. Le sadisme en particulier attire son attention (il semble qu'il ait lu Sade entre 1882 et 1883) dans la mesure où il le conçoit comme une

pratique sacrilège et le viol d'un interdit plutôt qu'en
simple perversion sexuelle ou, comme il dit, en « écart
des sens génésiques ». N'est-il pas significatif en tout cas
que des Esseintes rêve longuement « à la jouissance
prohibée de transférer à Satan les hommages et les prières
qu'on doit à Dieu », à « l'inobservance des préceptes
catholiques qu'on suit même à-rebours, en commettant,
afin de bafouer le Christ, les péchés qu'il a le plus
expressément maudits : la pollution du culte et l'orgie
charnelle ? » Cette rêverie est hantée des mauvais anges,
assurément; mais, antérieure à tout contact direct avec la
réalité du satanisme, elle indique surtout une voie révélatrice de l'imagination huysmansienne, qui conduit
inévitablement à l'exploration des « là-bas » ténébreux.
Peut-être même aide-t-elle à comprendre dès 1884 pourquoi la future visite des royaumes du Mal ne sera pas,
lorsque Huysmans l'accomplira plus tard, l'aventure sans
lendemain d'une curiosité fourvoyée.

   Finalement, ce qui frappe le plus quand on considère
A Rebours avec quelque recul, c'est la place prépondérante
et pour ainsi dire exclusive qu'y occupent les complications de la sensualité. Toute l'effervescence de ce livre
en fusion dépend d'un souci érotique exaspéré jusqu'au
désordre. Certes, l'érotisme a été de tout temps un des
abcès de fixation de la sensibilité huysmansienne; mais
ce qu'*A Rebours* donne à entendre, c'est que l'érotisme
n'est pas seulement, ni même essentiellement, une jouissance liée aux plus raffinés ou aux plus faisandés des
plaisirs (comme ceux que goûte des Esseintes auprès de la
ventriloque ou de l'acrobate ou ceux que lui procure
l'hystérie de son imagination dépravée) mais un phénomène d'âme, lourd de conséquences. On le savait, sans
doute, mais la preuve administrée ici est de taille. Ce sont
des émotions d'âme que des Esseintes demande à la
lubricité de ses œuvres favorites, à l'éréthisme de telle
nouvelle de Barbey ou de telle aquarelle de Gustave
Moreau, à la lascivité des « secousses » ou des « frissons »
qui le font palpiter chaque fois qu'il en devine la représentation. C'est un enlèvement de l'âme qu'il espère des
titillations savantes de ses sens ou de son esprit, et ce qui
lui importe dans le spectacle affriolant des images du
désir, c'est le bouleversement qu'il en éprouve et non
pas les pratiques qui le provoquent. Sans doute l'érotisme
est-il partout dans *A Rebours*, parce qu'il exige un esprit
de système comme celui qui règne ici et qu'il prospère de

préférence là où la nature a été bannie ; mais il faut comprendre qu'il constitue la ligne de fuite de tout un univers mental dont l'exploration fera bientôt découvrir à Huysmans que l'infiltration de l'au-delà s'opère de façon privilégiée à travers la chair jusqu'à l'âme. Les manifestations les plus tapageuses de la perversité n'y peuvent rien : toutes les « actives dépravations », toutes les obsessions implacables et les frénésies dévergondées qui peuplent ce musée de la Décadence qu'est *A Rebours*, sont une façade à laquelle se heurte de plein fouet le lecteur pressé ; mais au lecteur attentif, capable d'entendre des inflexions plus secrètes, elles suggèrent que l'essentiel se joue derrière la façade de ce livre peu chaste, sur un théâtre différent, et que la quête des ailleurs, qui anime l'ambition du héros, dissimule une autre recherche, et peut-être une recherche de l'Autre, où Huysmans est déjà engagé.

Ainsi s'affirme un univers dont l'organisation thématique désigne chez l'écrivain des directions de pensée qui sont en train de devenir capitales. L'énigme originelle d'*A Rebours*, source de tant d'étonnements et de tant de scandale, livre peu à peu son secret, qui est celui d'un texte qui signifie plus qu'il ne dit et ne dit pas tout ce qu'il veut dire. Une genèse s'y accomplit, d'un au-delà de la conscience, qui est aussi un en deçà, esquivé par la conscience claire, mais désiré par la conscience profonde. C'est pourquoi il fallait démonter les composantes de ce texte et les mécanismes compliqués qui les régissent, pour faire la part, si ambiguë, du sérieux et du frivole, et comprendre comment un être singulier a pu s'engendrer ici de la vérité de ses mensonges.

Par le truchement de l'imaginaire et le biais de la littérature, une mutation fondamentale a donc pu s'accomplir. Elle a changé le sens d'une vie d'homme en s'exprimant. Huysmans, qui croyait sincèrement se délivrer de tentations suspectes, montées des profondeurs du moi, les a renforcées en leur donnant carrière et authenticité en les fixant. Après le livre, elles sont pour lui ce qu'elles n'étaient pas auparavant, des données advenues de l'être, en fonction desquelles vont s'organiser l'existence réelle de l'écrivain et l'interrogation de sa pensée.

Cela est tellement exact que Huysmans va demeurer, pour ainsi dire, prisonnier d'*A Rebours*. Il tentera en vain de revenir durablement à la pratique du naturalisme : la vision et les convictions qui correspondent à un tel art, sont devenues interdites au créateur de des Esseintes. Au contraire, il lui faudra sacrifier toujours davantage aux curiosités qui se sont imposées au cours de l'ouvrage : le critique d'art devra vouer ses soins au fantastique et aux peintres du bizarre, du monstrueux, du satanique; le romancier, dans cet *En Rade* plus surréaliste que naturaliste, aura à faire retour vers ces domaines où l'imagination s'est aventurée, pour y approfondir les énigmes du mal et de la chair qu'un ami comme Léon Bloy saura s'appliquer à entretenir. Bref, Huysmans est prêt aux affrontements définitifs : ayant humé les effluves des mystères où bientôt il lui faudra plonger, il est passé, grâce à son livre, de la curiosité désemparée à l'inquiétude lucide. Comme on le comprend d'avoir déclaré plus tard que c'est « *en écrivant* » *A Rebours* qu'il s'est transformé : « *en écrivant* », c'est-à-dire non pas lorsqu'il écrivait *A Rebours*, mais à travers les démarches qui conduisirent au roman *A Rebours* n'est pas tant le témoin que l'instrument de sa métamorphose. Bien des caps difficiles restent encore à franchir et Huysmans aura besoin de la contrainte d'un engrenage sans merci pour le faire. Mais quelque chose a changé, quelque chose s'est débloqué en lui. C'est cela l'essentiel, c'est cela le sens d'*A Rebours* — « semailles » peut-être, mais qui n'en finiront pas de germer, exemple surtout, et combien prestigieux, du retentissement existentiel qu'implique le recours à l'imaginaire et du pouvoir « constituant » de l'écriture.

Pierre WALDNER.

INDICATIONS BIBLIOGRAPHIQUES

Sur Huysmans :

BALDICK Robert : *La Vie de J.-K. Huysmans.* (Traduit de l'anglais par Marcel THOMAS.) Denoël, 1958. (Réédition 1975.)
COGNY Pierre : *J.-K. Huysmans à la recherche de l'unité.* Nizet, 1953.
DUPLOYÉ Pie : *Huysmans.* « Les écrivains devant Dieu. » Desclée de Brouwer, 1968.
ZAYED Fernande : *Huysmans peintre de son époque.* Nizet, 1973.

Sur *A Rebours :*

BROMBERT Victor : *Huysmans et la Thébaïde heureuse, Critique* n° 330, novembre 1974, repris dans *La Prison heureuse.* Corti, 1975.
BRUNNER H. et de CONINCK J.-L. : *En marge d'A Rebours,* Dorbon-Aîné, 1929.
LIVI François : *J.-K. Huysmans : A Rebours et l'esprit décadent.* Nizet, 1972.
Mélanges Pierre LAMBERT, consacrés à Huysmans. Nizet, 1975 (plusieurs articles sur *A Rebours*).

P.S. : La plupart des livres mentionnés contiennent des éléments de bibliographie beaucoup plus complets qui pourront satisfaire l'éventuelle curiosité du lecteur.

INDICATIONS BIBLIOGRAPHIQUES

Sur Hoffmann

BÉGUIN Robert : E. T. A. Hoffmann. Traduit de l'anglais par Marcel Hoffmann, Denoël, 1958. (Traduction 1967.)

CERF Pierre : *E. T. A. Hoffmann et la littérature fantastique.* (...)

DURZAK (...) Lenau, ... devant Dieu, Leuschner, (...) 1973.

ZAHL Rainalde : *Hoffmann ...* (...), 1972.

Sur l'oeuvre

BRONNER Victor : *Fragment ...* Connaissance du 30 novembre 1853, réimprimé à Paris ...

BROUYSEN (...) L'infinity surgit à l'horizon-Aube, 1929.

LÉVY François G. : E. Hoffmann ... 1929.

MERLANT Pierre Lhambert : ... Hoffmann ... (...) Revue d'...

P.S. Les indications bibliographiques n'ont ... des données de bibliographie beaucoup plus complète qui pourrait satisfaire l'éventuelle curiosité du lecteur.

A REBOURS

PRÉFACE

Je pense que tous les gens de lettres sont comme moi, que jamais ils ne relisent leurs œuvres lorsqu'elles ont paru. Rien n'est, en effet, plus désenchantant, plus pénible, que de regarder, après des années, ses phrases. Elles se sont en quelque sorte décantées et déposent au fond du livre; et, la plupart du temps, les volumes ne sont pas ainsi que les vins qui s'améliorent en vieillissant; une fois dépouillés par l'âge, les chapitres s'éventent et leur bouquet s'étiole.

J'ai eu cette impression pour certains flacons rangés dans le casier d'*A Rebours*, alors que j'ai dû les déboucher.

Et, assez mélancoliquement, je tâche de me rappeler, en feuilletant ces pages, la condition d'âme que je pouvais bien avoir au moment où je les écrivis.

On était alors en plein naturalisme; mais cette école, qui devait rendre l'inoubliable service de situer des personnages réels dans des milieux exacts, était condamnée à se rabâcher, en piétinant sur place.

Elle n'admettait guère, en théorie du moins, l'exception; elle se confinait donc dans la peinture de l'existence commune, s'efforçait, sous prétexte de faire vivant, de créer des êtres qui fussent aussi semblables que possible à la bonne moyenne des gens. Cet idéal s'était, en son genre, réalisé dans un chef-d'œuvre qui a été beaucoup plus que *L'Assommoir* le parangon du naturalisme, *L'Education sentimentale* de Gustave Flaubert; ce roman était, pour nous tous, « des Soirées de Médan », une véritable bible; mais il ne comportait que peu de moutures. Il était parachevé, irrecommençable pour Flaubert même; nous en étions donc, tous, réduits, en ce temps-là, à louvoyer, à rôder par des voies plus ou moins explorées, tout autour.

La vertu étant, il faut bien l'avouer, ici-bas une exception, était par cela même écartée du plan naturaliste.
Ne possédant pas le concept catholique de la déchéance
et de la tentation, nous ignorions de quels efforts, de
quelles souffrances elle est issue; l'héroïsme de l'âme,
victorieuse des embûches, nous échappait. Il ne nous
serait pas venu à l'idée de décrire cette lutte, avec ses
hauts et ses bas, ses attaques retorses et ses feintes et
aussi ses habiles aides qui s'apprêtent très loin souvent de
la personne que le Maudit attaque, dans le fond d'un
cloître; la vertu nous semblait l'apanage d'êtres sans
curiosités ou dénués de sens, peu émouvante, en tout cas,
à traiter, au point de vue de l'art.

Restaient les vices; mais le champ en était, à cultiver,
restreint. Il se limitait aux territoires des Sept péchés
capitaux et encore, sur ces sept, un seul, celui contre le
sixième Commandement de Dieu, était à peu près accessible.

Les autres avaient été terriblement vendangés et il n'y
demeurait guère de grappes à égrener. L'Avarice, par
exemple, avait été pressurée jusqu'à sa dernière goutte
par Balzac et par Hello. L'Orgueil, la Colère, l'Envie
avaient traîné dans toutes les publications romantiques,
et ces sujets de drames avaient été si violemment gauchis
par l'abus des scènes qu'il eût vraiment fallu du génie
pour les rajeunir dans un livre. Quant à la Gourmandise
et à la Paresse, elles semblaient pouvoir s'incarner plutôt
en des personnages épisodiques et convenir mieux à des
comparses qu'à des chefs d'emploi ou à des premières
chanteuses de romans de mœurs.

La vérité est que l'Orgueil eût été le plus magnifique
des forfaits à étudier, dans ses ramifications infernales de
cruauté envers le prochain et de fausse humilité, que la
Gourmandise remorquant à sa suite la Luxure et la
Paresse, le Vol, eussent été matière à de surprenantes
fouilles, si l'on avait scruté ces péchés avec la lampe et le
chalumeau de l'Eglise et en ayant la Foi; mais aucun de
nous n'était préparé pour cette besogne; nous étions donc
acculés à remâcher le méfait le plus facile à décortiquer
de tous, le péché de Luxure, sous toutes ses formes; et
Dieu sait si nous le remâchâmes; mais cette sorte de carrousel était court. Quoi qu'on inventât, le roman se pouvait résumer en ces quelques lignes : savoir pourquoi
monsieur Un tel commettait ou ne commettait pas l'adultère avec madame Une telle; si l'on voulait être distingué

et se déceler, ainsi qu'un auteur du meilleur ton, l'on plaçait l'œuvre de chair entre une marquise et un comte; si l'on voulait, au contraire, être un écrivain populacier, un prosateur à la coule, on la campait entre un soupirant de barrière et une fille quelconque; le cadre seul différait. La distinction me paraît avoir prévalu maintenant dans les bonnes grâces du lecteur, car je vois qu'à l'heure actuelle il ne se repaît guère des amours plébéiennes ou bourgeoises, mais continue à savourer les hésitations de la marquise, allant rejoindre son tentateur dans un petit entresol dont l'aspect change suivant la mode tapissière du temps. Tombera? Tombera pas? cela s'intitule étude psychologique. Moi je veux bien.

J'avoue pourtant que, lorsqu'il m'arrive d'ouvrir un livre et que j'y aperçois l'éternelle séduction et le non moins éternel adultère, je m'empresse de le fermer, n'étant nullement désireux de connaître comment l'idylle annoncée finira. Le volume où il n'y a pas de documents avérés, le livre qui ne m'apprend rien ne m'intéresse plus.

Au moment où parut *A Rebours*, c'est-à-dire en 1884, la situation était donc celle-ci: le naturalisme s'essouf-flait à tourner la meule dans le même cercle. La somme d'observations que chacun avait emmagasinée, en les prenant sur soi-même et sur les autres, commençait à s'épuiser. Zola, qui était un beau décorateur de théâtre, s'en tirait en brossant des toiles plus ou moins précises; il suggérait très bien l'illusion du mouvement et de la vie; ses héros étaient dénués d'âme, régis tout bonnement par des impulsions et des instincts, ce qui simplifiait le tra-vail de l'analyse. Ils remuaient, accomplissaient quelques actes sommaires, peuplaient d'assez franches silhouettes des décors qui devenaient les personnages principaux de ses drames. Il célébrait de la sorte les halles, les magasins de nouveautés, les chemins de fer, les mines, et les êtres humains égarés dans ces milieux n'y jouaient plus que le rôle d'utilités et de figurants; mais Zola était Zola, c'est-à-dire un artiste un peu massif, mais doué de puissants poumons et de gros poings.

Nous autres, moins râblés et préoccupés d'un art plus subtil et plus vrai, nous devions nous demander si le naturalisme n'aboutissait pas à une impasse et si nous n'allions pas bientôt nous heurter contre le mur du fond.

A vrai dire, ces réflexions ne surgirent en moi que bien plus tard. Je cherchais vaguement à m'évader d'un cul-de-sac où je suffoquais, mais je n'avais aucun plan déterminé et *A Rebours*, qui me libéra d'une littérature sans issue, en m'aérant, est un ouvrage parfaitement inconscient, imaginé sans idées préconçues, sans intentions réservées d'avenir, sans rien du tout.

Il m'était d'abord apparu, tel qu'une fantaisie brève, sous la forme d'une nouvelle bizarre; j'y voyais un peu un pendant d'*A vau-l'eau* transféré dans un autre monde; je me figurais un monsieur Folantin, plus lettré, plus raffiné, plus riche et qui a découvert, dans l'artifice, un dérivatif au dégoût que lui inspirent les tracas de la vie et les mœurs américaines de son temps; je le profilais fuyant à tire-d'aile dans le rêve, se réfugiant dans l'illusion d'extravagantes féeries, vivant, seul, loin de son siècle, dans le souvenir évoqué d'époques plus cordiales, de milieux moins vils.

Et, à mesure que j'y réfléchissais, le sujet s'agrandissait et nécessitait de patientes recherches : chaque chapitre devenait le coulis d'une spécialité, le sublimé d'un art différent; il se condensait en un « of meat » de pierreries, de parfums, de fleurs, de littérature religieuse et laïque, de musique profane et de plain-chant.

L'étrange fut que, sans m'en être d'abord douté, je fus amené par la nature même de mes travaux à étudier l'Eglise sous bien des faces. Il était, en effet, impossible de remonter jusqu'aux seules ères propres qu'ait connues l'humanité, jusqu'au Moyen Age, sans constater qu'Elle tenait tout, que l'art n'existait qu'en Elle et que par Elle. N'ayant pas la foi, je la regardais, un peu défiant, surpris de son ampleur et de sa gloire, me demandant comment une religion qui me semblait faite pour des enfants avait pu suggérer de si merveilleuses œuvres.

Je rôdais un peu à tâtons autour d'Elle, devinant plus que je ne voyais, me reconstituant, avec les bribes que je retrouvais dans les musées et les bouquins, un ensemble. Et aujourd'hui que je parcours, après des investigations plus longues et plus sûres, les pages d'*A Rebours* qui ont trait au catholicisme et à l'art religieux, je remarque que ce minuscule panorama, peint sur des feuilles de bloc-notes, est exact. Ce que je peignais alors était succinct, manquait de développements, mais était véridique. Je me suis borné depuis à grandir mes esquisses et à les mettre au point.

Je pourrais très bien signer maintenant les pages d'*A Rebours* sur l'Eglise, car elles paraissent avoir été, en effet, écrites par un catholique.

Je me croyais loin de la religion pourtant! Je ne son-
geais pas que, de Schopenhauer que j'admirais plus que
de raison, à l'*Ecclésiaste* et au *Livre de Job*, il n'y avait
qu'un pas. Les prémisses sur le Pessimisme sont les
mêmes, seulement, lorsqu'il s'agit de conclure, le philosophe se dérobe. J'aimais ses idées sur l'horreur de la
vie, sur la bêtise du monde, sur l'inclémence de la destinée; je les aime également dans les Livres Saints; mais
les observations de Schopenhauer n'aboutissent à rien; il
vous laisse, pour ainsi parler, en plan; ses aphorismes ne
sont, en somme, qu'un herbier de plaintes sèches;
l'Eglise, elle, explique les origines et les causes, signale les
fins, présente les remèdes; elle ne se contente pas de
vous donner une consultation d'âme, elle vous traite et
elle vous guérit, alors que le médicastre allemand, après
vous avoir bien démontré que l'affection dont vous souf-
frez est incurable, vous tourne, en ricanant, le dos.
Son Pessimisme n'est autre que celui des Ecritures
auxquelles il l'a emprunté. Il n'a pas dit plus que Salomon, plus que Job, plus même que l'*Imitation* qui a
résumé, bien avant lui, toute sa philosophie en une
phrase : « C'est vraiment une misère que de vivre sur
la terre! »
A distance, ces similitudes et ces dissemblances
s'avèrent nettement, mais à cette époque, si je les perce-
vais, je ne m'y attardais point; le besoin de conclure ne
me tentait pas; la route tracée par Schopenhauer était
carrossable et d'aspect varié, je m'y promenais tranquillement, sans désir d'en connaître le bout; en ce temps-là,
je n'avais aucune clarté réelle sur les échéances, aucune
appréhension des dénouements; les mystères du caté-
chisme me paraissaient enfantins; comme tous les catholiques, du reste, j'ignorais parfaitement ma religion; je ne
me rendais pas compte que tout est mystère, que nous ne
vivons que dans le mystère, que si le hasard existait, il
serait encore plus mystérieux que la Providence. Je n'ad-
mettais pas la douleur infligée par un Dieu, je m'imagi-
nais que le Pessimisme pouvait être le consolateur des
âmes élevées. Quelle bêtise! c'est cela qui était peu expé-
rimental, peu document humain, pour me servir d'un
terme cher au naturalisme. Jamais le Pessimisme n'a
consolé et les malades de corps et les alités d'âme!
Je souris, alors qu'après tant d'années, je relis les pages
où ces théories, si résolument fausses sont affirmées.
Mais ce qui me frappe le plus, en cette lecture, c'est

ceci : tous les romans que j'ai écrits depuis *A Rebours* sont contenus en germe dans ce livre. Les chapitres ne sont, en effet, que les amorces des volumes qui les suivirent.

Le chapitre sur la littérature latine de la Décadence, je l'ai sinon développé, au moins plus approfondi, en traitant de la liturgie dans *En route* et dans *L'Oblat*. Je l'imprimerai, sans y rien changer aujourd'hui, sauf pour Saint Ambroise dont je n'aime toujours pas la prose aqueuse et la rhétorique ampoulée. Il m'apparaît encore tel que je le qualifiais « d'ennuyeux Cicéron chrétien », mais, en revanche, le poète est charmant; et ses hymnes et celles de son école qui figurent dans le Bréviaire sont parmi les plus belles qu'ait conservées l'Eglise; j'ajoute que la littérature un peu spéciale, il est vrai, de l'hymnaire aurait pu trouver place dans le compartiment réservé de ce chapitre.

Pas plus qu'en 1884, je ne raffole présentement du latin classique du Maro et du Pois chiche; comme au temps d'*A Rebours*, je préfère la langue de la Vulgate à la langue du siècle d'Auguste, voire même à celle de la Décadence, plus curieuse pourtant, avec son fumet de sauvagine et ses teintes persillées de venaison. L'Eglise qui, après l'avoir désinfectée et rajeunie, a créé, pour aborder un ordre d'idées inexprimées jusqu'alors, des vocables grandiloques et des diminutifs de tendresse exquis, me semble donc s'être façonné un langage fort supérieur au dialecte du Paganisme, et Durtal pense encore, à ce sujet, tel que des Esseintes.

Le chapitre des pierreries, je l'ai repris dans *La Cathédrale* en m'en occupant alors au point de vue de la symbolique des gemmes. J'ai animé les pierreries mortes d'*A Rebours*. Sans doute, je ne nie pas qu'une belle émeraude puisse être admirée pour les étincelles qui grésillent dans le feu de son eau verte, mais n'est-elle point, si l'on ignore l'idiome des symboles, une inconnue, une étrangère avec laquelle on ne peut s'entretenir et qui se tait, elle-même, parce que l'on ne comprend pas ses locutions ? Or, elle est plus et mieux que cela.

Sans admettre avec un vieil auteur du XVIe siècle, Estienne de Clave, que les pierreries s'engendrent, ainsi que des personnes naturelles, d'une semence éparse dans la matrice du sol, l'on peut très bien dire qu'elles sont des minéraux significatifs, des substances loquaces, qu'elles sont, en un mot, des symboles. Elles ont été

envisagées sous cet aspect depuis la plus haute antiquité
et la tropologie des gemmes est une des branches de cette
symbolique chrétienne si parfaitement oubliée par les
prêtres et les laïques de notre temps et que j'ai essayé de
reconstituer en ses grandes lignes dans mon volume sur
la basilique de Chartres.

Le chapitre d'*A Rebours* n'est donc que superficiel et à
fleur de chaton. Il n'est pas ce qu'il devrait être, une
joaillerie de l'au-delà. Il se compose d'écrins plus ou
moins bien décrits, plus ou moins bien rangés en une
montre, mais c'est tout et ce n'est pas assez.

La peinture de Gustave Moreau, les gravures de Luyken, les lithographies de Bresdin et de Redon sont telles
que je les vois encore. Je n'ai rien à modifier dans l'ordonnance de ce petit musée.

Pour le terrible chapitre VI dont le chiffre correspond,
sans intentions préconçues, à celui du Commandement
de Dieu qu'il offense, et pour certaines parties du IXe qui
peuvent s'y joindre, je ne les écrirais plus évidemment
de la sorte. Il eût au moins fallu les expliquer, d'une
façon plus studieuse, par cette perversité diabolique qui
s'ingère, au point de vue luxurieux surtout, dans les
cervelles épuisées des gens. Il semble, en effet, que les
maladies de nerfs, que les névroses ouvrent dans l'âme
des fissures par lesquelles l'Esprit du Mal pénètre. Il y a
là une énigme qui reste illucidée; le mot hystérie ne
résout rien; il peut suffire à préciser un état matériel, à
noter des rumeurs irrésistibles des sens, il ne déduit pas
les conséquences spirituelles qui s'y rattachent et, plus
particulièrement, les péchés de dissimulation et de mensonge, qui presque toujours s'y greffent. Quels sont les
tenants et les aboutissants de cette maladie peccamineuse,
dans quelle proportion s'atténue la responsabilité de
l'être atteint dans son âme d'une sorte de possession qui
vient s'enter sur le désordre de son malheureux corps ?
Nul ne le sait; en cette matière, la médecine déraisonne
et la théologie se tait.

A défaut d'une solution qu'il ne pouvait évidemment
apporter, des Esseintes eût dû envisager la question au
point de vue de la faute et en exprimer au moins quelque
regret; il s'abstint de se vitupérer, et il eut tort; mais
bien qu'élevé par les Jésuites dont il fait — plus que
Durtal — l'éloge, il était devenu, par la suite, si rebelle
aux contraintes divines, si entêté à patauger dans son
limon charnel !

En tout cas, ces chapitres paraissent des jalons incons-
ciemment plantés pour indiquer la route de *Là-Bas*.
Il est à observer d'ailleurs que la bibliothèque de des
Esseintes renfermait un certain nombre de bouquins de
magie et que les idées énoncées dans le chapitre VII
d'*A Rebours*, sur le sacrilège, sont l'hameçon d'un futur
volume traitant le sujet plus à fond.

Ce livre de *Là-Bas* qui effara tant de gens, je ne l'écrirais plus, lui aussi, maintenant que je suis redevenu catholique, de la même manière. Il est, en effet, certain que le
côté scélérat et sensuel qui s'y développe est réprouvable;
et cependant, je l'affirme, j'ai gazé, je n'ai rien dit; les
documents qu'il recèle sont, en comparaison de ceux que
j'ai omis et que je possède dans mes archives, de bien
fades dragées, de bien plates béatilles!

Je crois, cependant, qu'en dépit de ses démences cérébrales et de ses folies alvines, cet ouvrage a, par le sujet
même qu'il exposait, rendu service. Il a rappelé l'attention sur les manigances du Malin qui était parvenu à se
faire nier; il a été le point de départ de toutes les études
qui se sont renouvelées sur l'éternel procès du satanisme;
il a aidé, en les dévoilant, à annihiler les odieuses pratiques des goéties; il a pris parti et combattu très résolument, en somme, pour l'Eglise contre le Démon.

Pour en revenir à *A Rebours* dont il n'est qu'un succé-
dané, je peux répéter à propos des fleurs ce que j'ai déjà
raconté sur le compte des pierres.

A Rebours ne les considère qu'au point de vue des
contours et des teintes, nullement au point de vue des
significations qu'elles décèlent; des Esseintes n'a choisi
que des orchidées bizarres, mais taciturnes. Il sied
d'ajouter qu'il eût été difficile de faire parler en ce livre
une flore atteinte d'alabie, une flore muette, car l'idiome
symbolique des plantes est mort avec le Moyen Age; et
les créoles végétales choyées par des Esseintes étaient
inconnues des allégoristes de ce temps.

La contrepartie de cette botanique, je l'ai écrite
depuis, dans *La Cathédrale*, à propos de cette horti-
culture liturgique qui a suscité de si curieuses pages de
Sainte Hildegarde, de Saint Méliton, de Saint Eucher.

Autre est la question des odeurs dont j'ai dévoilé dans
le même livre les emblèmes mystiques.

Des Esseintes ne s'est préoccupé que des parfums
laïques, simples ou extraits, et des parfums profanes,
composés ou bouquets.

Il eût pu expérimenter aussi les arômes de l'Eglise, l'encens, la myrrhe, et cet étrange Thymiama que cite la Bible et qui est encore marqué dans le rituel comme devant être brûlé, avec l'encens, sous le vase des cloches, lors de leur baptême, après que l'Evêque les a lavées avec de l'eau bénite et signées avec le Saint Chrême et l'huile des infirmes ; mais cette fragrance semble oubliée par l'Eglise même et je crois que l'on étonnerait beaucoup un curé en lui demandant du Thymiama.

La recette est pourtant consignée dans *L'Exode*. Le Thymiama se composait de styrax, de galbanum, d'encens et d'onycha, et cette dernière substance ne serait autre que l'opercule d'un certain coquillage du genre des « pourpres » qui se drague dans les marais des Indes.

Or, il est difficile, pour ne pas dire impossible, étant donné le signalement incomplet de ce coquillage et de son lieu de provenance, de préparer un authentique Thymiama ; et c'est dommage, car s'il en eût été autrement, ce parfum perdu eût certainement excité chez des Esseintes les fastueuses évocations des galas cérémoniels, des rites liturgiques de l'Orient.

Quant aux chapitres sur la littérature laïque et religieuse contemporaine, ils sont, à mon sens, de même que celui de la littérature latine, demeurés justes. Celui consacré à l'art profane a aidé à mettre en relief des poètes bien inconnus du public alors : Corbière, Mallarmé, Verlaine. Je n'ai rien à retrancher à ce que j'écrivis il y a dix-neuf ans ; j'ai gardé mon admiration pour ces écrivains ; celle que je professais pour Verlaine s'est même accrue. Arthur Rimbaud et Jules Laforgue eussent mérité de figurer dans le florilège de des Esseintes, mais ils n'avaient encore rien imprimé à cette époque-là et ce n'est que beaucoup plus tard que leurs œuvres ont paru.

Je ne m'imagine pas, d'autre part, que j'arriverai jamais à savourer les auteurs religieux modernes que saccage *A Rebours*. L'on ne m'ôtera pas de l'idée que la critique de feu Nettement est imbécile et que Mme Augustin Craven et que Mlle Eugénie de Guérin sont de bien lymphatiques bas-bleus et de bien dévotieuses bréhaignes. Leurs juleps me semblent fades ; des Esseintes a repassé à Durtal son goût pour les épices et je crois qu'ils s'entendraient encore assez bien, tous les deux, pour préparer, à la place de ces loochs, une essence gingembrée d'art.

Je n'ai pas changé d'avis non plus sur la littérature de

confrérie des Poujoulat et des Genoude, mais je serais
moins dur maintenant pour le Père Chocarne, cité dans
un lot de pieux cacographes, car il a au moins rédigé
quelques pages médullaires sur la mystique, dans son
introduction aux œuvres de Saint Jean de la Croix, et je
serais également plus doux pour de Montalembert qui,
à défaut de talent, nous a nantis d'un ouvrage incohérent
et dépareillé, mais enfin émouvant, sur les moines; je
n'écrirais plus surtout que les visions d'Angèle de Foligno
sont sottes et fluides, c'est le contraire qui est vrai; mais
je dois attester, à ma décharge, que je ne les avais lues
que dans la traduction d'Hello. Or, celui-là était possédé
par la manie d'élaguer, d'édulcorer, de cendrer les mystiques, de peur d'attenter à la fallacieuse pudeur des
catholiques. Il a mis sous pressoir une œuvre ardente,
pleine de sève, et il n'en a extrait qu'un suc incolore et
froid, mal réchauffé, au bain-marie, sur la pauvre veilleuse de son style.

Cela dit, si en tant que traducteur, Hello se révélait
tel qu'un tâte-poule et qu'un pieusard, il est juste d'affirmer qu'il était, alors qu'il opérait pour son propre compte,
un manieur d'idées originales, un exégète perspicace, un
analyste vraiment fort. Il était même, parmi les écrivains
de son bord, le seul qui pensât; je suis venu à la res-
cousse de d'Aurevilly pour prôner l'œuvre de cet homme
si incomplet, mais si intéressant, et A Rebours a, je pense,
aidé au petit succès que son meilleur livre, L'Homme, a
obtenu depuis sa mort.

La conclusion de ce chapitre sur la littérature ecclé-
siale moderne était que parmi les hongres de l'art religieux, il n'y avait qu'un étalon, Barbey d'Aurevilly; et
cette opinion demeure résolument exacte. Celui-là fut le
seul artiste, au pur sens du mot, que produisit le catholicisme de ce temps; il fut un grand prosateur, un romancier admirable dont l'audace faisait braire la bedeaudaille
qu'exaspérait la véhémence explosive de ses phrases.

Enfin, si jamais chapitre peut être considéré comme le
point de départ d'autres livres, c'est bien celui sur le
plain-chant que j'ai amplifié depuis dans tous mes
volumes, dans En Route et surtout dans L'Oblat.

Après ce bref examen de chacune des spécialités rangées dans les vitrines d'A Rebours, la conclusion qui
s'impose est celle-ci : ce livre fut une amorce de mon
œuvre catholique qui s'y trouve, tout entière, en germe.

Et l'incompréhension et la bêtise de quelques mômiers

et de quelques agités du sacerdoce m'apparaissent, une fois de plus, insondables. Ils réclamèrent, pendant des années, la destruction de cet ouvrage dont je ne possède pas, du reste, la propriété, sans même se rendre compte que les volumes mystiques qui lui succédèrent sont incompréhensibles sans celui-là, car il est, je le répète, la souche d'où tous sortirent. Comment apprécier, d'ailleurs, l'œuvre d'un écrivain, dans son ensemble, si on ne la prend dès ses débuts, si on ne la suit pas à pas, comment surtout se rendre compte de la marche de la Grâce dans une âme si l'on supprime les traces de son passage, si l'on efface les premières empreintes qu'elle a laissées ?

Ce qui est, en tout cas, certain, c'est qu'*A Rebours* rompait avec les précédents, avec *Les Sœurs Vatard, En ménage, A vau l'eau,* c'est qu'il m'engageait dans une voie dont je ne soupçonnais même pas l'issue.

Autrement sagace que les catholiques, Zola le sentit bien. Je me rappelle que j'allai passer, après l'apparition d'*A Rebours*, quelques jours à Médan. Une après-midi que nous nous promenions, tous les deux, dans la campagne, il s'arrêta brusquement et, l'œil devenu noir, il me reprocha le livre, disant que je portais un coup terrible au naturalisme, que je faisais dévier l'école, que je brûlais d'ailleurs mes vaisseaux avec un pareil roman, car aucun genre de littérature n'était possible dans ce genre épuisé en un seul tome, et, amicalement — car il était un très brave homme, — il m'incita à rentrer dans la route frayée, à m'atteler à une étude de mœurs.

Je l'écoutais, pensant qu'il avait tout à la fois et raison et tort, — raison, en m'accusant de saper le naturalisme et de me barrer tout chemin, — tort, en ce sens que le roman, tel qu'il le concevait, me semblait moribond, usé par les redites, sans intérêt, qu'il le voulût ou non, pour moi.

Il y avait beaucoup de choses que Zola ne pouvait comprendre ; d'abord, ce besoin que j'éprouvais d'ouvrir les fenêtres, de fuir un milieu où j'étouffais ; puis, le désir qui m'appréhendait de secouer les préjugés, de briser les limites du roman, d'y faire entrer l'art, la science, l'histoire, de ne plus se servir, en un mot, de cette forme que comme d'un cadre pour y insérer de plus sérieux travaux. Moi, c'était cela qui me frappait surtout à cette époque, supprimer l'intrigue traditionnelle, voire même la passion, la femme, concentrer le pinceau de lumière sur un seul personnage, faire à tout prix du neuf.

Zola ne répondait pas à ces arguments avec lesquels j'essayais de le convaincre, et il réitérait sans cesse son affirmation : « Je n'admets pas que l'on change de manière et d'avis ; je n'admets pas que l'on brûle ce que l'on a adoré. »

Eh là ! n'a-t-il pas joué, lui aussi, le rôle du bon Sicambre ? Il a, en effet, sinon modifié son procédé de composition et d'écriture, au moins varié sa façon de concevoir l'humanité et d'expliquer la vie. Après le pessimisme noir de ses premiers livres, n'avons-nous pas eu, sous couleur de socialisme, l'optimisme béat de ses derniers ?

Il faut bien le confesser, personne ne comprenait moins l'âme que les naturalistes qui se proposaient de l'observer. Ils voyaient l'existence d'une seule pièce ; ils ne l'acceptaient que conditionnée d'éléments vraisemblables, et j'ai depuis appris, par expérience, que l'invraisemblable n'est pas toujours, dans le monde, à l'état d'exception, que les aventures de Rocambole sont parfois aussi exactes que celles de Gervaise et de Coupeau.

Mais l'idée que des Esseintes pouvait être aussi vrai que ses personnages à lui, déconcertait, irritait presque Zola.

*_**

J'ai jusqu'ici, dans ces quelques pages, parlé d'*A Rebours* surtout au point de vue de la littérature et de l'art. Il me faut maintenant en parler au point de vue de la Grâce, montrer quelle part d'inconnu, quelle projection d'âme qui s'ignore, il peut y avoir souvent dans un livre.

Cette orientation si claire, si nette d'*A Rebours* sur le catholicisme, elle me demeure, je l'avoue, incompréhensible.

Je n'ai pas été élevé dans les écoles congréganistes, mais bien dans un lycée, je n'ai jamais été pieux dans ma jeunesse, et le côté de souvenir d'enfance, de première communion, d'éducation qui tient si souvent une grande place dans la conversion, n'en a tenu aucune dans la mienne. Et ce qui complique encore la difficulté et déroute toute analyse, c'est que, lorsque j'écrivis *A Rebours*, je ne mettais pas les pieds dans une église, je ne connaissais aucun catholique pratiquant, aucun prêtre ; je n'éprouvais aucune touche divine m'incitant à me diriger vers l'Eglise, je vivais dans mon auge, tranquille ; il me semblait tout naturel de satisfaire les foucades de mes sens, et la pensée ne me venait même pas que ce genre de tournoi fût défendu.

A Rebours a paru en 1884 et je suis parti pour me convertir dans une Trappe en 1892; près de huit années se sont écoulées avant que les semailles de ce livre n'aient levé; mettons deux années, trois même, d'un travail de la Grâce, sourd, têtu, parfois sensible; il n'en resterait pas moins cinq ans pendant lesquels je ne me souviens d'avoir éprouvé aucune velléité catholique, aucun regret de la vie que je menais, aucun désir de la renverser. Pourquoi, comment ai-je été aiguillé sur une voie perdue alors pour moi dans la nuit ? Je suis absolument incapable de le dire; rien, sinon des ascendances de béguinages et de cloîtres, des prières de famille hollandaise très fervente et que j'ai d'ailleurs à peine connue, n'expliquera la parfaite inconscience du dernier cri, l'appel religieux de la dernière page d'*A Rebours*.

Oui, je sais bien, il y a des gens très forts qui tracent des plans, organisent d'avance des itinéraires d'existence et les suivent; il est même entendu, si je ne me trompe, qu'avec de la volonté on arrive à tout; je veux bien le croire, mais, moi, je le confesse, je n'ai jamais été ni un homme tenace, ni un auteur madré. Ma vie et ma littérature ont une part de passivité, d'insu, de direction hors de moi très certaine.

La Providence me fut miséricordieuse et la Vierge me fut bonne. Je me suis borné à ne pas les contrecarrer lorsqu'elles attestaient leurs intentions; j'ai simplement obéi; j'ai été mené par ce qu'on appelle « les voies extraordinaires »; si quelqu'un peut avoir la certitude du néant qu'il serait, sans l'aide de Dieu, c'est moi.

Les personnes qui n'ont pas la Foi m'objecteront qu'avec des idées pareilles, l'on n'est pas loin d'aboutir au fatalisme et à la négation de toute psychologie.

Non, car la Foi en Notre-Seigneur n'est pas le fatalisme. Le libre arbitre demeure sauf. Je pouvais, s'il me plaisait, continuer à céder aux luxurieux émois et rester à Paris, et ne pas aller souffrir dans une Trappe. Dieu n'eût sans doute pas insisté; mais, tout en certifiant que la volonté est intacte, il faut bien avouer cependant que le Sauveur y met beaucoup du sien, qu'il vous harcèle, qu'il vous traque, qu'il vous « cuisine », pour se servir d'un terme énergique de basse police; mais je le répète encore, l'on peut, à ses risques et périls, l'envoyer promener.

Pour la psychologie, c'est autre chose. Si nous l'envisageons, comme je l'envisage, au point de vue d'une conversion, elle est, dans ses préludes, impossible à démêler; certains coins peut-être tangibles, mais les autres, non; le travail souterrain de l'âme nous échappe. Il y eut sans doute, au moment où j'écrivais *A Rebours*, un remuement des terres, un forage du sol pour y planter des fondations, dont je ne me rendis pas compte. Dieu creusait pour placer ses fils et il n'opérait que dans l'ombre de l'âme, dans la nuit. Rien n'était perceptible; ce n'est que bien des années après que l'étincelle a commencé de courir le long des fils. Je sentais alors l'âme s'émouvoir dans ces secousses; ce n'était encore ni bien douloureux, ni bien clair : la liturgie, la mystique, l'art en étaient les véhicules ou les moyens; cela se passait généralement dans les églises, à Saint-Séverin surtout, où j'entrais par curiosité, par désœuvrement. Je n'éprouvais, en assistant aux cérémonies, qu'une trépidation intérieure, ce petit trémulement que l'on subit, en voyant, en écoutant ou en lisant une belle œuvre, mais il n'y avait pas d'attaque précise, de mise en demeure de se prononcer.

Je me détachais seulement, peu à peu, de ma coque d'impureté; je commençais à me dégoûter de moi-même, mais je rebiffais quand même sur les articles de Foi. Les objections que je me posais me semblaient être irrésistibles; et un beau matin, en me réveillant, elles furent, sans que j'aie jamais su comment, résolues. Je priai pour la première fois et l'explosion se fit.

Tout cela paraît, pour les gens qui ne croient pas à la Grâce, fou. Pour ceux qui ont ressenti ses effets, aucun étonnement n'est possible; et, si surprise il y avait, elle ne pourrait exister que pour la période d'incubation, celle où l'on ne voit et où l'on ne perçoit rien, la période du déblaiement et de la fondation dont on ne s'est même pas douté.

Je comprends, en somme, jusqu'à certain point, ce qui s'est passé entre l'année 1891 et l'année 1895, entre *Là-Bas* et *En Route*, rien du tout entre l'année 1884 et l'année 1891, entre *A Rebours* et *Là-Bas*.

Si je n'ai pas compris moi-même, à plus forte raison les autres ne comprirent-ils point les impulsions de des Esseintes. *A Rebours* tombait ainsi qu'un aérolithe dans le champ de foire littéraire et ce fut et une stupeur et une colère; la presse se désordonna; jamais elle ne divagua en tant d'articles; après m'avoir traité de misanthrope impressionniste et avoir qualifié des Esseintes de maniaque et d'imbécile compliqué, les Normaliens comme M. Lemaitre s'indignèrent que je ne fisse point l'éloge de Virgile et déclarèrent d'un ton péremptoire, que les décadents de la langue latine, au Moyen Age, n'étaient que « des radoteurs et des crétins ». D'autres entrepreneurs de critique voulurent bien aussi m'aviser qu'il me serait profitable de subir, dans une prison thermale, le fouet des douches; et, à leur tour, les conférenciers s'en mêlèrent. A la Salle des Capucines, l'archonte Sarcey criait, ahuri : « Je veux bien être pendu, si je comprends un traître mot à ce roman ! » Enfin, pour que ce fût complet, les revues graves, telles que la *Revue des Deux Mondes*, dépêchèrent leur leader, M. Brunetière, pour comparer ce roman aux vaudevilles de Waflard et Fulgence.

Dans ce tohu-bohu, un seul écrivain vit clair, Barbey d'Aurevilly, qui ne me connaissait nullement, d'ailleurs. Dans un article du *Constitutionnel* portant la date du 28 juillet 1884, et qui a été recueilli dans son volume *Le Roman Contemporain* paru en 1902, il écrivit :

Après un tel livre, il ne reste plus à l'auteur qu'à choisir entre la bouche d'un pistolet ou les pieds de la croix.

C'est fait.

J.-K. Huysmans.
(1903)

NOTICE

A en juger par les quelques portraits conservés au château de Lourps, la famille des Floressas des Esseintes avait été, au temps jadis, composée d'athlétiques soudards, de rébarbatifs reîtres. Serrés, à l'étroit dans leurs vieux cadres qu'ils barraient de leurs fortes épaules, ils alarmaient avec leurs yeux fixes, leurs moustaches en yatagans, leur poitrine dont l'arc bombé remplissait l'énorme coquille des cuirasses.

Ceux-là étaient les ancêtres; les portraits de leurs descendants manquaient; un trou existait dans la filière des visages de cette race; une seule toile servait d'intermédiaire, mettait un point de suture entre le passé et le présent, une tête mystérieuse et rusée, aux traits morts et tirés, aux pommettes ponctuées d'une virgule de fard, aux cheveux gommés et enroulés de perles, au col tendu et peint, sortant des cannelures d'une rigide fraise.

Déjà, dans cette image de l'un des plus intimes familiers du duc d'Epernon et du marquis d'O, les vices d'un tempérament appauvri, la prédominance de la lymphe dans le sang, apparaissaient.

La décadence de cette ancienne maison avait, sans nul doute, suivi régulièrement son cours; l'effémination des mâles était allée en s'accentuant; comme pour achever l'œuvre des âges, les des Esseintes marièrent, pendant deux siècles, leurs enfants entre eux, usant leur reste de vigueur dans les unions consanguines.

De cette famille naguère si nombreuse qu'elle occupait presque tous les territoires de l'Ile-de-France et de la Brie, un seul rejeton vivait, le duc Jean, un grêle jeune homme de trente ans, anémique et nerveux, aux joues caves, aux yeux d'un bleu froid d'acier, au nez éventé et pourtant droit, aux mains sèches et fluettes.

Par un singulier phénomène d'atavisme, le dernier descendant ressemblait à l'antique aïeul, au mignon, dont il avait la barbe en pointe d'un blond extraordinairement pâle et l'expression ambiguë, tout à la fois lasse et habile.

Son enfance avait été funèbre. Menacée de scrofules, accablée par d'opiniâtres fièvres, elle parvint cependant, à l'aide de grand air et de soins, à franchir les brisants de la nubilité, et alors les nerfs prirent le dessus, matèrent les langueurs et les abandons de la chlorose, menèrent jusqu'à leur entier développement les progressions de la croissance.

La mère, une longue femme, silencieuse et blanche, mourut d'épuisement; à son tour le père décéda d'une maladie vague; des Esseintes atteignait alors sa dix-septième année.

Il n'avait gardé de ses parents qu'un souvenir apeuré, sans reconnaissance, sans affection. Son père, qui demeurait d'ordinaire à Paris, il le connaissait à peine; sa mère, il se la rappelait, immobile et couchée, dans une chambre obscure du château de Lourps. Rarement, le mari et la femme étaient réunis, et de ces jours-là, il se remémorait des entrevues décolorées, le père et la mère assis, en face l'un de l'autre, devant un guéridon qui était seul éclairé par une lampe au grand abat-jour très baissé, car la duchesse ne pouvait supporter sans crises de nerfs la clarté et le bruit; dans l'ombre, ils échangeaient deux mots à peine, puis le duc s'éloignait indifférent et ressautait au plus vite dans le premier train.

Chez les jésuites où Jean fut dépêché pour faire ses classes, son existence fut plus bienveillante et plus douce. Les Pères se mirent à choyer l'enfant dont l'intelligence les étonnait; cependant, en dépit de leurs efforts, ils ne purent obtenir qu'il se livrât à des études disciplinées; il mordait à certains travaux, devenait prématurément ferré sur la langue latine, mais, en revanche, il était absolument incapable d'expliquer deux mots de grec, ne témoignait d'aucune aptitude pour les langues vivantes, et il se révéla tel qu'un être parfaitement obtus, dès qu'on s'efforça de lui apprendre les premiers éléments des sciences.

Sa famille se préoccupait peu de lui; parfois son père venait le visiter au pensionnat : « Bonjour, bonsoir, sois sage et travaille bien. » Aux vacances, l'été, il partait pour le château de Lourps; sa présence ne tirait pas sa mère de ses rêveries; elle l'apercevait à peine, ou le contemplait, pendant quelques secondes, avec un sourire presque

douloureux, puis elle s'absorbait de nouveau dans la nuit
factice dont les épais rideaux des croisées enveloppaient
la chambre.

Les domestiques étaient ennuyés et vieux. L'enfant,
abandonné à lui-même, fouillait dans les livres, les jours
de pluie; errait, par les après-midi de beau temps, dans
la campagne.

Sa grande joie était de descendre dans le vallon, de
gagner Jutigny, un village planté au pied des collines,
un petit tas de maisonnettes coiffées de bonnets de
chaume parsemés de touffes de joubarbe et de bouquets
de mousse. Il se couchait dans la prairie, à l'ombre des
hautes meules, écoutant le bruit sourd des moulins à eau,
humant le souffle frais de la Voulzie. Parfois, il poussait
jusqu'aux tourbières, jusqu'au hameau vert et noir de
Longueville, ou bien il grimpait sur les côtes balayées
par le vent et d'où l'étendue était immense. Là, il avait
d'un côté, sous lui, la vallée de la Seine, fuyant à perte de
vue et se confondant avec le bleu du ciel fermé au loin;
de l'autre, tout en haut, à l'horizon, les églises et la tour
de Provins qui semblaient trembler, au soleil, dans la
pulvérulence dorée de l'air.

Il lisait ou rêvait, s'abreuvait jusqu'à la nuit de solitude;
à force de méditer sur les mêmes pensées, son esprit se
concentra et ses idées encore indécises mûrirent. Après
chaque vacance, il revenait chez ses maîtres plus réfléchi
et plus têtu; ces changements ne leur échappaient pas;
perspicaces et retors, habitués par leur métier à sonder
jusqu'au plus profond des âmes, ils ne furent point les
dupes de cette intelligence éveillée mais indocile; ils
comprirent que jamais cet élève ne contribuerait à la
gloire de leur maison, et comme sa famille était riche et
paraissait se désintéresser de son avenir, ils renoncèrent
aussitôt à le diriger sur les profitables carrières des écoles;
bien qu'il discutât volontiers avec eux sur toutes les
doctrines théologiques qui le sollicitaient par leurs subtilités et leur arguties, ils ne songèrent même pas à le
destiner aux Ordres, car malgré leurs efforts sa foi demeurait débile; en dernier ressort, par prudence, par peur
de l'inconnu, ils le laissèrent travailler aux études qui lui
plaisaient et négliger les autres, ne voulant pas s'aliéner
cet esprit indépendant, par des tracasseries de pions
laïques.

Il vécut ainsi, parfaitement heureux, sentant à peine
le joug paternel des prêtres; il continua ses études latines

et françaises, à sa guise, et, encore que la théologie ne figurât point dans les programmes de ses classes, il compléta l'apprentissage de cette science qu'il avait commencée au château de Lourps, dans la bibliothèque léguée par son arrière-grand-oncle Dom Prosper, ancien prieur des chanoines réguliers de Saint-Ruf.

Le moment échut pourtant où il fallut quitter l'institution des jésuites; il atteignait sa majorité et devenait maître de sa fortune; son cousin et tuteur le comte de Montchevrel lui rendit ses comptes. Les relations qu'ils entretinrent furent de durée courte, car il ne pouvait y avoir aucun point de contact entre ces deux hommes dont l'un était vieux et l'autre jeune. Par curiosité, par désœuvrement, par politesse, des Esseintes fréquenta cette famille et il subit, plusieurs fois, dans son hôtel de la rue de la Chaise, d'écrasantes soirées où des parentes, antiques comme le monde, s'entretenaient de quartiers de noblesse, de lunes héraldiques, de cérémoniaux surannés.

Plus que ces douairières, les hommes rassemblés autour d'un whist, se révélaient ainsi que des êtres immuables et nuls; là, les descendants des anciens preux, les dernières branches des races féodales, apparurent à des Esseintes sous les traits de vieillards catarrheux et maniaques, rabâchant d'insipides discours, de centenaires phrases. De même que dans la tige coupée d'une fougère, une fleur de lis semblait seule empreinte dans la pulpe ramollie de ces vieux crânes.

Une indicible pitié vint au jeune homme pour ces momies ensevelies dans leurs hypogées pompadour à boiseries et à rocailles, pour ces maussades lendores qui vivaient, l'œil constamment fixé sur un vague Chanaan, sur une imaginaire Palestine.

Après quelques séances dans ce milieu, il se résolut, malgré les invitations et les reproches, à n'y plus jamais mettre les pieds.

Il se prit alors à frayer avec les jeunes gens de son âge et de son monde.

Les uns, élevés avec lui dans les pensions religieuses, avaient gardé de cette éducation une marque spéciale. Ils suivaient les offices, communiaient à Pâques, hantaient les cercles catholiques et ils se cachaient ainsi que d'un crime des assauts qu'ils livraient aux filles, en baissant les yeux. C'étaient, pour la plupart, des bellâtres inintelligents et asservis, de victorieux cancres qui avaient lassé la patience de leurs professeurs, mais avaient néanmoins satisfait à leur volonté de déposer, dans la société, des êtres obéissants et pieux.

Les autres, élevés dans les collèges de l'Etat ou dans les lycées, étaient moins hypocrites et plus libres, mais ils n'étaient ni plus intéressants ni moins étroits. Ceux-là étaient des noceurs, épris d'opérettes et de courses, jouant le lansquenet et le baccarat, pariant des fortunes sur des chevaux, sur des cartes, sur tous les plaisirs chers aux gens creux. Après une année d'épreuve, une immense lassitude résulta de cette compagnie dont les débauches lui semblèrent basses et faciles, faites sans discernement, sans apparat fébrile, sans réelle surexcitation de sang et de nerfs.

Peu à peu, il les quitta, et il approcha les hommes de lettres avec lesquels sa pensée devait rencontrer plus d'affinités et se sentir mieux à l'aise. Ce fut un nouveau leurre; il demeura révolté par leurs jugements rancuniers et mesquins, par leur conversation aussi banale qu'une porte d'église, par leurs dégoûtantes discussions, jaugeant la valeur d'une œuvre selon le nombre des éditions et le bénéfice de la vente. En même temps il aperçut les libres penseurs, les doctrinaires de la bourgeoisie, des gens qui réclamaient toutes les libertés pour étrangler les opinions des autres, d'avides et d'éhontés puritains, qu'il estima, comme éducation, inférieurs au cordonnier du coin.

Son mépris de l'humanité s'accrut; il comprit enfin que le monde est, en majeure partie, composé de sacripants et d'imbéciles. Décidément, il n'avait aucun espoir de découvrir chez autrui les mêmes aspirations et les mêmes haines, aucun espoir de s'accoupler avec une intelligence qui se complût, ainsi que la sienne, dans une studieuse décrépitude, aucun espoir d'adjoindre un esprit pointu et chantourné tel que le sien, à celui d'un écrivain ou d'un lettré.

Enervé, mal à l'aise, indigné par l'insignifiance des idées échangées et reçues, il devenait comme ces gens dont a parlé Nicole, qui sont douloureux partout; il en arrivait à s'écorcher constamment l'épiderme, à souffrir des balivernes patriotiques et sociales débitées, chaque matin, dans les journaux, à s'exagérer la portée des succès qu'un tout-puissant public réserve toujours et quand même aux œuvres écrites sans idées et sans style.

Déjà il rêvait à une thébaïde raffinée, à un désert confortable, à une arche immobile et tiède où il se réfugierait loin de l'incessant déluge de la sottise humaine.

Une seule passion, la femme, eût pu le retenir dans cet universel dédain qui le poignait, mais celle-là était, elle aussi, usée. Il avait touché aux repas charnels, avec un appétit d'homme quinteux, affecté de maladie, obsédé de fringales et dont le palais s'émousse et se blase vite; au temps où il compagnonnait avec les hobereaux, il avait participé à ces spacieux soupers où des femmes soûles se dégrafent au dessert et battent la table avec leur tête; il avait aussi parcouru les coulisses, tâté des actrices et des chanteuses, subi, en sus de la bêtise innée des femmes, la délirante vanité des cabotines; puis il avait entretenu des filles déjà célèbres et contribué à la fortune de ces agences qui fournissent, moyennant salaire, des plaisirs contestables; enfin, repu, las de ce luxe similaire, de ces caresses identiques, il avait plongé dans les bas-fonds, espérant ravitailler ses désirs par le contraste, pensant stimuler ses sens assoupis par l'excitante malpropreté de la misère.

Quoi qu'il tentât, un immense ennui l'opprimait. Il s'acharna, recourut aux périlleuses caresses des virtuoses, mais alors sa santé faiblit et son système nerveux s'exacerba; la nuque devenait déjà sensible et la main remuait, droite encore lorsqu'elle saisissait un objet lourd, capricante et penchée quand elle tenait quelque chose de léger tel qu'un petit verre.

Les médecins consultés l'effrayèrent. Il était temps d'enrayer cette vie, de renoncer à ces manœuvres qui alitaient ses forces. Il demeura, pendant quelque temps, tranquille; mais bientôt le cervelet s'exalta, appela de nouveau aux armes. De même que ces gamines qui, sous le coup de la puberté, s'affament de mets altérés ou abjects, il en vint à rêver, à pratiquer les amours exceptionnelles, les joies déviées; alors, ce fut la fin; comme satisfaits d'avoir tout épuisé, comme fourbus de fatigues, ses sens tombèrent en léthargie, l'impuissance fut proche.

Il se retrouva sur le chemin, dégrisé, seul, abominablement lassé, implorant une fin que la lâcheté de sa chair l'empêchait d'atteindre.

Ses idées de se blottir, loin du monde, de se calfeutrer dans une retraite, d'assourdir, ainsi que pour ces malades dont on couvre la rue de paille, le vacarme roulant de l'inflexible vie, se renforcèrent.

Il était d'ailleurs temps de se résoudre; le compte qu'il fit de sa fortune l'épouvanta; en folies, en noces, il avait dévoré la majeure partie de son patrimoine, et l'autre partie, placée en terres, ne rapportait que des intérêts dérisoires.

Il se détermina à vendre le château de Lourps où il n'allait plus et où il n'oubliait derrière lui aucun souvenir attachant, aucun regret; il liquida aussi ses autres biens, acheta des rentes sur l'Etat, réunit de la sorte un revenu annuel de cinquante mille livres et se réserva, en plus, une somme ronde destinée à payer et à meubler la maisonnette où il se proposait de baigner dans une définitive quiétude.

Il fouilla les environs de la capitale, et découvrit une bicoque à vendre, en haut de Fontenay-aux-Roses, dans un endroit écarté, sans voisins, près du fort : son rêve était exaucé; dans ce pays peu ravagé par les Parisiens, il était certain d'être à l'abri; la difficulté des communications mal assurées par un ridicule chemin de fer, situé au bout de la ville, et par de petits tramways, partant et marchant à leur guise, le rassurait. En songeant à la nouvelle existence qu'il voulait organiser, il éprouvait une allégresse d'autant plus vive qu'il se voyait retiré assez loin déjà, sur la berge, pour que le flot de Paris ne l'atteignît plus et assez près cependant pour que cette proximité de la capitale le confirmât dans sa solitude. Et, en effet, puisqu'il suffit qu'on soit dans l'impossibilité de se rendre à un endroit pour qu'aussitôt le désir d'y aller vous prenne, il avait des chances, en ne se barrant pas complètement la route, de n'être assailli par aucun regain de société, par aucun regret.

Il mit les maçons sur la maison qu'il avait acquise, puis, brusquement, un jour, sans faire part à qui que ce fût de ses projets, il se débarrassa de son ancien mobilier, congédia ses domestiques et disparut, sans laisser au concierge aucune adresse.

I

Plus de deux mois s'écoulèrent avant que des Esseintes pût s'immerger dans le silencieux repos de sa maison de Fontenay; des achats de toute sorte l'obligeaient à déambuler encore dans Paris, à battre la ville d'un bout à l'autre.

Et pourtant à quelles perquisitions n'avait-il pas eu recours, à quelles méditations ne s'était-il point livré, avant que de confier son logement aux tapissiers!

Il était depuis longtemps expert aux sincérités et aux faux-fuyants des tons. Jadis, alors qu'il recevait chez lui des femmes, il avait composé un boudoir où, au milieu des petits meubles sculptés dans le pâle camphrier du Japon, sous une espèce de tente en satin rose des Indes, les chairs se coloraient doucement aux lumières apprêtées que blutait l'étoffe.

Cette pièce où des glaces se faisaient écho et se renvoyaient à perte de vue, dans les murs, des enfilades de boudoirs roses, avait été célèbre parmi les filles qui se complaisaient à tremper leur nudité dans ce bain d'incarnat tiède qu'aromatisait l'odeur de menthe dégagée par le bois des meubles.

Mais, en mettant même de côté les bienfaits de cet air fardé qui paraissait transfuser un nouveau sang sous les peaux défraîchies et usées par l'habitude des céruses et l'abus des nuits, il goûtait pour son propre compte, dans ce languissant milieu, des allégresses particulières, des plaisirs que rendaient extrêmes et qu'activaient, en quelque sorte, les souvenirs des maux passés, des ennuis défunts.

Ainsi, par haine, par mépris de son enfance, il avait pendu au plafond de cette pièce une petite cage en fil d'argent où un grillon enfermé chantait comme dans les

cendres des cheminées du château de Lourps; quand il
écoutait ce cri tant de fois entendu, toutes les soirées
contraintes et muettes chez sa mère, tout l'abandon d'une
jeunesse souffrante et refoulée, se bousculaient devant lui,
et alors, aux secousses de la femme qu'il caressait machinalement et dont les paroles ou le rire rompaient sa
vision et le ramenaient brusquement dans la réalité, dans
le boudoir, à terre, un tumulte se levait en son âme, un
besoin de vengeance des tristesses endurées, une rage de
salir par des turpitudes des souvenirs de famille, un désir
furieux de panteler sur des coussins de chair, d'épuiser
jusqu'à leurs dernières gouttes, les plus véhémentes et les
plus âcres des folies charnelles.

D'autres fois encore, quand le spleen le pressait,
quand par les temps pluvieux d'automne, l'aversion de la
rue, du chez soi, du ciel en boue jaune, des nuages en
macadam, l'assaillait, il se réfugiait dans ce réduit, agitait légèrement la cage et la regardait se répercuter à
l'infini dans le jeu des glaces, jusqu'à ce que ses yeux
grisés s'aperçussent que la cage ne bougeait point, mais
que tout le boudoir vacillait et tournait, emplissant la
maison d'une valse rose.

Puis, au temps où il jugeait nécessaire de se singula-
riser, des Esseintes avait aussi créé des ameublements
fastueusement étranges, divisant son salon en une série de
niches, diversement tapissées et pouvant se relier par une
subtile analogie, par un vague accord de teintes joyeuses
ou sombres, délicates ou barbares, au caractère des
œuvres latines et françaises qu'il aimait. Il s'installait
alors dans celle de ces niches dont le décor lui semblait
le mieux correspondre à l'essence même de l'ouvrage que
son caprice du moment l'amenait à lire.

Enfin, il avait fait préparer une haute salle, destinée à
la réception de ses fournisseurs; ils entraient, s'asseyaient
les uns à côté des autres, dans des stalles d'église, et
alors il montait dans une chaire magistrale et prêchait le
sermon sur le dandysme, adjurant ses bottiers et ses
tailleurs de se conformer, de la façon la plus absolue, à
ses brefs en matière de coupe, les menaçant d'une excommunication pécuniaire s'ils ne suivaient pas, à la lettre,
les instructions contenues dans ses monitoires et ses
bulles.

Il s'acquit la réputation d'un excentrique qu'il para-
cheva en se vêtant de costumes de velours blanc, de
gilets d'orfroi, en plantant, en guise de cravate, un bou-

quet de Parme dans l'échancrure décolletée d'une
chemise, en donnant aux hommes de lettres des dîners
retentissants, un entre autres, renouvelé du XVIII° siècle,
où, pour célébrer la plus futile des mésaventures, il avait
organisé un repas de deuil.

Dans la salle à manger tendue de noir, ouverte sur le
jardin de sa maison subitement transformé, montrant ses
allées poudrées de charbon, son petit bassin maintenant
bordé d'une margelle de basalte et rempli d'encre et ses
massifs tout disposés de cyprès et de pins, le dîner avait
été apporté sur une nappe noire, garnie de corbeilles de
violettes et de scabieuses, éclairée par des candélabres où
brûlaient des flammes vertes et, par des chandeliers où
flambaient des cierges.

Tandis qu'un orchestre dissimulé jouait des marches
funèbres, les convives avaient été servis par des négresses
nues, avec des mules et des bas en toile d'argent, semée
de larmes.

On avait mangé dans des assiettes bordées de noir, des
soupes à la tortue, des pains de seigle russe, des olives
mûres de Turquie, du caviar, des poutargues de mulets,
des boudins fumés de Francfort, des gibiers aux sauces
couleur de jus de réglisse et de cirage, des coulis de
truffes, des crèmes ambrées au chocolat, des poudings,
des brugnons, des raisinés, des mûres et des guignes; bu,
dans des verres sombres, les vins de la Limagne et du
Roussillon, des Tenedos, des Val de Peñas et des Porto;
savouré, après le café et le brou de noix, des kwas, des
porter et des stout.

Le dîner de faire-part d'une virilité momentanément
morte, était-il écrit sur les lettres d'invitations semblables
à celles des enterrements.

Mais ces extravagances dont il se glorifiait jadis
s'étaient, d'elles-mêmes, consumées; aujourd'hui, le
mépris lui était venu de ces ostentations puériles et surannées, de ces vêtements anormaux, de ces embellies de
logements bizarres. Il songeait simplement à se composer, pour son plaisir personnel et non plus pour l'étonnement des autres, un intérieur confortable et paré
néanmoins d'une façon rare, à se façonner une installation curieuse et calme, appropriée aux besoins de sa
future solitude.

Lorsque la maison de Fontenay fut prête et agencée,
suivant ses désirs et ses plans, par un architecte; lorsqu'il ne resta plus qu'à déterminer l'ordonnance de

l'ameublement et du décor, il passa de nouveau et longuement en revue la série des couleurs et des nuances.

Ce qu'il voulait, c'étaient des couleurs dont l'expression s'affirmât aux lumières factices des lampes; peu lui
importait même qu'elles fussent, aux lueurs du jour,
insipides ou rêches, car il ne vivait guère que la nuit,
pensant qu'on était mieux chez soi, plus seul, et que
l'esprit ne s'excitait et ne crépitait réellement qu'au
contact voisin de l'ombre; il trouvait aussi une jouissance
particulière à se tenir dans une chambre largement
éclairée, seule éveillée et debout, au milieu des maisons
enténébrées et endormies, une sorte de jouissance où il
entrait peut-être une pointe de vanité, une satisfaction
toute singulière, que connaissent les travailleurs attardés
alors que, soulevant les rideaux des fenêtres, ils s'aperçoivent autour d'eux que tout est éteint, que tout est
muet, que tout est mort.

Lentement, il tria, un à un, les tons.

Le bleu tire aux flambeaux sur un faux vert; s'il est
foncé comme le cobalt et l'indigo, il devient noir; s'il
est clair, il tourne au gris; s'il est sincère et doux comme
la turquoise, il se ternit et se glace.

A moins donc de l'associer, ainsi qu'un adjuvant, à
une autre couleur, il ne pouvait être question d'en faire
la note dominante d'une pièce.

D'un autre côté, les gris fer se renfrognent encore et
s'alourdissent; les gris de perle perdent leur azur et se
métamorphosent en un blanc sale; les bruns s'endorment
et se froidissent; quant aux verts foncés, ainsi que les
verts empereur et les verts myrte, ils agissent de même
que les gros bleus et fusionnent avec les noirs; restaient
donc les verts plus pâles, tels que le vert paon, les cimbales
et les laques, mais alors la lumière exile leur bleu et ne
détient plus que leur jaune qui ne garde, à son tour,
qu'un ton faux, qu'une saveur trouble.

Il n'y avait pas à songer davantage aux saumons, aux
maïs et aux roses dont les efféminations contrarieraient
les pensées de l'isolement; il n'y avait pas enfin à méditer
sur les violets qui se dépouillent; le rouge surnage seul,
le soir, et quel rouge! un rouge visqueux, un lie-de-vin
ignoble; il lui paraissait d'ailleurs bien inutile de recourir à cette couleur, puisqu'en s'ingérant de la santonine, à certaine dose, l'on voit violet et qu'il est dès lors
facile de se changer, et sans y toucher, la teinte de ses
tentures.

Ces couleurs écartées, trois demeuraient seulement : le rouge, l'orangé, le jaune.

A toutes, il préférait l'orangé, confirmant ainsi par son propre exemple, la vérité d'une théorie qu'il déclarait d'une exactitude presque mathématique : à savoir, qu'une harmonie existe entre la nature sensuelle d'un individu vraiment artiste et la couleur que ses yeux voient d'une façon plus spéciale et plus vive.

En négligeant, en effet, le commun des hommes dont les grossières rétines ne perçoivent ni la cadence propre à chacune des couleurs, ni le charme mystérieux de leurs dégradations et de leurs nuances; en négligeant aussi ces yeux bourgeois, insensibles à la pompe et à la victoire des teintes vibrantes et fortes; en ne conservant plus alors que les gens aux pupilles raffinées, exercées par la littérature et par l'art, il lui semblait certain que l'œil de celui d'entre eux qui rêve d'idéal, qui réclame des illusions, sollicite des voiles dans le coucher, est généralement caressé par le bleu et ses dérivés, tels que le mauve, le lilas, le gris de perle, pourvu toutefois qu'ils demeurent attendris et ne dépassent pas la lisière où il aliènent leur personnalité et se transforment en de purs violets, en de francs gris.

Les gens, au contraire, qui hussardent, les pléthoriques, les beaux sanguins, les solides mâles qui dédaignent les entrées et les épisodes et se ruent, en perdant aussitôt la tête, ceux-là se complaisent, pour la plupart, aux lueurs éclatantes des jaunes et des rouges, aux coups de cymbales des vermillons et des chromes qui les aveuglent et qui les soûlent.

Enfin, les yeux des gens affaiblis et nerveux dont l'appétit sensuel quête des mets relevés par les fumages et les saumures, les yeux des gens surexcités et étiques chérissent, presque tous, cette couleur irritante et maladive, aux splendeurs fictives, aux fièvres acides : l'orangé.

Le choix de des Esseintes ne pouvait donc prêter au moindre doute; mais d'incontestables difficultés se présentaient encore. Si le rouge et le jaune se magnifient aux lumières, il n'en est pas toujours de même de leur composé, l'orangé, qui s'emporte, et se transmue souvent en un rouge capucine, en un rouge feu.

Il étudia aux bougies toutes ses nuances, en découvrit une qui lui parut ne pas devoir se déséquilibrer et se soustraire aux exigences qu'il attendait d'elle; ces préliminaires terminés, il tâcha de ne pas user, autant que

possible, pour son cabinet au moins, des étoffes et des
tapis de l'Orient, devenus, maintenant que les négociants
enrichis se les procurent dans les magasins de nouveautés,
au rabais, si fastidieux et si communs.

Il se résolut, en fin de compte, à faire relier ses murs
comme des livres, avec du maroquin, à gros grains écrasés,
avec de la peau du Cap, glacée par de fortes plaques
d'acier, sous une puissante presse.

Les lambris une fois parés, il fit peindre les baguettes
et les hautes plinthes en un indigo foncé, en un indigo
laqué, semblable à celui que les carrossiers emploient
pour les panneaux des voitures, et le plafond, un peu
arrondi, également tendu de maroquin, ouvrit tel qu'un
immense œil-de-bœuf, enchâssé dans sa peau d'orange,
un cercle de firmament en soie bleu de roi, au milieu
duquel montaient, à tire-d'ailes, des séraphins d'argent,
naguère brodés par la confrérie des tisserands de Cologne,
pour une ancienne chape.

Après que la mise en place fut effectuée, le soir, tout
cela se concilia, se tempéra, s'assit : les boiseries immobi-
lisèrent leur bleu soutenu et comme échauffé par les
oranges qui se maintinrent, à leur tour, sans s'adultérer,
appuyés et, en quelque sorte, attisés qu'ils furent par le
souffle pressant des bleus.

En fait de meubles, des Esseintes n'eut pas de longues
recherches à opérer, le seul luxe de cette pièce devant
consister en des livres et des fleurs rares ; il se borna, se
réservant d'orner plus tard, de quelques dessins ou de
quelques tableaux, les cloisons demeurées nues, à établir
sur la majeure partie de ses murs des rayons et des casiers
de bibliothèque en bois d'ébène, à joncher le parquet de
peaux de bêtes fauves et de fourrures de renards bleus,
à installer près d'une massive table de changeur du
XVe siècle, de profonds fauteuils à oreillettes et un vieux
pupitre de chapelle, en fer forgé, un de ces antiques
lutrins sur lesquels le diacre plaçait jadis l'antiphonaire
et qui supportait maintenant l'un des pesants in folio du
Glossarium mediæ et infimæ latinitatis de du Cange.

Les croisées dont les vitres, craquelées, bleuâtres,
parsemées de culs de bouteille aux bosses piquetées d'or,
interceptaient la vue de la campagne et ne laissaient pénétrer qu'une lumière feinte, se vêtirent, à leur tour, de
rideaux taillés dans de vieilles étoles, dont l'or assombri
et quasi sauré, s'éteignait dans la trame d'un roux presque
mort.

Enfin, sur la cheminée dont la robe fut, elle aussi, découpée dans la somptueuse étoffe d'une dalmatique florentine, entre deux ostensoirs, en cuivre doré, de style byzantin, provenant de l'ancienne Abbaye-au-Bois de Bièvre, un merveilleux canon d'église, aux trois compartiments séparés, ouvragés comme une dentelle, contint, sous le verre de son cadre, copiées sur un authentique vélin, avec d'admirables lettres de missel et de splendides enluminures, trois pièces de Baudelaire : à droite et à gauche, les sonnets portant ces titres « la Mort des Amants » — « l'Ennemi »; — au milieu, le poème en prose intitulé : « *any where out of the world.* — N'importe où, hors du monde ».

II

Après la vente de ses biens, des Esseintes garda les deux
vieux domestiques qui avaient soigné sa mère et rempli
tout à la fois l'office de régisseurs et de concierges du
château de Lourps, demeuré jusqu'à l'époque de sa mise
en adjudication inhabité et vide.

Il fit venir à Fontenay ce ménage habitué à un emploi
de garde-malade, à une régularité d'infirmiers distribuant,
d'heure en heure, des cuillerées de potion et de tisane, à
un rigide silence de moines claustrés, sans communication
avec le dehors, dans des pièces aux fenêtres et aux portes
closes.

Le mari fut chargé de nettoyer les chambres et d'aller
aux provisions, la femme de préparer la cuisine. Il leur
céda le premier étage de la maison, les obligea à porter
d'épais chaussons de feutre, fit placer des tambours le
long des portes bien huilées et matelasser leur plancher
de profonds tapis de manière à ne jamais entendre le bruit
de leurs pas, au-dessus de sa tête.

Il convint avec eux aussi du sens de certaines sonneries,
détermina la signification des coups de timbre, selon leur
nombre, leur brièveté, leur longueur; désigna, sur son
bureau, la place où ils devaient, tous les mois, déposer,
pendant son sommeil, le livre des comptes; il s'arrangea,
enfin, de façon à ne pas être souvent obligé de leur parler
ou de les voir.

Néanmoins, comme la femme devait quelquefois longer
la maison pour atteindre un hangar où était remisé le bois,
il voulut que son ombre, lorsqu'elle traversait les carreaux
de ses fenêtres, ne fût pas hostile, et il lui fit fabriquer
un costume en faille flamande, avec bonnet blanc et large
capuchon, baissé, noir, tel qu'en portent encore, à Gand,
les femmes du béguinage. L'ombre de cette coiffe passant

devant lui, dans le crépuscule, lui donnait la sensation d'un cloître, lui rappelait ces muets et dévots villages, ces quartiers morts, enfermés et enfouis dans le coin d'une active et vivante ville.

Il régla aussi les heures immuables des repas ; ils étaient d'ailleurs peu compliqués et très succincts, les défaillances de son estomac ne lui permettant plus d'absorber des mets variés ou lourds.

A cinq heures, l'hiver, après la chute du jour, il déjeunait légèrement de deux œufs à la coque, de rôties et de thé ; puis il dînait vers les onze heures ; buvait du café, quelquefois du thé et du vin, pendant la nuit ; picorait une petite dînette, sur les cinq heures du matin, avant de se mettre au lit.

Il prenait ces repas, dont l'ordonnance et le menu étaient, une fois pour toutes, fixés à chaque commencement de saison, sur une table, au milieu d'une petite pièce, séparée de son cabinet de travail par un corridor capitonné, hermétiquement fermé, ne laissant filtrer, ni odeur, ni bruit, dans chacune des deux pièces qu'il servait à joindre.

Cette salle à manger ressemblait à la cabine d'un navire avec son plafond voûté, muni de poutres en demi-cercle, ses cloisons et son plancher, en bois de pitchpin, sa petite croisée ouverte dans la boiserie, de même qu'un hublot dans un sabord.

Ainsi que ces boîtes du Japon qui entrent, les unes dans les autres, cette pièce était insérée dans une pièce plus grande, qui était la véritable salle à manger bâtie par l'architecte.

Celle-ci était percée de deux fenêtres, l'une, maintenant invisible, cachée par la cloison qu'un ressort rabattait cependant, à volonté, afin de permettre de renouveler l'air qui par cette ouverture pouvait alors circuler autour de la boîte de pitchpin et pénétrer en elle ; l'autre, visible, car elle était placée juste en face du hublot pratiqué dans la boiserie, mais condamnée ; en effet, un grand aquarium occupait tout l'espace compris entre ce hublot et cette réelle fenêtre ouverte dans le vrai mur. Le jour traversait donc, pour éclairer la cabine, la croisée, dont les carreaux avaient été remplacés par une glace sans tain, l'eau, et, en dernier lieu, la vitre à demeure du sabord.

Au moment où le samowar fumait sur la table, alors que, pendant l'automne, le soleil achevait de disparaître, l'eau de l'aquarium durant la matinée vitreuse et trouble, rougeoyait et tamisait sur les blondes cloisons des lueurs enflammées de braises.

Quelquefois, dans l'après-midi, lorsque, par hasard, des Esseintes était réveillé et debout, il faisait manœuvrer le jeu des tuyaux et des conduits qui vidaient l'aquarium et le remplissaient à nouveau d'eau pure, et il y faisait verser des gouttes d'essences colorées, s'offrant, à sa guise ainsi, les tons verts ou saumâtres, opalins ou argentés, qu'ont les véritables rivières, suivant la couleur du ciel, l'ardeur plus ou moins vive du soleil, les menaces plus ou moins accentuées de la pluie, suivant, en un mot, l'état de la saison et de l'atmosphère.

Il se figurait alors être dans l'entre-pont d'un brick, et curieusement il contemplait de merveilleux poissons mécaniques, montés comme des pièces d'horlogerie, qui passaient devant la vitre du sabord et s'accrochaient dans de fausses herbes ; ou bien, tout en aspirant la senteur du goudron, qu'on insufflait dans la pièce avant qu'il y entrât, il examinait, pendues aux murs, des gravures en couleur représentant, ainsi que dans les agences des paquebots et des Lloyd, des steamers en route pour Valparaiso et la Plata, et des tableaux encadrés sur lesquels étaient inscrits les itinéraires de la ligne du Royal mail steam Packet, des compagnies Lopez et Valéry, les frets et les escales des services postaux de l'Atlantique.

Puis, quand il était las de consulter ces indicateurs, il se reposait la vue en regardant les chronomètres et les boussoles, les sextants et les compas, les jumelles et les cartes éparpillées sur une table au-dessus de laquelle se dressait un seul livre, relié en veau marin, les aventures d'Arthur Gordon Pym, spécialement tiré pour lui, sur papier vergé, pur fil, trié à la feuille, avec une mouette en filigrane.

Il pouvait apercevoir enfin des cannes à pêche, des filets brunis au tan, des rouleaux de voiles rousses, une ancre minuscule en liège, peinte en noir, jetés en tas, près de la porte qui communiquait avec la cuisine par un couloir garni de capitons et résorbait, de même que le corridor rejoignant la salle à manger au cabinet de travail, toutes les odeurs et tous les bruits.

Il se procurait ainsi, en ne bougeant point, les sensations rapides, presque instantanées, d'un voyage au long cours, et ce plaisir du déplacement qui n'existe, en somme, que par le souvenir et presque jamais dans le présent, à la minute même où il s'effectue, il le humait pleinement, à l'aise, sans fatigue, sans tracas, dans cette cabine dont le désordre apprêté, dont la tenue transitoire et l'installation comme temporaire correspondaient assez exactement avec le séjour passager qu'il y faisait, avec le temps limité de ses repas, et contrastait, d'une manière absolue, avec son cabinet de travail, une pièce définitive, rangée, bien assise, outillée pour le ferme maintien d'une existence casanière.

Le mouvement lui paraissait d'ailleurs inutile et l'imagination lui semblait pouvoir aisément suppléer à la vulgaire réalité des faits. A son avis, il était possible de contenter les désirs réputés les plus difficiles à satisfaire dans la vie normale, et cela par un léger subterfuge, par une approximative sophistication de l'objet poursuivi par ces désirs mêmes. Ainsi, il est bien évident que tout gourmet se délecte aujourd'hui, dans les restaurants renommés par l'excellence de leurs caves, en buvant les hauts crus fabriqués avec de basses vinasses traitées suivant la méthode de M. Pasteur. Or, vrais et faux, ces vins ont le même arôme, la même couleur, le même bouquet, et par conséquent le plaisir qu'on éprouve en dégustant ces breuvages altérés et factices est absolument identique à celui que l'on goûterait, en savourant le vin naturel et pur qui serait introuvable, même à prix d'or.

En transportant cette captieuse déviation, cet adroit mensonge dans le monde de l'intellect, nul doute qu'on ne puisse, et aussi facilement que dans le monde matériel, jouir de chimériques délices semblables, en tous points, aux vraies; nul doute, par exemple, qu'on ne puisse se livrer à de longues explorations, au coin de son feu, en aidant, au besoin, l'esprit rétif ou lent, par la suggestive lecture d'un ouvrage racontant de lointains voyages; nul doute aussi, qu'on ne puisse, — sans bouger de Paris — acquérir la bienfaisante impression d'un bain de mer; il suffirait, tout bonnement de se rendre au bain Vigier, situé, sur un bateau, en pleine Seine.

Là, en faisant saler l'eau de sa baignoire et en y mêlant, suivant la formule du Codex, du sulfate de soude, de l'hydrochlorate de magnésie et de chaux; en tirant d'une boîte soigneusement fermée par un pas de vis, une pelote de ficelle ou un tout petit morceau de câble qu'on est allé exprès chercher dans l'une de ces grandes corderies dont les vastes magasins et les sous-sols soufflent des odeurs de marée et de port; en aspirant ces parfums que doit

conserver encore cette ficelle ou ce bout de câble; en
consultant une exacte photographie du casino et en lisant
ardemment le guide Joanne décrivant les beautés de la
plage où l'on veut être; en se laissant enfin bercer par les
vagues que soulève, dans la baignoire, le remous des
bateaux-mouches rasant le ponton des bains; en écoutant
enfin les plaintes du vent engouffré sous les arches et le
bruit sourd des omnibus roulant, à deux pas, au-dessus
de vous, sur le pont Royal, l'illusion de la mer est indéniable, impérieuse, sûre.

Le tout est de savoir s'y prendre, de savoir concentrer
son esprit sur un seul point, de savoir s'abstraire suffisamment pour amener l'hallucination et pouvoir substituer
le rêve de la réalité à la réalité même.

Au reste, l'artifice paraissait à des Esseintes la marque
distinctive du génie de l'homme.

Comme il le disait, la nature a fait son temps; elle a
définitivement lassé, par la dégoûtante uniformité de ses
paysages et de ses ciels, l'attentive patience des raffinés.
Au fond, quelle platitude de spécialiste confinée dans sa
partie, quelle petitesse de boutiquière tenant tel article à
l'exclusion de tout autre, quel monotone magasin de
prairies et d'arbres, quelle banale agence de montagnes
et de mers!

Il n'est, d'ailleurs, aucune de ses inventions réputée si
subtile ou si grandiose que le génie humain ne puisse
créer; aucune forêt de Fontainebleau, aucun clair de
lune que des décors inondés de jets électriques ne produisent; aucune cascade que l'hydraulique n'imite à s'y
méprendre; aucun roc que le carton-pâte ne s'assimile;
aucune fleur que de spécieux taffetas et de délicats papiers
peints n'égalent!

A n'en pas douter, cette sempiternelle radoteuse a
maintenant usé la débonnaire admiration des vrais artistes,
et le moment est venu où il s'agit de la remplacer, autant
que faire se pourra, par l'artifice.

Et puis, à bien discerner celle de ses œuvres considérée
comme la plus exquise, celle de ses créations dont la
beauté est, de l'avis de tous, la plus originale et la plus
parfaite : la femme; est-ce que l'homme n'a pas, de son
côté, fabriqué, à lui tout seul, un être animé et factice
qui la vaut amplement, au point de vue de la beauté
plastique ? est-ce qu'il existe, ici-bas, un être conçu dans
les joies d'une fornication et sorti des douleurs d'une
matrice dont le modèle, dont le type soit plus éblouissant,

plus splendide que celui de ces deux locomotives adoptées
sur la ligne du chemin de fer du Nord.

L'une, la Crampton, une adorable blonde, à la voix
aiguë, à la grande taille frêle, emprisonnée dans un étin-
celant corset de cuivre, au souple et nerveux allongement
de chatte, une blonde pimpante et dorée, dont l'extraordinaire grâce épouvante lorsque, raidissant, ses muscles
d'acier, activant la sueur de ses flancs tièdes, elle met en
branle l'immense rosace de sa fine roue et s'élance toute
vivante, en tête des rapides et des marées ?

L'autre, l'Engerth, une monumentale et sombre brune
aux cris sourds et rauques, aux reins trapus, étranglés
dans une cuirasse en fonte, une monstrueuse bête, à la
crinière échevelée de fumée noire, aux six roues basses
et accouplées; quelle écrasante puissance lorsque, faisant
trembler la terre, elle remorque pesamment, lentement,
la lourde queue de ses marchandises!

Il n'est certainement pas, parmi les frêles beautés
blondes et les majestueuses beautés brunes, de pareils
types de sveltesse délicate et de terrifiante force; à coup
sûr, on peut le dire : l'homme a fait, dans son genre, aussi
bien que le Dieu auquel il croit.

Ces réflexions venaient à des Esseintes quand la brise
apportait jusqu'à lui le petit sifflet de l'enfantin chemin
de fer qui joue de la toupie, entre Paris et Sceaux; sa
maison était située à vingt minutes environ de la station
de Fontenay, mais la hauteur où elle était assise, son
isolement, ne laissaient pas pénétrer jusqu'à elle le
brouhaha des immondes foules qu'attire invinciblement,
le dimanche, le voisinage d'une gare.

Quant au village même, il le connaissait à peine. Par
sa fenêtre, une nuit, il avait contemplé le silencieux
paysage qui se développe, en descendant, jusqu'au pied
d'un coteau, sur le sommet duquel se dressent les batteries du bois de Verrières.

Dans l'obscurité, à gauche, à droite, des masses
confuses s'étageaient, dominées, au loin, par d'autres
batteries et d'autres forts dont les hauts talus semblaient,
au clair de la lune, gouachés avec de l'argent, sur un
ciel sombre.

Rétrécie par l'ombre tombée des collines, la plaine
paraissait, à son milieu, poudrée de farine d'amidon et
enduite de blanc cold-cream; dans l'air tiède, éventant
les herbes décolorées et distillant de bas parfums d'épices,
les arbres frottés de craie par la lune, ébouriffaient

de pâles feuillages et dédoublaient leurs troncs dont les ombres barraient de raies noires le sol en plâtre sur lequel des caillasses scintillaient ainsi que des éclats d'assiettes.

En raison de son maquillage et de son air factice, ce paysage ne déplaisait pas à des Esseintes; mais, depuis cette après-midi occupée dans le hameau de Fontenay à la recherche d'une maison, jamais il ne s'était, pendant le jour, promené sur les routes; la verdure de ce pays ne lui inspirait, du reste, aucun intérêt, car elle n'offrait même pas ce charme délicat et dolent que dégagent les attendrissantes et maladives végétations poussées, à grand-peine, dans les gravats des banlieues, près des remparts. Puis, il avait aperçu, dans le village, ce jour-là, des bourgeois ventrus, à favoris, et des gens costumés, à moustaches, portant, ainsi que des saints-sacrements, des têtes de magistrats et de militaires; et, depuis cette rencontre, son horreur s'était encore accrue, de la face humaine.

Pendant les derniers mois de son séjour à Paris, alors que, revenu de tout, abattu par l'hypocondrie, écrasé par le spleen, il était arrivé à une telle sensibilité de nerfs que la vue d'un objet ou d'un être déplaisant se gravait profondément dans sa cervelle, et qu'il fallait plusieurs jours pour en effacer même légèrement l'empreinte, la figure humaine frôlée, dans la rue, avait été l'un de ses plus lancinants supplices.

Positivement, il souffrait de la vue de certaines physionomies, considérait presque comme des insultes les mines paternes ou rêches de quelques visages, se sentait des envies de souffleter ce monsieur qui flânait, en fermant les paupières d'un air docte, cet autre qui se balançait, en se souriant devant les glaces; cet autre enfin qui paraissait agiter un monde de pensées, tout en dévorant, les sourcils contractés, les tartines et les faits divers d'un journal.

Il flairait une sottise si invétérée, une telle exécration pour ses idées à lui, un tel mépris pour la littérature, pour l'art, pour tout ce qu'il adorait, implantés, ancrés dans ces étroits cerveaux de négociants, exclusivement préoccupés de filouteries et d'argent et seulement accessibles à cette basse distraction des esprits médiocres, la politique, qu'il rentrait en rage chez lui et se verrouillait avec ses livres.

Enfin, il haïssait, de toutes ses forces, les générations

nouvelles, ces couches d'affreux rustres qui éprouvent le besoin de parler et de rire haut dans les restaurants et dans les cafés, qui vous bousculent, sans demander pardon, sur les trottoirs, qui vous jettent, sans même s'excuser, sans même saluer, les roues d'une voiture d'enfant, entre les jambes.

III

Une partie des rayons plaqués contre les murs de son cabinet, orange et bleu, était exclusivement couverte par des ouvrages latins, par ceux que les intelligences qu'ont domestiquées les déplorables leçons ressassées dans les Sorbonnes désignent sous ce nom générique : « la décadence ».

En effet, la langue latine, telle qu'elle fut pratiquée à cette époque que les professeurs s'obstinent encore à appeler le grand siècle ne l'incitait guère. Cette langue restreinte, aux tournures comptées, presque invariables, sans souplesse de syntaxe, sans couleurs, ni nuances; cette langue, râclée sur toutes les coutures, émondée des expressions rocailleuses mais parfois imagées des âges précédents, pouvait, à la rigueur, énoncer les majestueuses rengaines, les vagues lieux communs rabâchés par les rhéteurs et par les poètes, mais elle dégageait une telle incuriosité, un tel ennui qu'il fallait, dans les études de linguistique, arriver au style français du siècle de Louis XIV, pour en rencontrer une aussi volontairement débilitée, aussi solennellement harassante et grise.

Entre autres le doux Virgile, celui que les pions surnomment le cygne de Mantoue, sans doute parce qu'il n'est pas né dans cette ville, lui apparaissait, ainsi que l'un des plus terribles cuistres, l'un des plus sinistres raseurs que l'antiquité ait jamais produits; ses bergers lavés et pomponnés, se déchargeant, à tour de rôle, sur la tête de pleins pots de vers sentencieux et glacés, son Orphée qu'il compare à un rossignol en larmes, son Aristée qui pleurniche à propos d'abeilles, son Enée, ce personnage indécis et fluent qui se promène, pareil à une ombre chinoise, avec des gestes en bois, derrière le transparent mal assujetti et mal huilé du poème, l'exaspéraient. Il

eût bien accepté les fastidieuses balivernes que ces
marionnettes échangent entre elles, à la cantonade; il
eût accepté encore les impudents emprunts faits à
Homère, à Théocrite, à Ennius, à Lucrèce, le simple vol
que nous a révélé Macrobe du 2e chant de l'Énéide
presque copié, mots pour mots, dans un poème de
Pisandre, enfin toute l'inénarrable vacuité de ce tas de
chants; mais ce qui l'horripilait davantage c'était la
facture de ces hexamètres, sonnant le fer blanc, le bidon
creux, allongeant leurs quantités de mots pesés au litre
selon l'immuable ordonnance d'une prosodie pédante et
sèche; c'était la contexture de ces vers râpeux et gour-
més, dans leur tenue officielle, dans leur basse révérence
à la grammaire, de ces vers coupés, à la mécanique, par
une imperturbable césure, tamponnés en queue, toujours
de la même façon, par le choc d'un dactyle contre un
spondée.

Empruntée à la forge perfectionnée de Catulle, cette
invariable métrique, sans fantaisie, sans pitié, bourrée
de mots inutiles, de remplissages, de chevilles aux boucles
identiques et prévues; cette misère de l'épithète homé-
rique revenant sans cesse, pour ne rien désigner, pour ne
rien faire voir, tout cet indigent vocabulaire aux teintes
insonores et plates, le suppliciaient.

Il est juste d'ajouter que si son admiration pour Virgile
était des plus modérées et que si, son attirance pour les
claires éjections d'Ovide était des plus discrètes et des
plus sourdes, son dégoût pour les grâces éléphantines
d'Horace, pour le babillage de ce désespérant pataud qui
minaude avec des gaudrioles plâtrées de vieux clown,
était sans borne.

En prose, la langue verbeuse, les métaphores redon-
dantes, les digressions amphigouriques du Pois Chiche,
ne le ravissaient pas davantage; la jactance de ses apostrophes, le flux de ses rengaines patriotiques, l'emphase
de ses harangues, la pesante masse de son style, charnu,
nourri, mais tourné à la graisse et privé de moelles et d'os,
les insupportables scories de ses longs adverbes ouvrant
la phrase, les inaltérables formules de ses adipeuses
périodes mal liées entre elles par le fil des conjonctions,
enfin ses lassantes habitudes de tautologie, ne le séduisaient guère; et, pas beaucoup plus que Cicéron, César,
réputé pour son laconisme, ne l'enthousiasmait; car l'excès
contraire se montrait alors, une aridité de pète sec, une
stérilité de memento, une constipation incroyable et indue.

Somme toute, il ne trouvait pâture ni parmi ces écrivains ni parmi ceux qui font cependant les délices des faux lettrés : Salluste moins décoloré que les autres pourtant ; Tite-Live sentimental et pompeux ; Sénèque turgide et blafard ; Suétone, lymphatique et larveux ; Tacite, le plus nerveux dans sa concision apprêtée, le plus âpre, le plus musclé d'eux tous. En poésie, Juvénal, malgré quelques vers durement bottés ; Perse, malgré ses insinuations mystérieuses, le laissaient froid. En négligeant Tibulle et Properce, Quintilien et les Pline, Stace, Martial de Bilbilis, Térence même et Plaute dont le jargon plein de néologismes, de mots composés, de diminutifs, pouvait lui plaire, mais dont le bas comique et le gros sel lui répugnaient, des Esseintes commençait seulement à s'intéresser à la langue latine avec Lucain, car elle était élargie, déjà plus expressive et moins chagrine ; cette armature travaillée, ces vers plaqués d'émaux, pavés de joaillerie, le captivaient, mais cette préoccupation exclusive de la forme, ces sonorités de timbres, ces éclats de métal, ne lui masquaient pas entièrement le vide de la pensée, la boursouflure de ces ampoules qui bossuent la peau de la *Pharsale*.

L'auteur qu'il aimait vraiment et qui lui faisait reléguer pour jamais hors de ses lectures les retentissantes adresses de Lucain, c'était Pétrone.

Celui-là était un observateur perspicace, un délicat analyste, un merveilleux peintre ; tranquillement, sans parti pris, sans haine, il décrivait la vie journalière de Rome, racontait dans les alertes petits chapitres du *Satyricon*, les mœurs de son époque.

Notant à mesure les faits, les constatant dans une forme définitive, il déroulait la menue existence du peuple, ses épisodes, ses bestialités, ses ruts.

Ici, c'est l'inspecteur des garnis qui vient demander le nom des voyageurs récemment entrés ; là, ce sont des lupanars où des gens rôdent autour de femmes nues, debout entre des écriteaux, tandis que par les portes mal fermées des chambres, l'on entrevoit les ébats des couples ; là, encore, au travers des villas d'un luxe insolent, d'une démence de richesses et de faste, comme au travers des pauvres auberges qui se succèdent dans le livre, avec leurs lits de sangle défaits, pleins de punaises, la société du temps s'agite : impurs filous, tels qu'Ascylte et qu'Eumolpe, à la recherche d'une bonne aubaine ; vieux incubes aux robes retroussées, aux joues plâtrées de

blanc de plomb et de rouge acacia; gitons de seize ans,
dodus et frisés; femmes en proie aux attaques de l'hystérie; coureurs d'héritages offrant leurs garçons et leurs
filles aux débauches des testateurs; tous courent le
long des pages, discutent dans les rues, s'attouchent dans
les bains, se rouent de coups ainsi que dans une pan-
tomime.

Et cela raconté dans un style d'une verdeur étrange,
d'une couleur précise, dans un style puisant à tous les
dialectes, empruntant des expressions à toutes les langues
charriées dans Rome, reculant toutes les limites, toutes
les entraves du soi-disant grand siècle, faisant parler à
chacun son idiome : aux affranchis, sans éducation, le
latin populacier, l'argot de la rue; aux étrangers leur
patois barbare, mâtiné d'africain, de syrien et de grec;
aux pédants imbéciles, comme l'Agamemnon du livre,
une rhétorique de mots postiches. Ces gens sont dessinés
d'un trait, vautrés autour d'une table, échangeant d'insipides propos d'ivrognes, débitant de séniles maximes,
d'ineptes dictons, le mufle tourné vers le Trimalchio
qui se cure les dents, offre des pots de chambre à la
société, l'entretient de la santé de ses entrailles et vente,
en invitant ses convives à se mettre à l'aise.

Ce roman réaliste, cette tranche découpée dans le vif
de la vie romaine, sans préoccupation, quoi qu'on en
puisse dire, de réforme et de satire, sans besoin de fin
apprêtée et de morale; cette histoire, sans intrigue, sans
action, mettant en scène les aventures de gibiers de
Sodome; analysant avec une placide finesse les joies et
les douleurs de ces amours et de ces couples; dépeignant,
en une langue splendidement orfévrie, sans que l'auteur
se montre une seule fois, sans qu'il se livre à aucun
commentaire, sans qu'il approuve ou maudisse les actes
et les pensées de ses personnages, les vices d'une civilisation décrépite, d'un empire qui se fêle poignait des
Esseintes et il entrevoyait dans le raffinement du style,
dans l'acuité de l'observation, dans la fermeté de la
méthode, de singuliers rapprochements, de curieuses
analogies, avec les quelques romans français modernes
qu'il supportait.

A coup sûr, il regrettait amèrement l'*Eustion* et l'*Al-
butia*, ces deux ouvrages de Pétrone que mentionne
Planciade Fulgence et qui sont à jamais perdus; mais le
bibliophile qui était en lui consolait le lettré, maniant
avec des mains dévotes la superbe édition qu'il possédait

du *Satyricon*, l'in-8 portant le millésime 1585 et le nom
de J. Dousa, à Leyde.

Partie de Pétrone, sa collection latine entrait dans le
IIe siècle de l'ère chrétienne, sautait le déclamateur
Fronton, aux termes surannés, mal réparés, mal revernis,
enjambait les *Nuits attiques* d'Aulu-Gelle, son disciple et
ami, un esprit sagace et fureteur, mais un écrivain
empêtré dans une glutineuse vase et elle faisait halte
devant Apulée dont il gardait l'édition princeps, in-folio,
imprimée en 1469, à Rome.

Cet Africain le réjouissait; la langue latine battait le
plein dans ses *Métamorphoses*; elle roulait des limons, des
eaux variées, accourues de toutes les provinces, et toutes
se mêlaient, se confondaient en une teinte bizarre, exotique, presque neuve; des maniérismes, des détails nouveaux de la société latine trouvaient à se mouler en des
néologismes créés pour les besoins de la conversation,
dans un coin romain de l'Afrique; puis sa jovialité
d'homme évidemment gras, son exubérance méridionale
amusaient. Il apparaissait ainsi qu'un salace et gai
compère à côté des apologistes chrétiens qui vivaient, au
même siècle, le soporifique Minucius Felix, un pseudo-
classique, écoulant dans son *Octavius* les émulsines encore
épaissies de Cicéron, voire même Tertullien qu'il conservait peut-être plus pour son édition de Alde, que pour
son œuvre même.

Bien qu'il fût assez ferré sur la théologie, les disputes
des montanistes contre l'Eglise catholique, les polémiques
contre la gnose, le laissaient froid; aussi, et malgré la
curiosité du style de Tertullien, un style concis, plein
d'amphibologies, reposé sur des participes, heurté par
des oppositions, hérissé de jeux de mots et de pointes,
bariolé de vocables triés dans la science juridique et dans
la langue des Pères de l'Eglise grecque, il n'ouvrait plus
guère l'*Apologétique* et le *Traité de la Patience* et, tout au
plus, lisait-il quelques pages du *De cultu feminarum* où
Tertullien objurgue les femmes de ne pas se parer de
bijoux et d'étoffes précieuses, et leur défend l'usage des
cosmétiques parce qu'ils essayent de corriger la nature
et de l'embellir.

Ces idées, diamétralement opposées aux siennes, le
faisaient sourire; puis le rôle joué par Tertullien, dans
son évêché de Carthage, lui semblait suggestif en rêveries
douces; plus que ses œuvres, en réalité l'homme l'attirait.

Il avait, en effet, vécu dans des temps houleux, secoués

par d'affreux troubles, sous Caracalla, sous Macrin, sous
l'étonnant grand-prêtre d'Emèse, Elagabal, et il préparait
tranquillement ses sermons, ses écrits dogmatiques, ses
plaidoyers, ses homélies, pendant que l'Empire romain
branlait sur ses bases, que les folies de l'Asie, que les
ordures du paganisme coulaient à pleins bords; il recom-
mandait, avec le plus beau sang-froid, l'abstinence charnelle, la frugalité des repas, la sobriété de la toilette, alors
que, marchant dans de la poudre d'argent et du sable
d'or, la tête ceinte d'une tiare, les vêtements brochés de
pierreries, Elagabal travaillait, au milieu de ses eunuques,
à des ouvrages de femmes, se faisait appeler Impératrice
et changeait, toutes les nuits, d'Empereur, l'élisant de
préférence parmi les barbiers, les gâte-sauce, et les
cochers de cirque.

Cette antithèse le ravissait; puis la langue latine,
arrivée à sa maturité suprême sous Pétrone, allait commencer à se dissoudre; la littérature chrétienne prenait
place, apportant avec des idées neuves, des mots nouveaux, des constructions inemployées, des verbes inconnus, des adjectifs aux sens alambiqués, des mots abstraits,
rares jusqu'alors dans la langue romaine, et dont Tertullien avait, l'un des premiers, adopté l'usage.

Seulement, cette déliquescence continuée après la
mort de Tertullien, par son élève saint Cyprien, par
Arnobe, par le pâteux Lactance, était sans attrait.
C'était un faisandage incomplet et alenti; c'étaient de
gauches retours aux emphases cicéroniennes, n'ayant pas
encore ce fumet spécial qu'au IVe siècle, et surtout pendant les siècles qui vont suivre, l'odeur du christianisme
donnera à la langue païenne, décomposée comme une
venaison, s'émiettant en même temps que s'effritera la
civilisation du vieux monde, en même temps que s'écrou-
leront, sous la poussée des Barbares, les Empires putré-
fiés par la sanie des siècles.

Un seul poète chrétien, Commodien de Gaza représentait dans sa bibliothèque l'art de l'an III. Le *Carmen
apologeticum*, écrit en 259, est un recueil d'instructions,
tortillées en acrostiches, dans des hexamètres populaires,
césurés selon le mode du vers héroïque, composés sans
égard à la quantité et à l'hiatus et souvent accompagnés
de rimes telles que le latin d'église en fournira plus tard
de nombreux exemples.

Ces vers tendus, sombres, sentant le fauve, pleins de
termes de langage usuel, de mots aux sens primitifs

détournés, le requéraient, l'intéressaient même davantage
que le style pourtant blet et déjà verdi des historiens
Ammien Marcellin et Aurelius Victor, de l'épistolier
Symmaque et du compilateur et grammairien Macrobe;
il les préférait même à ces véritables vers scandés, à cette
langue tachetée et superbe que parlèrent Claudien, Rutilius et Ausone.

Ceux-là étaient alors les maîtres de l'art; ils emplissaient l'Empire mourant, de leurs cris; le chrétien
Ausone, avec son *Centon Nuptial* et son poème abondant
et paré de *la Moselle ;* Rutilius, avec ses hymnes à la
gloire de Rome, ses anathèmes contre les juifs et contre
les moines, son itinéraire d'Italie en Gaule, où il arrive
à rendre certaines impressions de la vue, le vague des
paysages reflétés dans l'eau, le mirage des vapeurs,
l'envolée des brumes entourant les monts.

Claudien, une sorte d'avatar de Lucain, qui domine
tout le IVᵉ siècle avec le terrible clairon de ses vers; un
poète forgeant un hexamètre éclatant et sonore, frappant,
dans des gerbes d'étincelles, l'épithète d'un coup sec,
atteignant une certaine grandeur, soulevant son œuvre
d'un puissant souffle. Dans l'Empire d'Occident qui
s'effondre de plus en plus, dans le gâchis des égorge-
ments réitérés qui l'entourent; dans la menace perpétuelle des Barbares qui se pressent maintenant en foule
aux portes de l'Empire dont les gonds craquent, il
ranime l'antiquité, chante l'enlèvement de Proserpine,
plaque ses couleurs vibrantes, passe avec tous ses feux
allumés dans l'obscurité qui envahit le monde.

Le paganisme revit en lui, sonnant sa dernière fanfare,
élevant son dernier grand poète au-dessus du christianisme qui va désormais submerger entièrement la
langue, qui va, pour toujours maintenant, rester seul
maître de l'art, avec Paulin, l'élève d'Ausone; le prêtre
espagnol, Juvencus, qui paraphrase en vers les Évan-
giles; Victorin, l'auteur des Macchabées; Sanctus Burdi-
galensis qui, dans une églogue imitée de Virgile, fait
déplorer aux pâtres Egon et Buculus, les maladies de
leurs troupeaux; et toute la série des saints : Hilaire de
Poitiers, le défenseur de la foi de Nicée, l'Athanase de
l'Occident, ainsi qu'on l'appelle; Ambroise, l'auteur
d'indigestes homélies, l'ennuyeux Cicéron chrétien;
Damase, le fabricant d'épigrammes lapidaires; Jérôme, le
traducteur de la Vulgate, et son adversaire Vigilantius de
Comminges qui attaque le culte des saints, l'abus des

miracles, les jeûnes, et prêche déjà, avec des arguments
que les âges se répéteront, contre les vœux monastiques
et le célibat des prêtres.

Enfin au ve siècle, Augustin, évêque d'Hippone. Celui-
là, des Esseintes ne le connaissait que trop, car il était
l'écrivain le plus réputé de l'Eglise, le fondateur de
l'orthodoxie chrétienne, celui que les catholiques consi-
dèrent comme un oracle, comme un souverain maître.
Aussi ne l'ouvrait-il plus, bien qu'il eût chanté, dans les
Confessions, le dégoût de la terre et que sa piété gémis-
sante eût, dans sa *Cité de Dieu*, essayé d'apaiser
l'effroyable détresse du siècle par les sédatives promesses
de destinées meilleures. Au temps où il pratiquait la
théologie, il était déjà las, saoul de ses prédications et de
ses jérémiades, de ses théories sur la prédestination et sur
la grâce, de ses combats contre les schismes.

Il aimait mieux feuilleter la *Psychomachia* de Prudence,
l'inventeur du poème allégorique qui, plus tard, sévira
sans arrêt, au moyen âge, et les œuvres de Sidoine
Apollinaire dont la correspondance lardée de saillies, de
pointes, d'archaïsmes, d'énigmes, le tentait. Volontiers,
il relisait les panégyriques où cet évêque invoque, à
l'appui de ses vaniteuses louanges, les déités du paganisme, et, malgré tout, il se sentait un faible pour les
affectations et les sous-entendus de ces poésies fabriquées
par un ingénieux mécanicien qui soigne sa machine,
huile ses rouages, en invente, au besoin, de compliqués
et d'inutiles.

Après Sidoine, il fréquentait encore le panégyriste
Mérobaudes; Sédulius, l'auteur de poèmes rimés et
d'hymnes abécédaires dont l'Eglise s'est approprié certaines parties pour les besoins de ses offices; Marius
Victor, dont le ténébreux traité sur la *Perversité des
mœurs* s'éclaire, çà et là, de vers luisants comme du
phosphore; Paulin de Pella, le poète du grelottant
Eucharisticon ; Orientius, l'évêque d'Auch, qui, dans les
distiques de ses *Monitoires*, invective la licence des
femmes dont il prétend que les visages perdent les
peuples.

L'intérêt que portait des Esseintes à la langue latine ne
faiblissait pas, maintenant que complètement pourrie,
elle pendait, perdant ses membres, coulant son pus, gardant à peine, dans toute la corruption de son corps,
quelques parties fermes que les chrétiens détachaient afin
de les mariner dans la saumure de leur nouvelle langue.

La seconde moitié du Ve siècle était venue, l'épouvantable époque où d'abominables cahots bouleversaient la terre. Les Barbares saccageaient la Gaule; Rome paralysée, mise au pillage par les Wisigoths, sentait sa vie se glacer, voyait ses parties extrêmes, l'Occident et l'Orient, se débattre dans le sang, s'épuiser de jour en jour.

Dans la dissolution générale, dans les assassinats de césars qui se succèdent, dans le bruit des carnages qui ruissellent d'un bout de l'Europe à l'autre, un effrayant hourra retentit, étouffant les clameurs, couvrant les voix. Sur la rive du Danube, des milliers d'hommes, plantés sur de petits chevaux, enveloppés de casaques de peaux de rats, des Tartares affreux, avec d'énorme têtes, des nez écrasés, des mentons ravinés de cicatrices et de balafres, des visages de jaunisse dépouillés de poils, se précipitent, ventre à terre, enveloppent d'un tourbillon, les territoires des Bas-Empires.

Tout disparut dans la poussière des galops, dans la fumée des incendies. Les ténèbres se firent et les peuples consternés tremblèrent, écoutant passer, avec un fracas de tonnerre, l'épouvantable trombe. La horde des Huns rasa l'Europe, se rua sur la Gaule, s'écrasa dans les plaines de Châlons où Aétius la pila dans une effroyable charge. La plaine, gorgée de sang, moutonna comme une mer de pourpre, deux cent mille cadavres barrèrent la route, brisèrent l'élan de cette avalanche qui, déviée, tomba, éclatant en coups de foudre, sur l'Italie où les villes extérminées flambèrent comme des meules.

L'Empire d'Occident croula sous le choc; la vie agonisante qu'il traînait dans l'imbécillité et dans l'ordure, s'éteignit; la fin de l'univers semblait d'ailleurs proche; les cités oubliées par Attila étaient décimées par la famine et par la peste; le latin parut s'effondrer, à son tour, sous les ruines du monde.

Des années s'écoulèrent; les idiomes barbares commençaient à se régler, à sortir de leurs gangues, à former de véritables langues; le latin sauvé dans la débâcle par les cloîtres se confina parmi les couvents et parmi les cures; çà et là, quelques poètes brillèrent, lents et froids : l'Africain Dracontius avec son *Hexameron*, Claudius Mamert, avec ses poésies liturgiques; Avitus de Vienne; puis des biographes, tels qu'Ennodius qui raconte les prodiges de saint Epiphane, le diplomate perspicace et vénéré, le probe et vigilant pasteur; tels qu'Eugippe qui nous a retracé l'incomparable vie de saint Séverin, cet

ermite mystérieux, cet humble ascète, apparu, semblable
à un ange de miséricorde, aux peuples éplorés, fous de
souffrances et de peur; des écrivains tels que Véranius
du Gévaudan qui prépara un petit traité sur la conti-
nence, tels qu'Aurelian et Ferreolus qui compilèrent des
canons ecclésiastiques; des historiens tels que Rothérius
d'Agde, fameux par une histoire perdue des Huns.

Les ouvrages des siècles suivants se clairsemaient dans
la bibliothèque de des Esseintes. Le VIᵉ siècle était
cependant encore représenté par Fortunat, l'évêque de
Poitiers, dont les hymnes et le *Vexilla regis*, taillés dans
la vieille charogne de la langue latine, épicée par les
aromates de l'Eglise, le hantaient à certains jours; par
Boëce, le vieux Grégoire de Tours et Jornandès; puis, aux
VIIᵉ et VIIIᵉ siècles, comme, en sus de la basse latinité
des chroniqueurs, des Frédégaire et des Paul Diacre, et
des poésies contenues dans l'antiphonaire de Bangor
dont il regardait parfois l'hymne alphabétique et monorime, chantée en l'honneur de saint Comgill, la littérature se confinait presque exclusivement dans des biographies de saints, dans la légende de saint Columban
écrite par le cénobite Jonas, et celle du bienheureux
Cuthbert, rédigée par Bède le Vénérable sur les notes
d'un moine anonyme de Lindisfarn, il se bornait à feuilleter, dans ses moments d'ennui, l'œuvre de ces hagiographes et à relire quelques extraits de la vie de sainte
Rusticula et de sainte Radegonde, relatées, l'une, par
Defensorius, synodite de Ligugé, l'autre, par la modeste
et la naïve Baudonivia, religieuse de Poitiers.

Mais de singuliers ouvrages de la littérature latine,
anglo-saxonne, l'alléchaient davantage : c'était toute la
série des énigmes d'Adhelme, de Tatwine, d'Eusède, ces
descendants de Symphosius, et surtout les énigmes
composées par saint Boniface, en des strophes acrostiches dont la solution se trouvait donnée par les lettres
initiales des vers.

Son attirance diminuait avec la fin de ces deux siècles;
peu ravi, en somme, par la pesante masse des latinistes
carlovingiens, les Alcuin et les Eginhard, il se contentait,
comme spécimen de la langue au IXᵉ siècle, des chroniques de l'anonyme de saint Gall, de Fréculfe et de
Réginon, du poème sur le siège de Paris tissé par Abbo
le Courbé, de l'*Hortulus*, le poème didactique du béné-
dictin Walafrid Strabo, dont le chapitre consacré à la
gloire de la citrouille, symbole de la fécondité, le mettait

en liesse; du poème d'Ermold le Noir, célébrant les exploits de Louis le Débonnaire, un poème écrit en hexa-mètres réguliers, dans un style austère, presque noir, dans un latin de fer trempé dans les eaux monastiques, avec, çà et là, des pailles de sentiment dans le dur métal; du *De viribus herbarum*, le poème de Macer Floridus, qui le délectait particulièrement par ses recettes poétiques et les très étranges vertus qu'il prête à certaines plantes, à certaines fleurs : à l'aristoloche, par exemple, qui, mélangée à de la chair de bœuf et placée sur le bas-ventre d'une femme enceinte, la fait irrémédiablement accoucher d'un enfant mâle; à la bourrache qui, répandue en infusion dans une salle à manger, égaye les convives; à la pivoine dont la racine broyée guérit à jamais du haut mal; au fenouil qui, posé sur la poitrine d'une femme, clarifie ses eaux et stimule l'indolence de ses périodes.

A part quelques volumes spéciaux, inclassés; modernes ou sans date, certains ouvrages de kabbale, de médecine et de botanique; certains tomes dépareillés de la patro-logie de Migne, renfermant des poésies chrétiennes introuvables, et de l'anthologie des petits poètes latins de Wernsdorff, à part le Meursius, le manuel d'érotologie classique de Forberg, la mœchialogie et les diaconales à l'usage des confesseurs, qu'il époussetait à de rares intervalles, sa bibliothèque latine s'arrêtait au commen-cement du Xᵉ siècle.

Et, en effet, la curiosité, la naïveté compliquée du langage chrétien avaient, elles aussi, sombré. Le fatras des philosophes et des scoliastes, la logomachie du moyen âge allaient régner en maîtres. L'amas de suie des chroniques et des livres d'histoire, les saumons de plomb des cartu-laires allaient s'entasser, et la grâce balbutiante, la mala-dresse parfois exquise des moines mettant en un pieux ragoût les restes poétiques de l'antiquité, étaient mortes; les fabriques de verbes aux sucs épurés, de substantifs sentant l'encens, d'adjectifs bizarres, taillés grossièrement dans l'or; avec le goût barbare et charmant des bijoux goths, étaient détruites. Les vieilles éditions, choyées par des Esseintes, cessaient — et, en un saut formidable de siècles, les livres s'étageaient maintenant sur les rayons, supprimant la transition des âges, arrivant directement à la langue française du présent siècle.

IV

Une voiture s'arrêta, vers une fin d'après-midi, devant la maison de Fontenay. Comme des Esseintes ne recevait aucune visite, comme le facteur ne se hasardait même pas dans ces parages inhabités, puisqu'il n'avait à lui remettre aucun journal, aucune revue, aucune lettre, les domestiques hésitèrent, se demandant s'il fallait ouvrir ; puis, au carillon de la sonnette, lancée à toute volée contre le mur, ils se hasardèrent à tirer le judas incisé dans la porte et ils aperçurent un Monsieur dont toute la poitrine était couverte, du col au ventre, par un immense bouclier d'or.

Ils avertirent leur maître qui déjeunait.

— Parfaitement, introduisez, fit-il — car il se souvenait d'avoir autrefois donné, pour la livraison d'une commande, son adresse à un lapidaire.

Le Monsieur salua, déposa, dans la salle à manger, sur le parquet de pitch-pin, son bouclier qui oscilla, se soulevant un peu, allongeant une tête serpentine de tortue qui, soudain effarée, rentra sous sa carapace.

Cette tortue était une fantaisie venue à des Esseintes quelque temps avant son départ de Paris. Regardant, un jour, un tapis d'Orient, à reflets, et, suivant les lueurs argentées qui couraient sur la trame de la laine, jaune aladin et violet prune, il s'était dit : il serait bon de placer sur ce tapis quelque chose qui remuât et dont le ton foncé aiguisât la vivacité de ces teintes.

Possédé par cette idée il avait vagué, au hasard des rues, était arrivé au Palais-Royal, et devant la vitrine de Chevet s'était frappé le front : une énorme tortue était là, dans un bassin. Il l'avait achetée : puis, une fois abandonnée sur le tapis, il s'était assis devant elle et il l'avait longuement contemplée, en clignant de l'œil.

Décidément la couleur tête-de-nègre, le ton de Sienne

crue de cette carapace salissait les reflets du tapis sans les activer; les lueurs dominantes de l'argent étincelaient maintenant à peine, rampant avec les tons froids du zinc écorché, sur les bords de ce test dur et terne.

Il se rongea les ongles, cherchant les moyens de concilier ces mésalliances, d'empêcher le divorce résolu de ces tons; il découvrit enfin que sa première idée, consistant à vouloir attiser les feux de l'étoffe par le balancement d'un objet sombre mis dessus était fausse; en somme, ce tapis était encore trop voyant, trop pétulant, trop neuf. Les couleurs ne s'étaient pas suffisamment émoussées et amoindries; il s'agissait de renverser la proposition, d'amortir les tons, de les éteindre par le contraste d'un objet éclatant, écrasant tout autour de lui, jetant de la lumière d'or sur de l'argent pâle. Ainsi posée, la question devenait plus facile à résoudre. Il se détermina, en conséquence, à faire glacer d'or la cuirasse de sa tortue.

Une fois rapportée de chez le praticien qui la prit en pension, la bête fulgura comme un soleil, rayonna sur le tapis dont les teintes repoussées fléchirent, avec des irradiations de pavois wisigoth aux squames imbriquées par un artiste d'un goût barbare.

Des Esseintes fut tout d'abord enchanté de cet effet; puis il pensa que ce gigantesque bijou n'était qu'ébauché, qu'il ne serait vraiment complet qu'après qu'il aurait été inscrusté de pierres rares.

Il choisit dans une collection japonaise un dessin représentant un essaim de fleurs partant en fusées d'une mince tige, l'emporta chez un joaillier, esquissa une bordure qui enfermait ce bouquet dans un cadre ovale, et il fit savoir, au lapidaire stupéfié que les feuilles, que les pétales de chacune de ces fleurs, seraient exécutés en pierreries et montés dans l'écaille même de la bête.

Le choix des pierres l'arrêta; le diamant est devenu singulièrement commun depuis que tous les commerçants en portent au petit doigt; les émeraudes et les rubis de l'Orient sont moins avilis, lancent de rutilantes flammes, mais ils rappellent par trop ces yeux verts et rouges de certains omnibus qui arborent les fanaux de ces deux couleurs, le long des temps; quant aux topazes brûlées ou crues, ce sont des pierres à bon marché, chères à la petite bourgeoisie qui veut serrer des écrins dans une armoire à glace; d'un autre côté, bien que l'Eglise ait conservé à l'améthyste un caractère sacerdotal, tout à la fois onctueux et grave, cette pierre s'est, elle aussi, galvaudée aux oreilles sanguines et aux mains tubuleuses des bouchères qui veulent, pour un prix modique, se parer de vrais et pesants bijoux ; seul, parmi ces pierres, le saphir a gardé des feux inviolés par la sottise industrielle et pécuniaire. Ses étincelles grésillant sur une eau limpide et froide, ont, en quelque sorte, garanti de toute souillure sa noblesse discrète et hautaine. Malheureusement, aux lumières, ses flammes fraîches ne crépitent plus ; l'eau bleue rentre en elle-même, semble s'endormir pour ne se réveiller, en pétillant, qu'au point du jour.

Décidément aucune de ces pierreries ne contentait des Esseintes ; elles étaient d'ailleurs trop civilisées et trop connues. Il fit ruisseler entre ses doigts des mineraux plus surprenants et plus bizarres, finit par trier une série de pierres réelles et factices dont le mélange devait produire une harmonie fascinatrice et déconcertante.

Il composa ainsi le bouquet de ses fleurs : les feuilles furent serties de pierreries d'un vert accentué et précis : de chrysobéryls vert asperge ; de péridots vert poireau ; d'olivines vert olive ; et elles se détachèrent de branches en almadine et en ouwarovite d'un rouge violacé, jetant des paillettes d'un éclat sec de même que ces micas de tartre qui luisent dans l'intérieur des futailles.

Pour les fleurs, isolées de la tige, éloignées du pied de la gerbe, il usa de la cendre bleue ; mais il repoussa formellement cette turquoise orientale qui se met en broches et en bagues et qui fait, avec la banale perle et l'odieux corail, les délices du menu peuple ; il choisit exclusivement des turquoises de l'Occident, des pierres qui ne sont, à proprement parler, qu'un ivoire fossile imprégné de substances cuivreuses et dont le bleu céladon est engorgé, opaque, sulfureux, comme jauni de bile.

Cela fait, il pouvait maintenant enchâsser les pétales de ses fleurs épanouies au milieu du bouquet, de ses fleurs les plus voisines, les plus rapprochées du tronc, avec des minéraux transparents, aux lueurs vitreuses et morbides, aux jets fiévreux et aigres.

Il les composa uniquement d'yeux de chat de Ceylan, de cymophanes et de saphirines.

Ces trois pierres dardaient en effet, des scintillements mystérieux et pervers, douloureusement arrachés du fond glacé de leur eau trouble.

L'œil de chat d'un gris verdâtre, strié de veines concentriques qui paraissent remuer, se déplacer à tout moment, selon les dispositions de la lumière.

La cymophane avec des moires azurées courant sur la teinte laiteuse qui flotte à l'intérieur.

La saphirine qui allume des feux bleuâtres de phosphore sur un fond de chocolat, brun sourd.

Le lapidaire prenait note à mesure des endroits où devaient être incrustées les pierres. Et la bordure de la carapace, dit-il à des Esseintes ?

Celui-ci avait d'abord songé à quelques opales et à quelques hydrophanes ; mais ces pierres intéressantes par l'hésitation de leurs couleurs, par le doute de leurs flammes, sont par trop insoumises et infidèles ; l'opale a une sensibilité toute rhumatismale ; le jeu de ses rayons s'altère suivant l'humidité, la chaleur ou le froid ; quant à l'hydrophane elle ne brûle que dans l'eau et ne consent à allumer sa braise grise qu'alors qu'on la mouille.

Il se décida enfin pour des minéraux dont les reflets devaient s'alterner : pour l'hyacinthe de Compostelle, rouge acajou ; l'aigue marine, vert glauque ; le rubis-balais, rose vinaigre ; le rubis de Sudermanie, ardoise pâle. Leurs faibles chatoiements suffisaient à éclairer les ténèbres de l'écaille et laissaient sa valeur à la floraison des pierreries qu'ils entouraient d'une mince guirlande de feux vagues.

Des Esseintes regardait maintenant, blottie en un coin de sa salle à manger, la tortue qui rutilait dans la pénombre.

Il se sentit parfaitement heureux ; ses yeux se grisaient à ces resplendissements de corolles en flammes sur un fond d'or ; puis, contrairement à son habitude, il avait appétit et il trempait ses rôties enduites d'un extraordinaire beurre dans une tasse de thé, un impeccable mélange de Si-a-Fayoune, de Mo-you-tann, et de Khansky, des thés jaunes, venus de Chine en Russie par d'exceptionnelles caravanes.

Il buvait ce parfum liquide dans ces porcelaines de la Chine, dites coquilles d'œufs, tant elles sont diaphanes et légères et, de même qu'il n'admettait que ces adorables tasses, il ne se servait également, en fait de couverts, que d'authentique vermeil, un peu dédoré, alors que l'argent apparaît un tantinet, sous la couche fatiguée de l'or et lui donne ainsi une teinte d'une douceur ancienne, toute épuisée, toute moribonde.

Après qu'il eut bu sa dernière gorgée, il rentra dans son cabinet et fit apporter par le domestique la tortue qui s'obstinait à ne pas bouger.

La neige tombait. Aux lumières des lampes, des herbes de glace poussaient derrière les vitres bleuâtres et le givre, pareil à du sucre fondu, scintillait dans les culs de bouteille des carreaux tiquetés d'or.

Un silence profond enveloppait la maisonnette engourdie dans les ténèbres.

Des Esseintes rêvassait; le brasier chargé de bûches emplissait d'effluves brûlants la pièce; il entrouvrit la fenêtre.

Ainsi qu'une haute tenture de contre-hermine, le ciel se levait devant lui, noir et moucheté de blanc.

Un vent glacial courut, accéléra le vol éperdu de la neige, intervertit l'ordre des couleurs.

La tenture héraldique du ciel se retourna, devint une véritable hermine, blanche, mouchetée de noir, à son tour, par les points de nuit dispersés entre les flocons.

Il referma la croisée; ce brusque passage sans transition, de la chaleur torride, aux frimas du plein hiver l'avait saisi; il se recroquevilla près du feu et l'idée lui vint d'avaler un spiritueux qui le réchauffât.

Il s'en fut dans la salle à manger où, pratiquée dans l'une des cloisons, une armoire contenait une série de petites tonnes, rangées côte à côte, sur de minuscules chantiers de bois de santal, percées de robinets d'argent au bas du ventre.

Il appelait cette réunion de barils à liqueurs, son orgue à bouche.

Une tige pouvait rejoindre tous les robinets, les asservir à un mouvement unique, de sorte qu'une fois l'appareil en place, il suffisait de toucher un bouton dissimulé dans la boiserie, pour que toutes les cannelles, tournées en même temps, remplissent de liqueur les imperceptibles gobelets placés au-dessous d'elles.

L'orgue se trouvait alors ouvert. Les tiroirs étiquetés « flûte, cor, voix céleste » étaient tirés, prêts à la manœuvre. Des Esseintes buvait une goutte, ici, là, se jouait des symphonies intérieures, arrivait à se procurer, dans le gosier, des sensations analogues à celles que la musique verse à l'oreille.

Du reste, chaque liqueur correspondait, selon lui, comme goût, au son d'un instrument. Le curaçao sec, par exemple, à la clarinette dont le chant est aigrelet et velouté; le kummel au hautbois dont le timbre sonore nasille; la menthe et l'anisette, à la flûte, tout à la fois sucrée et poivrée, piaulante et douce; tandis que, pour

compléter l'orchestre, le kirsch sonne furieusement de la
trompette ; le gin et le whisky emportent le palais avec leurs
stridents éclats de pistons et de trombones, l'eau-de-vie
de marc fulmine avec les assourdissants vacarmes des
tubas, pendant que roulent les coups de tonnerre de la
cymbale et de la caisse frappés à tour de bras, dans la peau
de la bouche, par les rakis de Chio et les mastics !

Il pensait aussi que l'assimilation pouvait s'étendre, que
des quatuors d'instruments à cordes pouvaient fonctionner sous la voûte palatine, avec le violon représentant la
vieille eau-de-vie, fumeuse et fine, aiguë et frêle ; avec
l'alto simulé par le rhum plus robuste, plus ronflant, plus
sourd ; avec le vespétro déchirant et prolongé, mélancolique et caressant comme un violoncelle ; avec la contre-
basse, corsée, solide et noire comme un pur et vieux
bitter. On pouvait même, si l'on voulait former un
quintette, adjoindre un cinquième instrument, la harpe,
qu'imitait par une vraisemblable analogie, la saveur
vibrante, la note argentine, détachée et grêle du cumin
sec.

La similitude se prolongeait encore : des relations de
tous tons existaient dans la musique des liqueurs ; ainsi
pour ne citer qu'une note, la bénédictine figure, pour
ainsi dire, le ton mineur de ce ton majeur des alcools que
les partitions commerciales désignent sous le signe de
chartreuse verte.

Ces principes une fois admis, il était parvenu, grâce
à d'érudites expériences, à se jouer sur la langue de
silencieuses mélodies, de muettes marches funèbres à
grand spectacle, à entendre, dans sa bouche, des solis
de menthe, des duos de vespétro et de rhum.

Il arrivait même à transférer dans sa mâchoire de
véritables morceaux de musique, suivant le compositeur,
pas à pas, rendant sa pensée, ses effets, ses nuances, par
des unions ou des contrastes voisins de liqueurs, par
d'approximatifs et savants mélanges.

D'autrefois, il composait lui-même des mélodies,
exécutait des pastorales avec le bénin cassis qui lui faisait
rouler, dans la gorge, des chants emperlés de rossignol ;
avec le tendre cacao-chouva qui fredonnait de sirupeuses
bergerades, telles que « les romances d'Estelle » et les
« Ah ! vous dirai-je, maman » du temps jadis.

Mais, ce soir-là, des Esseintes n'avait nulle envie
d'écouter le goût de la musique ; il se borna à enlever une
note au clavier de son orgue, en emportant un petit

gobelet qu'il avait préalablement rempli d'un véridique whisky d'Irlande.

Il se renfonça dans son fauteuil et huma lentement ce suc fermenté d'avoine et d'orge; un fumet prononcé de créosote lui empuantit la bouche.

Peu à peu, en buvant, sa pensée suivit l'impression maintenant ravivée de son palais, emboîta le pas à la saveur du whisky, réveilla, par une fatale exactitude d'odeurs, des souvenirs effacés depuis des ans.

Ce fleur phéniqué, âcre, lui remémorait forcément l'identique senteur dont il avait eu la langue pleine au temps où les dentistes travaillaient dans sa gencive.

Une fois lancé sur cette piste, sa rêverie, d'abord éparse sur tous les praticiens qu'il avait connus, se rassembla et convergea sur l'un d'entre eux dont l'excentrique rappel s'était plus particulièrement gravé dans sa mémoire.

Il y avait de cela, trois années; pris, au milieu d'une nuit, d'une abominable rage de dents, il se tamponnait la joue, butait contre les meubles, arpentait, semblable à un fou, sa chambre.

C'était une molaire déjà plombée; aucune guérison n'était possible; la clef seule des dentistes pouvait remédier au mal. Il attendait, tout enfiévré, le jour, résolu à supporter les plus atroces des opérations, pourvu qu'elles missent fin à ses souffrances.

Tout en se tenant la mâchoire, il se demandait comment faire. Les dentistes qui le soignaient étaient de riches négociants qu'on ne voyait point à sa guise; il fallait convenir avec eux de visites, d'heures de rendez-vous. C'est inacceptable, je ne puis différer plus longtemps, disait-il; il se décida à aller chez le premier venu, à courir chez un quenottier du peuple, un de ces gens à poigne de fer qui, s'ils ignorent l'art bien inutile d'ailleurs de panser les caries et d'obturer les trous, savent extirper, avec une rapidité sans pareille, les chicots les plus tenaces; chez ceux-là, c'est ouvert au petit jour et l'on n'attend pas. Sept heures sonnèrent enfin. Il se précipita hors de chez lui, et se rappelant le nom connu d'un mécanicien qui s'intitulait dentiste populaire et logeait au coin d'un quai, il s'élança dans les rues en mordant son mouchoir, en renfonçant ses larmes.

Arrivé devant la maison, reconnaissable à un immense écriteau de bois noir où le nom de « Gatonax » s'étalait en d'énormes lettres couleur de potiron, et en deux petites

armoires vitrées où des dents de pâte étaient soigneusement alignées dans des gencives de cire rose, reliées entre
elles par des ressorts mécaniques de laiton, il haleta, la
sueur aux tempes ; une transe horrible lui vint, un frisson
lui glissa sur la peau, un apaisement eut lieu, la souffrance
s'arrêta, la dent se tut.

Il restait, stupide, sur le trottoir ; il s'était enfin roidi
contre l'angoisse, avait escaladé un escalier obscur, grimpé
quatre à quatre jusqu'au troisième étage. Là, il s'était
trouvé devant une porte où une plaque d'émail répétait,
inscrit avec des lettres d'un bleu céleste, le nom de l'enseigne. Il avait tiré la sonnette, puis, épouvanté par les
larges crachats rouges qu'il apercevait collés sur les marches, il fit volte-face, résolu à souffrir des dents, toute sa
vie, quand un cri déchirant perça les cloisons, emplit la cage
de l'escalier, le cloua d'horreur, sur place, en même temps
qu'une porte s'ouvrit et qu'une vieille femme le pria d'entrer.

La honte l'avait emporté sur la peur ; il avait été introduit dans une salle à manger ; une autre porte avait claqué,
donnant passage à un terrible grenadier, vêtu d'une redin-
gote et d'un pantalon noirs, en bois ; des Esseintes le
suivit dans une autre pièce.

Ses sensations devenaient, dès ce moment, confuses.
Vaguement il se souvenait de s'être affaissé, en face d'une
fenêtre, dans un fauteuil, d'avoir balbutié, en mettant un
doigt sur sa dent : « elle a été déjà plombée ; j'ai peur qu'il
n'y ait rien à faire. »

L'homme avait immédiatement supprimé ces explications, en lui enfonçant un index énorme dans la bouche ;
puis, tout en grommelant sous ses moustaches vernies, en
crocs, il avait pris un instrument sur une table.

Alors la grande scène avait commencé. Cramponné aux
bras du fauteuil, des Esseintes avait senti, dans la joue, du
froid, puis ses yeux avaient vu trente-six chandelles et il
s'était mis, souffrant des douleurs inouïes, à battre des
pieds et à bêler ainsi qu'une bête qu'on assassine.

Un craquement s'était fait entendre, la molaire se
cassait, en venant ; il lui avait alors semblé qu'on lui
arrachait la tête, qu'on lui fracassait le crâne ; il avait
perdu la raison, avait hurlé de toutes ses forces, s'était
furieusement défendu contre l'homme qui se ruait de
nouveau sur lui comme s'il voulait lui entrer son bras
jusqu'au fond du ventre, s'était brusquement reculé d'un
pas, et levant le corps attaché à la mâchoire, l'avait laissé

brutalement retomber, sur le derrière, dans le fauteuil, tandis que, debout, emplissant la fenêtre, il soufflait, brandissant au bout de son davier, une dent bleue où pendait du rouge!

Anéanti, des Esseintes avait dégobillé du sang plein une cuvette, refusé, d'un geste, à la vieille femme qui rentrait, l'offrande de son chicot qu'elle s'apprêtait à envelopper dans un journal et il avait fui, payant deux francs, lançant, à son tour, des crachats sanglants sur les marches, et il s'était retrouvé, dans la rue, joyeux, rajeuni de dix ans, s'intéressant aux moindres choses.

— Brou! fit-il, attristé par l'assaut de ces souvenirs. Il se leva pour rompre l'horrible charme de cette vision et, revenu dans la vie présente, il s'inquiéta de la tortue.

Elle ne bougeait toujours point, il la palpa; elle était morte. Sans doute habituée à une existence sédentaire, à une humble vie passée sous sa pauvre carapace, elle n'avait pu supporter le luxe éblouissant qu'on lui imposait, la rutilante chape dont on l'avait vêtue, les pierreries dont on lui avait pavé le dos, comme un ciboire.

V

En même temps que s'appointait son désir de se soustraire à une haïssable époque d'indignes muflemens, le
besoin de ne plus voir de tableaux représentant l'effigie
humaine tâchant à Paris entre quatre murs, ou errant en
quête d'argent par les rues, était devenu pour lui plus
despotique.

Après s'être désintéressé de l'existence contemporaine,
il avait résolu de ne pas introduire dans sa cellule des larves
de répugnances ou de regrets, aussi, avait-il voulu une
peinture subtile, exquise, baignant dans un rêve ancien,
dans une corruption antique, loin de nos mœurs, loin de
nos jours,

Il avait voulu, pour la délectation de son esprit et la
joie de ses yeux, quelques œuvres suggestives le jetant dans
un monde inconnu, lui dévoilant les traces de nouvelles
conjectures, lui ébranlant le système nerveux par d'érudites hystéries, par des cauchemars compliqués, par des
visions nonchalantes et atroces.

Entre tous, un artiste existait dont le talent le ravissait
en de longs transports, Gustave Moreau.

Il avait acquis ses deux chefs-d'œuvre et, pendant des
nuits, il rêvait devant l'un deux, le tableau de la Salomé,
ainsi conçu :

Un trône se dressait, pareil au maître-autel d'une
cathédrale, sous d'innombrables voûtes jaillissant de
colonnes trapues ainsi que des piliers romans, émaillées
de briques polychromes, serties de mosaïques, incrustées
de lapis et de sardoines, dans un palais semblable à une
basilique d'une architecture tout à la fois musulmane et
byzantine.

Au centre du tabernacle surmontant l'autel précédé
de marches en forme de demi-vasques, le Tétrarque

Hérode était assis, coiffé d'une tiare, les jambes rapprochées, les mains sur les genoux.

La figure était jaune, parcheminée, annelée de rides, décimée par l'âge ; sa longue barbe flottait comme un nuage blanc sur les étoiles en pierreries qui constellaient la robe d'orfroi plaquée sur sa poitrine.

Autour de cette statue, immobile, figée dans une pose hiératique de dieu hindou, des parfums brûlaient, dégorgeant des nuées de vapeurs que trouaient, de même que les yeux phosphorés de bêtes, les feux des pierres enchâssées dans les parois du trône ; puis la vapeur montait, se déroulait sous les arcades où la fumée bleue se mêlait à la poudre d'or des grands rayons de jour, tombés des dômes.

Dans l'odeur perverse des parfums, dans l'atmosphère surchauffée de cette église, Salomé, le bras gauche étendu, en un geste de commandement, le bras droit replié, tenant à la hauteur du visage, un grand lotus, s'avance lentement sur les pointes, aux accords d'une guitare dont une femme accroupie pince les cordes.

La face recueillie, solennelle, presque auguste, elle commence la lubrique danse qui doit réveiller les sens assoupis du vieil Hérode ; ses seins ondulent et, au frottement de ses colliers qui tourbillonnent, leurs bouts se dressent ; sur la moiteur de sa peau les diamants, attachés, scintillent ; ses bracelets, ses ceintures, ses bagues, crachent des étincelles ; sur sa robe triomphale, couturée de perles, ramagée d'argent, lamée d'or, la cuirasse des orfèvreries dont chaque maille est une pierre, entre en combustion, croise des serpenteaux de feu, grouille sur la chair mate, sur la peau rose thé, ainsi que des insectes splendides aux élytres éblouissants, marbrés de carmin, ponctués de jaune aurore, diaprés de bleu d'acier, tigrés de vert paon.

Concentrée, les yeux fixes, semblable à une somnambule, elle ne voit ni le Tétrarque qui frémit, ni sa mère, la féroce Hérodias, qui la surveille, ni l'hermaphrodite ou l'eunuque qui se tient, le sabre au poing, en bas du trône, une terrible figure, voilée jusqu'aux joues, et dont la mamelle de châtré pend, de même qu'une gourde, sous sa tunique bariolée d'orange.

Ce type de la Salomé si hantant pour les artistes et pour les poètes, obsédait, depuis des années, des Esseintes. Combien de fois avait-il lu dans la vieille bible de Pierre Variquet, traduite par les docteurs en théologie de l'Université de Louvain, l'évangile de saint Mathieu qui raconte en de naïves et brèves phrases, la décollation du Précurseur ; combien de fois avait-il rêvé, entre ces lignes :

« Au jour du festin de la Nativité d'Hérode, la fille d'Hérodias dansa au milieu et plut à Hérode.

« Dont lui promit, avec serment, de lui donner tout ce qu'elle lui demanderait.

« Elle donc, induite par sa mère, dit : Donne-moi, en un plat, la tête de Jean-Baptiste.

« Et le roi fut marri, mais à cause du serment et de ceux qui étaient assis à table avec lui, il commanda qu'elle lui fût baillée.

« Et envoya décapiter Jean, en la prison.

« Et fut la tête d'icelui apportée dans un plat et donnée à la fille ; et elle la présenta à sa mère. »

Mais ni saint Mathieu, ni saint Marc, ni saint Luc, ni les autres évangélistes ne s'étendaient sur les charmes délirants, sur les actives dépravations de la danseuse. Elle demeurait effacée, se perdait, mystérieuse et pâmée, dans le brouillard lointain des siècles, insaisissable pour les esprits précis et terre à terre, accessible seulement aux cervelles ébranlées, aiguisées, comme rendues visionnaires par la névrose ; rebelle aux peintres de la chair, à Rubens qui la déguisa en une bouchère des Flandres, incompréhensible pour tous les écrivains qui n'ont jamais pu rendre l'inquiétante exaltation de la danseuse, la grandeur raffinée de l'assassine.

Dans l'œuvre de Gustave Moreau, conçue en dehors de toutes les données du Testament, des Esseintes voyait enfin réalisée cette Salomé, surhumaine et étrange qu'il avait rêvée. Elle n'était plus seulement la baladine qui arrache a un vieillard, par une torsion corrompue de ses reins, un cri de désir et de rut ; qui rompt l'énergie, fond la volonté d'un roi, par des remous de seins, des secousses de ventre, des frissons de cuisse ; elle devenait, en quelque sorte, la déité symbolique de l'indestructible Luxure, la déesse de l'immortelle Hystérie, la Beauté maudite, élue entre toutes par la catalepsie qui lui raidit les chairs et lui durcit les muscles ; la Bête monstrueuse, indifférente, irresponsable, insensible, empoisonnant, de même que l'Hélène antique, tout ce qui l'approche, tout ce qui la voit, tout ce qu'elle touche.

Ainsi comprise, elle appartenait aux théogonies de l'extrême Orient ; elle ne relevait plus des traditions bibliques, ne pouvait même plus être assimilée à la vivante image de Babylone, à la royale Prostituée de l'Apocalypse, accoutrée, comme elle, de joyaux et de pourpre, fardée comme elle; car celle-là n'était pas jetée par une puissance fatidique, par une force suprême, dans les attirantes abjections de la débauche.

Le peintre semblait d'ailleurs avoir voulu affirmer sa volonté de rester hors des siècles, de ne point préciser d'origine, de pays, d'époque, en mettant sa Salomé au milieu de cet extraordinaire palais, d'un style confus et grandiose, en la vêtant de somptueuses et chimériques robes, en la mitrant d'un incertain diadème en forme de tour phénicienne tel qu'en porte la Salammbô, en lui plaçant enfin dans la main le sceptre d'Isis, la fleur sacrée de l'Egypte et de l'Inde, le grand lotus.

Des Esseintes cherchait le sens de cet emblème. Avait-il cette signification phallique que lui prêtent les cultes primordiaux de l'Inde; annonçait-il au vieil Hérode, une oblation de virginité, un échange de sang, une plaie impure sollicitée, offerte sous la condition expresse d'un meurtre; ou représentait-il l'allégorie de la fécondité, le mythe hindou de la vie, une existence tenue entre des doigts de femme, arrachée, foulée par des mains palpitantes d'homme qu'une démence envahit, qu'une crise de la chair égare ?

Peut-être aussi qu'en armant son énigmatique déesse du lotus vénéré, la peintre avait songé à la danseuse, à la femme mortelle, au Vase souillé, cause de tous les péchés et de tous les crimes; peut-être s'était-il souvenu des rites de la vieille Egypte, des cérémonies sépulcrales de l'embaumement, alors que les chimistes et les prêtres étendent le cadavre de la morte sur un banc de jaspe, lui tirent avec des aiguilles courbes la cervelle par les fosses du nez, les entrailles par l'incision pratiquée dans son flanc gauche, puis avant de lui dorer les ongles et les dents, avant de l'enduire de bitumes et d'essences, lui insèrent, dans les parties sexuelles, pour les purifier, les chastes pétales de la divine fleur.

Quoi qu'il en fût, une irrésistible fascination se dégageait de cette toile, mais l'aquarelle intitulée *L'Apparition* était peut-être plus inquiétante encore.

Là, le palais d'Hérode s'élançait, ainsi qu'un Alhambra, sur de légères colonnes irisées de carreaux moresques, scellés comme par un béton d'argent, comme par un ciment d'or; des arabesques partaient de losanges en lazuli, filaient tout le long des coupoles où, sur des marqueteries de nacre, rampaient des lueurs d'arc-en-ciel, des feux de prisme.

Le meurtre était accompli; maintenant le bourreau se tenait impassible, les mains sur le pommeau de sa longue épée, tachée de sang.

Le chef décapité du saint s'était élevé du plat posé sur les dalles et il regardait, livide, la bouche décolorée, ouverte, le cou cramoisi, dégouttant de larmes. Une mosaïque cernait la figure d'où s'échappait une auréole s'irradiant en traits de lumière sous les portiques, éclairant l'affreuse ascension de la tête, allumant le globe vitreux des prunelles, attachées, en quelque sorte crispées sur la danseuse.

D'un geste d'épouvante, Salomé repousse la terrifiante vision qui la cloue, immobile, sur les pointes; ses yeux se dilatent, sa main étreint convulsivement sa gorge.

Elle est presque nue; dans l'ardeur de la danse, les voiles se sont défaits, les brocarts ont croulé; elle n'est plus vêtue que de matières orfévries et de minéraux lucides; un gorgerin lui serre de même qu'un corselet la taille, et, ainsi qu'une agrafe superbe, un merveilleux joyau darde des éclairs dans la rainure de ses deux seins; plus bas, aux hanches, une ceinture l'entoure, cache le haut de ses cuisses que bat une gigantesque pendeloque où coule une rivière d'escarboucles et d'émeraudes; enfin, sur le corps resté nu, entre le gorgerin et la ceinture, le ventre bombe, creusé d'un nombril dont le trou semble un cachet gravé d'onyx, aux tons laiteux, aux teintes de rose d'ongle.

Sous les traits ardents échappés de la tête du Précurseur, toutes les facettes des joailleries s'embrasent; les pierres s'animent, dessinent le corps de la femme en traits incandescents; la piquent au cou, aux jambes, aux bras, de points de feu, vermeils comme des charbons, violets comme des jets de gaz, bleus comme des flammes d'alcool, blancs comme des rayons d'astre.

L'horrible tête flamboie, saignant toujours, mettant des caillots de pourpre sombre, aux pointes de la barbe et des cheveux. Visible pour la Salomé seule, elle n'étreint pas de son morne regard, l'Hérodias qui rêve à ses haines enfin abouties, le Tétrarque, qui, penché un peu en avant, les mains sur les genoux, halète encore, affolé par cette nudité de femme imprégnée de senteurs fauves, roulée dans les baumes, fumée dans les encens et dans les myrrhes.

Tel que le vieux roi, des Esseintes demeurait écrasé, anéanti, pris de vertige, devant cette danseuse, moins majestueuse, moins hautaine, mais plus troublante que la Salomé du tableau à l'huile.

Dans l'insensible et impitoyable statue, dans l'innocente et dangereuse idole, l'érotisme, la terreur de l'être humain s'étaient fait jour; le grand lotus avait disparu, la déesse s'était évanouie; un effroyable cauchemar étranglait maintenant l'histrionne, extasiée par le tournoiement de la danse, la courtisane, pétrifiée, hypnotisée par l'épouvante.

Ici, elle était vraiment fille; elle obéissait à son tempérament de femme ardente et cruelle; elle vivait, plus raffinée et plus sauvage, plus exécrable et plus exquise; elle réveillait plus énergiquement les sens en léthargie de l'homme, ensorcelait, domptait plus sûrement ses volontés, avec son charme de grande fleur vénérienne, poussée dans des couches sacrilèges, élevée dans des serres impies.

Comme le disait des Esseintes, jamais, à aucune époque, l'aquarelle n'avait pu atteindre cet éclat de coloris; jamais la pauvreté des couleurs chimiques n'avait ainsi fait jaillir sur le papier des coruscations semblables de pierres, des lueurs pareilles de vitraux frappés de rais de soleil, des fastes aussi fabuleux, aussi aveuglants de tissus et de chairs.

Et, perdu dans sa contemplation, il scrutait les origines de ce grand artiste, de ce païen mystique, de cet illuminé qui pouvait s'abstraire assez du monde pour voir, en plein Paris, resplendir les cruelles visions, les féeriques apothéoses des autres âges.

Sa filiation, des Esseintes la suivait à peine; çà et là, de vagues souvenirs de Mantegna et de Jacopo de Barbarj; çà et là, de confuses hantises du Vinci et des fièvres de couleurs à la Delacroix; mais l'influence de ces maîtres restait, en somme, imperceptible : la vérité était que Gustave Moreau ne dérivait de personne. Sans ascendant véritable, sans descendants possibles, il demeurait, dans l'art contemporain, unique. Remontant aux sources ethnographiques, aux origines des mythologies dont il comparait et démêlait les sanglantes énigmes; réunissant, fondant en une seule les légendes issues de l'extrême Orient et métamorphosées par les croyances des autres peuples, il justifiait ainsi ses fusions architectoniques, ses amalgames luxueux et inattendus d'étoffes, ses hiératiques et sinistres allégories aiguisées par les inquiètes perspicuités d'un nervosisme tout moderne; et il restait à jamais douloureux, hanté par les symboles des perversités et des amours surhumaines, des stupres divins consommés sans abandons et sans espoirs.

Il y avait dans ses œuvres désespérées et érudites un enchantement singulier, une incantation vous remuant jusqu'au fond des entrailles, comme celle de certains poèmes de Baudelaire, et l'on demeurait ébahi, songeur, déconcerté, par cet art qui franchissait les limites de la peinture, empruntait à l'art d'écrire ses plus subtiles évocations, à l'art du Limosin ses plus merveilleux éclats, à l'art du lapidaire et du graveur ses finesses les plus exquises. Ces deux images de la Salomé, pour lesquelles l'admiration de des Esseintes était sans borne, vivaient, sous ses yeux, pendues aux murailles de son cabinet de travail, sur des panneaux réservés entre les rayons des livres.

Mais là ne se bornaient point les achats de tableaux qu'il avait effectués dans le but de parer sa solitude.

Bien qu'il eût sacrifié tout le premier et unique étage de sa maison qu'il n'habitait personnellement pas, le rez-de-chaussée avait à lui seul nécessité des séries nombreuses de cadres pour habiller les murs.

Ce rez-de-chaussée était ainsi distribué :

Un cabinet de toilette, communiquant avec la chambre à coucher, occupait l'une des encoignures de la bâtisse; de la chambre à coucher l'on passait dans la bibliothèque, de la bibliothèque dans la salle à manger, qui formait l'autre encoignure.

Ces pièces composant l'une des faces du logement, s'étendaient, en ligne droite, percées de fenêtres ouvertes sur la vallée d'Aunay.

L'autre face de l'habitation était constituée par quatre pièces exactement semblables, en tant que disposition, aux premières. Ainsi la cuisine faisait coude, correspondait à la salle à manger; un grand vestibule, servant d'entrée au logis, à la bibliothèque; une sorte de boudoir, à la chambre à coucher; les privés dessinant un angle, au cabinet de toilette.

Toutes ces pièces prenaient jour du côté opposé à la vallée d'Aunay et regardaient la tour du Croy et Châtillon.

Quant à l'escalier, il était collé sur l'un des flancs de la maison, au-dehors; les pas des domestiques ébranlant les marches arrivaient ainsi moins distincts, plus sourds, à des Esseintes.

Il avait fait tapisser de rouge vif le boudoir, et sur toutes

les cloisons de la pièce, accrocher dans des bordures
d'ébène des estampes de Jan Luyken, un vieux graveur
de Hollande, presque inconnu en France.

Il possédait de cet artiste fantasque et lugubre, véhé-
ment et farouche, la série de ses *Persécutions religieuses*,
d'épouvantables planches contenant tous les supplices
que la folie des religions a inventés, des planches où
hurlait le spectacle des souffrances humaines, des corps
rissolés sur des brasiers, des crânes décalottés avec des
sabres, trépanés avec des clous, entaillés avec des scies,
des intestins dévidés du ventre et enroulés sur des
bobines, des ongles lentement arrachés avec des tenailles,
des prunelles crevées, des paupières retournées avec des
pointes, des membres disloqués, cassés avec soin, des
os mis à nu, longuement raclés avec des lames.

Ces œuvres pleines d'abominables imaginations, puant
le brûlé, suant le sang, remplies de cris d'horreur et
d'anathèmes, donnaient la chair de poule à des Esseintes
qu'elles retenaient suffoqué dans ce cabinet rouge.

Mais, en sus des frissons qu'elles apportaient, en sus
aussi du terrible talent de cet homme, de l'extraordinaire
vie qui animait ses personnages, l'on découvrait chez ses
étonnants pullulements de foule, chez ses flots de peuple
enlevés avec une dextérité de pointe rappelant celle de
Callot, mais avec une puissance que n'eut jamais cet
amusant gribouilleur, des reconstitutions curieuses de
milieux et d'époques; l'architecture, les costumes, les
mœurs au temps des Macchabées, à Rome, sous les persécutions des chrétiens, en Espagne, sous le règne de
l'Inquisition, en France, au moyen âge et à l'époque des
Saint-Barthélemy et des Dragonnades, étaient observés
avec un soin méticuleux, notés avec une science extrême.

Ces estampes étaient des mines à renseignements : on
pouvait les contempler sans se lasser, pendant des heures;
profondément suggestives en réflexions, elles aidaient
souvent des Esseintes à tuer les journées rebelles aux
livres.

La vie de Luyken était pour lui un attrait de plus; elle
expliquait d'ailleurs l'hallucination de son œuvre. Calvi-
niste fervent, sectaire endurci, affolé de cantiques et de
prières, il composait des poésies religieuses qu'il illustrait,
paraphrasait en vers les psaumes, s'abîmait dans la lecture
de la Bible d'où il sortait, extasié, hagard, le cerveau hanté
par des sujets sanglants, la bouche tordue par les malédictions de la Réforme, par ses chants de terreur et de colère.

Avec cela, il méprisait le monde, abandonnait ses biens aux pauvres, vivait d'un morceau de pain ; il avait fini par s'embarquer, avec une vieille servante, fanatisée par lui, et il allait au hasard, où abordait son bateau, prêchant partout l'Evangile, s'essayant à ne plus manger, devenu à peu près fou, presque sauvage.

Dans la pièce voisine, plus grande, dans le vestibule vêtu de boiseries de cèdre, couleur de boîte à cigare, s'étageaient d'autres gravures, d'autres dessins bizarres.

La *Comédie de la Mort*, de Bresdin, où dans un invraisemblable paysage, hérissé d'arbres, de taillis, de touffes, affectant des formes de démons et de fantômes, couvert d'oiseaux à têtes de rats, à queues de légumes, sur un terrain semé de vertèbres, de côtes, de crânes, des saules se dressent, noueux et crevassés, surmontés de squelettes agitant, les bras en l'air, un bouquet, entonnant un chant de victoire, tandis qu'un Christ s'enfuit dans un ciel pommelé, qu'un ermite réfléchit, la tête dans ses deux mains, au fond d'une grotte, qu'un misérable meurt, épuisé de privations, exténué de faim, étendu sur le dos, les pieds devant une mare.

Le *Bon Samaritain*, du même artiste, un immense dessin à la plume, tiré sur pierre : un extravagant fouillis de palmiers, de sorbiers, de chênes, poussés, tous ensemble, au mépris des saisons et des climats, une élancée de forêt vierge, criblée de singes, de hiboux, de chouettes, bossuée de vieilles souches aussi difformes que des racines de mandragore, une futaie magique, trouée, au milieu, par une éclaircie laissant entrevoir, au loin, derrière un chameau et le groupe du Samaritain et du blessé, un fleuve, puis une ville féerique escaladant l'horizon, montant dans un ciel étrange, pointillé d'oiseaux, moutonné de lames, comme gonflé de ballots de nuages.

On eût dit d'un dessin de primitif, d'un vague Albert Dürer, composé par un cerveau enfumé d'opium ; mais, bien qu'il aimât la finesse des détails et l'imposante allure de cette planche, des Esseintes s'arrêtait plus particulièrement devant les autres cadres qui ornaient la pièce.

Ceux-là étaient signés : Odilon Redon.

Ils renfermaient dans leurs baguettes de poirier brut, liséré d'or, des apparitions inconcevables : une tête d'un style mérovingien, posée sur une coupe ; un homme barbu, tenant tout à la fois, du bonze et de l'orateur de réunion publique, touchant du doigt un boulet de canon colossal ;

une épouvantable araignée logeant au milieu de son corps
une face humaine; puis des fusains partaient plus loin
encore dans l'effroi du rêve tourmenté par la congestion.
Ici c'était un énorme dé à jouer où clignait une paupière
triste; là des paysages, secs, arides, des plaines calcinées,
des mouvements de sol, des soulèvements volcaniques
accrochant des nuées en révolte, des ciels stagnants et
livides; parfois même les sujets semblaient empruntés au
cauchemar de la science, remonter aux temps préhisto-
riques; une flore monstrueuse s'épanouissait sur les
roches; partout des blocs erratiques, des boues glaciaires,
des personnages dont le type simien, les épais maxillaires,
les arcades des sourcils en avant, le front fuyant, le
sommet aplati du crâne, rappelaient la tête ancestrale, la
tête de la première période quaternaire, de l'homme
encore frugivore et dénué de parole, contemporain du
mammouth, du rhinocéros aux narines cloisonnées et du
grand ours. Ces dessins étaient en dehors de tout; ils
sautaient, pour la plupart, par-dessus les bornes de la
peinture, innovaient un fantastique très spécial, un
fantastique de maladie et de délire.

Et, en effet, tels de ces visages, mangés par des yeux
immenses, par des yeux fous; tels de ces corps grandis
outre mesure ou déformés comme au travers d'une
carafe, évoquaient dans la mémoire de des Esseintes des
souvenirs de fièvre typhoïde, des souvenirs restés quand
même des nuits brûlantes, des affreuses visions de son
enfance.

Pris d'un indéfinissable malaise, devant ces dessins,
comme devant certains *Proverbes* de Goya qu'ils rappelaient; comme au sortir aussi d'une lecture d'Edgar Poe
dont Odilon Redon semblait avoir transposé, dans un
art différent, les mirages d'hallucination et les effets de
peur, il se frottait les yeux et contemplait une rayonnante
figure qui, du milieu de ces planches agitées, se levait
sereine et calme, une figure de la Mélancolie, assise,
devant le disque d'un soleil, sur des rochers, dans une
pose accablée et morne.

Par enchantement, les ténèbres se dissipaient; une
tristesse charmante, une désolation en quelque sorte
alanguie, coulaient dans ses pensées, et il méditait
longuement devant cette œuvre qui mettait, avec ses
points de gouache, semés dans le crayon gras, une clarté
de vert d'eau et d'or pâle, parmi la noirceur ininterrompue
de ces fusains et de ces estampes.

En outre de cette série des ouvrages de Redon, garnissant presque tous les panneaux du vestibule, il avait pendu dans sa chambre à coucher, une ébauche désordonnée de Théocopuli, un Christ aux teintes singulières, d'un dessin exagéré, d'une couleur féroce, d'une énergie détraquée, un tableau de la seconde manière de ce peintre, alors qu'il était harcelé par la préoccupation de ne plus ressembler au Titien.

Cette peinture sinistre, aux tons de cirage et de vert cadavre, répondait pour des Esseintes à un certain ordre d'idées sur l'ameublement.

Il n'y avait, selon lui, que deux manières d'organiser une chambre à coucher : ou bien en faire une excitante alcôve, un lieu de délectation nocturne ; ou bien agencer un lieu de solitude et de repos, un retrait de pensées, une espèce d'oratoire.

Dans le premier cas, le style Louis XV s'imposait aux délicats, aux gens épuisés surtout par des éréthismes de cervelle ; seul, en effet, le XVIIIe siècle a su envelopper la femme d'une atmosphère vicieuse, contournant les meubles selon la forme de ses charmes, imitant les contractions de ses plaisirs ; les volutes de ses spasmes, avec les ondulations, les tortillements du bois et du cuivre, épiçant la langueur sucrée de la blonde, par son décor vif et clair, atténuant le goût salé de la brune, par des tapisseries aux tons douceâtres, aqueux, presque insapides.

Cette chambre, il l'avait jadis comprise dans son logement de Paris, avec le grand lit blanc laqué qui est un piment de plus, une dépravation de vieux passionné, hennissant devant la fausse chasteté, devant l'hypocrite pudeur des tendrons de Greuze, devant l'artificielle candeur d'un lit polisson, sentant l'enfant et la jeune fille.

Dans l'autre cas — et, maintenant qu'il voulait rompre avec les irritants souvenirs de sa vie passée, celui-là était seul possible — il fallait façonner une chambre en cellule monastique ; mais alors les difficultés s'accumulaient, car il se refusait à accepter, pour sa part, l'austère laideur des asiles à pénitence et à prière.

A force de tourner et de retourner la question sur toutes ses faces, il conclut que le but à atteindre pouvait se résumer en celui-ci : arranger avec de joyeux objets une chose triste, ou plutôt, tout en lui conservant son caractère de laideur, imprimer à l'ensemble de la pièce, ainsi traitée, une sorte d'élégance et de distinction ; renverser l'optique du théâtre dont les vils oripeaux jouent les tissus luxueux et chers ; obtenir l'effet absolument opposé, en se servant d'étoffes magnifiques pour donner l'impression d'une guenille ; disposer, en un mot, une loge de chartreux qui eût l'air d'être vraie et qui ne le fût, bien entendu, pas.

Il procéda de cette manière : pour imiter le badigeon de l'ocre, le jaune administratif et clérical, il fit tendre ses murs en soie safran ; pour traduire le soubassement couleur chocolat, habituel à ce genre de pièces, il revêtit les parois de la cloison de lames en bois violet foncé d'amarante. L'effet était séduisant, et il pouvait rappeler, de loin pourtant, la déplaisante rigidité du modèle qu'il suivait en le transformant ; le plafond fut, à son tour, tapissé de blanc écru, pouvant simuler le plâtre, sans en avoir cependant les éclats criards ; quant au froid pavage de la cellule, il réussit assez bien à le copier, grâce à un tapis dont le dessin représentait des carreaux rouges, avec des places blanchâtres dans la laine, pour feindre l'usure des sandales et le frottement des bottes.

Il meubla cette pièce d'un petit lit de fer, un faux lit de cénobite, fabriqué avec d'anciennes ferronneries forgées et polies, rehaussées, au chevet et au pied, d'ornementations touffues, de tulipes épanouies enlacées à des pampres, empruntées à la rampe du superbe escalier d'un vieil hôtel.

En guise de table de nuit, il installa un antique prie-Dieu dont l'intérieur pouvait contenir un vase et dont l'extérieur supportait un eucologe ; il apposa contre le mur, en face, un banc-d'œuvre, surmonté d'un grand dais à jour garni de miséricordes sculptées en plein bois, et il pourvut ses flambeaux d'église de chandelles en vraie cire qu'il achetait dans une maison spéciale, réservée aux besoins du culte, car il professait un sincère éloignement pour les pétroles, pour les schistes, pour les gaz, pour les bougies en stéarine, pour tout l'éclairage moderne, si voyant et si brutal.

Dans son lit, le matin, la tête sur l'oreiller, avant de s'endormir, il regardait son Théocopuli dont l'atroce couleur rabrouait un peu le sourire de l'étoffe jaune et la rappelait à un ton plus grave, et il se figurait aisément alors qu'il vivait à cent lieues de Paris, loin du monde, dans le fin fond d'un cloître.

Et, somme toute, l'illusion était facile, puisqu'il menait une existence presque analogue à celle d'un religieux. Il avait ainsi les avantages de la claustration et il en évitait les inconvénients : la discipline soldatesque, le manque de soins, la crasse, la promiscuité, le désœuvrement monotone. De même qu'il avait fait de sa cellule, une chambre confortable et tiède, de même il avait rendu sa vie normale, douce, entourée de bien-être, occupée et libre.

Tel qu'un ermite, il était mûr pour l'isolement, harassé de la vie, n'attendant plus rien d'elle; tel qu'un moine aussi, il était accablé d'une lassitude immense, d'un besoin de recueillement, d'un désir de ne plus avoir rien de commun avec les profanes qui étaient, pour lui, les utilitaires et les imbéciles.

En résumé, bien qu'il n'éprouvât aucune vocation pour l'état de grâce, il se sentait une réelle sympathie pour ces gens enfermés dans des monastères, persécutés par une haineuse société qui ne leur pardonne ni le juste mépris qu'ils ont pour elle ni la volonté qu'ils affirment de racheter, d'expier, par un long silence, le dévergondage toujours croissant de ses conversations saugrenues ou niaises.

VI

Enfoncé dans un vaste fauteuil à oreillettes, les pieds sur les poires en vermeil des chenets, les pantoufles rôties par les bûches qui dardaient, en crépitant, comme cinglées par le souffle furieux d'un chalumeau, de vives flammes, des Esseintes posa le vieil in-quarto qu'il lisait, sur une table, s'étira, alluma une cigarette, puis il se prit à rêver délicieusement, lancé à toutes brides sur une piste de souvenirs effacée depuis des mois et subitement retracée par le rappel d'un nom qui s'éveillait, sans motifs du reste, dans sa mémoire.

Il revoyait, avec une surprenante lucidité, la gêne de son camarade d'Aigurande, lorsque, dans une réunion de persévérants célibataires, il avait dû avouer les derniers apprêts d'un mariage. On se récria, on lui peignit les abominations des sommeils dans le même linge; rien n'y fit : la tête perdue, il croyait à l'intelligence de sa future femme et prétendait avoir discerné chez elle d'exceptionnelles qualités de dévouement et de tendresse.

Seul, parmi ces jeunes gens, des Esseintes encouragea ses résolutions dès qu'il eut appris que sa fiancée désirait loger au coin d'un nouveau boulevard, dans l'un de ces modernes appartements tournés en rotonde.

Convaincu de l'impitoyable puissance des petites misères, plus désastreuses pour les tempéraments bien trempés que les grandes et, se basant sur ce fait que d'Aigurande ne possédait aucune fortune et que la dot de sa femme était à peu près nulle, il aperçut, dans ce simple souhait, une perspective infinie de ridicules maux.

En effet, d'Aigurande acheta des meubles façonnés en rond, des consoles évidées par derrière, faisant le cercle, des supports de rideaux en forme d'arc, des tapis taillés en croissants, tout un mobilier fabriqué sur commande.

Il dépensa le double des autres, puis, quand sa femme, à court d'argent pour ses toilettes, se lassa d'habiter cette rotonde et s'en fut occuper un appartement carré, moins cher, aucun meuble ne put ni cadrer ni tenir. Peu à peu, cet encombrant mobilier devint une source d'interminables ennuis; l'entente déjà fêlée par une vie commune, s'effrita de semaine en semaine; ils s'indignèrent, se reprochant mutuellement de ne pouvoir demeurer dans ce salon où les canapés et les consoles ne touchaient pas aux murs et branlaient aussitôt qu'on les frôlait, malgré leurs cales. Les fonds manquèrent pour des réparations du reste presque impossibles. Tout devint sujet à aigreurs et à querelles, tout depuis les tiroirs qui avaient joué dans les meubles mal d'aplomb jusqu'aux larcins de la bonne qui profitait de l'inattention des disputes pour piller la caisse; bref, la vie leur fut insupportable; lui, s'égaya au dehors; elle, quêta, parmi les expédients de l'adultère, l'oubli de sa vie pluvieuse et plate. D'un commun avis, ils résilièrent leur bail et requérirent la séparation de corps.

— Mon plan de bataille était exact, s'était alors dit des Esseintes, qui éprouva cette satisfaction des stratégistes dont les manœuvres, prévues de loin, réussissent.

En songeant actuellement, devant son feu, au bris de ce ménage qu'il avait aidé, par ses bons conseils, à s'unir, il jeta une nouvelle brassée de bois, dans la cheminée, et il repartit à toute volée dans ses rêves.

Appartenant au même ordre d'idées, d'autres souvenirs se pressaient maintenant.

Il y avait de cela quelques années, il s'était croisé, rue de Rivoli, un soir, avec un galopin d'environ seize ans, un enfant pâlot et fûté, tentant de même qu'une fille. Il suçait péniblement une cigarette dont le papier crevait, percé par les bûches pointues du caporal. Tout en pestant, il frottait sur sa cuisse des allumettes de cuisine qui ne partaient point; il les usa toutes. Apercevant alors des Esseintes qui l'observait, il s'approcha, la main sur la visière de sa casquette et lui demanda poliment du feu. Des Esseintes lui offrit d'aromatiques cigarettes de dubèque, puis il entama la conversation et incita l'enfant à lui conter son histoire.

Elle était des plus simples, il s'appelait Auguste Langlois, travaillait chez un cartonnier, avait perdu sa mère et possédait un père qui le battait comme plâtre.

Des Esseintes l'écoutait pensif : — Viens boire, dit-il.

Et il l'emmena dans un café où il lui fit servir de violents
punchs. — L'enfant buvait, sans dire mot. — Voyons,
fit tout à coup des Esseintes, veux-tu t'amuser, ce soir ?
c'est moi qui paye. Et il avait emmené le petit chez
madame Laure, une dame qui tenait, rue Mosnier, au
troisième, un assortiment de fleuristes, dans une série de
pièces rouges, ornées de glaces rondes, meublées de
canapés et de cuvettes.

Là, très ébahi, Auguste avait regardé, en pétrissant le
drap de sa casquette, un bataillon de femmes dont les
bouches peintes s'ouvrirent toutes ensemble :

— Ah le môme! Tiens, il est gentil!

— Mais, dis donc, mon petit, tu n'as pas l'âge, avait
ajouté une grande brune, aux yeux à fleur de tête, au nez
busqué, qui remplissait chez Madame Laure l'indispensable rôle de la belle Juive.

Installé, presque chez lui, des Esseintes causait avec
la patronne, à voix basse.

— N'aie donc pas peur, bêta, reprit-il, s'adressant à
l'enfant. Allons, fais ton choix, je régale. Et il poussa
doucement le gamin qui tomba sur un divan, entre deux
femmes. Elles se serrèrent un peu, sur un signe de
madame, enveloppant les genoux d'Auguste, avec leurs
peignoirs lui mettant sous le nez leurs épaules poudrées
d'un givre entêtant et tiède, et il ne bougeait plus, le
sang aux joues, la bouche rêche, les yeux baissés, hasar-
dant, en dessous, des regards curieux qui s'attachaient
obstinément au haut des jambes.

Vanda, la belle Juive, l'embrassa, lui donnant de bons
conseils, lui recommandant d'obéir à ses père et mère,
et ses mains erraient, en même temps, avec lenteur, sur
l'enfant dont la figure changée se pâmait sur son cou, à
la renverse.

— Alors ce n'est pas pour ton compte que tu viens, ce
soir, dit à des Esseintes madame Laure. Mais où diable
as-tu levé ce bambin ? reprit-elle, quand Auguste eut
disparu, emmené par la belle Juive.

— Dans la rue, ma chère.

— Tu n'es pourtant pas gris, murmura la vieille dame.
Puis, après réflexion, elle ajouta, avec un sourire mater-
nel : — Je comprends; mâtin, dis-donc, il te les faut
jeunes, à toi!

Des Esseintes haussa les épaules. — Tu n'y es pas; oh!
mais pas du tout, fit-il; la vérité c'est que je tâche simplement de préparer un assassin. Suis bien, en effet, mon

raisonnement. Ce garçon est vierge et a atteint l'âge où
le sang bouillonne; il pourrait courir après les fillettes
de son quartier, demeurer honnête, tout en s'amusant,
avoir, en somme, sa petite part du monotone bonheur
réservé aux pauvres. Au contraire, en l'amenant ici, au
milieu d'un luxe qu'il ne soupçonnait même pas et qui
se gravera forcément dans sa mémoire; en lui offrant,
tous les quinze jours, une telle aubaine, il prendra
l'habitude de ces jouissances que ses moyens lui inter-
disent; admettons qu'il faille trois mois pour qu'elles lui
soient devenues absolument nécessaires — et, en les
espaçant comme je le fais, je ne risque pas de le rassa-
sier; — eh bien, au bout de ces trois mois, je supprime la
petite rente que je vais te verser d'avance pour cette
bonne action, et alors il volera, afin de séjourner ici; il
fera les cent dix-neuf coups, pour se rouler sur ce divan
et sur ce gaz!

En poussant les choses à l'extrême, il tuera, je l'espère,
le monsieur qui apparaîtra mal à propos tandis qu'il
tentera de forcer son secrétaire : — alors, mon but sera
atteint, j'aurai contribué, dans la mesure de mes ressources, à créer un gredin, un ennemi de plus pour cette
hideuse société qui nous rançonne.

Les femmes ouvrirent de grands yeux.

— Te voilà? reprit-il, voyant Auguste qui rentrait
dans le salon et se dérobait, rouge et penaud, derrière la
belle Juive. — Allons, gamin, il se fait tard, salue ces
dames. Et il lui expliqua dans l'escalier qu'il pourrait,
chaque quinzaine, se rendre, sans bourse délier, chez
madame Laure; puis, une fois dans la rue, sur le trottoir,
regardant l'enfant abasourdi :

— Nous ne vous verrons plus, fit-il; retourne au plus
vite chez ton père dont la main est inactive et le démange,
et rappelle-toi cette parole quasi évangélique : Fais aux
autres ce que tu ne veux pas qu'ils te fassent; avec cette
maxime tu iras loin. — Bonsoir. — Surtout ne sois pas
ingrat, donne-moi le plus tôt possible de tes nouvelles,
par la voie des gazettes judiciaires.

— Le petit Judas! murmurait maintenant des Esseintes,
en tisonnant ses braises; — dire que je n'ai jamais vu
son nom figurer parmi les faits-divers! — Il est vrai qu'il
ne m'a pas été possible de jouer serré, que j'ai pu prévoir
mais non supprimer certains aléas, tels que les carottes
de la mère Laure, empochant l'argent sans échange de
marchandise; la toquade d'une de ces femmes pour

Auguste qui a peut-être consommé, au bout de ses trois
mois, à l'œil; voire même les vices faisandés de la belle
Juive qui ont pu effrayer ce gamin trop impatient et trop
jeune pour se prêter aux lents préambules et aux fou-
droyantes fins des artifices. A moins donc qu'il n'ait eu
des démêlés avec la justice depuis qu'étant à Fontenay,
je ne lis plus de feuilles, je suis floué.

Il se leva et fit plusieurs tours dans sa chambre.

— Ce serait tout de même dommage, se dit-il, car, en
agissant de la sorte, j'avais réalisé la parabole laïque,
l'allégorie de l'instruction universelle qui, ne tendant à
rien moins qu'à transmuer tous les gens en des Langlois,
s'ingénie, au lieu de crever définitivement et par compassion les yeux des misérables, à les leur ouvrir tout grands
et de force, pour qu'ils aperçoivent autour d'eux des sorts
immérités et plus cléments, des joies plus laminées et
plus aiguës et, par conséquent, plus désirables et plus
chères.

Et le fait est, continua des Esseintes, poursuivant son
raisonnement, le fait est que, comme la douleur est un
effet de l'éducation, comme elle s'élargit et s'acière à
mesure que les idées naissent : plus on s'efforcera d'équar-
rir l'intelligence et d'affiner le système nerveux des
pauvres diables, et plus on développera en eux les germes
si furieusement vivaces de la souffrance morale et de la
haine.

Les lampes charbonnaient. Il les remonta et consulta
sa montre. — Trois heures du matin. — Il alluma une
cigarette et se replongea dans la lecture interrompue par
ses rêveries, du vieux poème latin *De laude castitatis*,
écrit sous le règne de Gondebald, par Avitus, évêque
métropolitain de Vienne.

VII

Depuis cette nuit où, sans cause apparente, il avait évoqué le mélancolique souvenir d'Auguste Langlois, il revécut toute son existence.

Il était maintenant incapable de comprendre un mot aux volumes qu'il consultait; ses yeux mêmes ne lisaient plus; il lui sembla que son esprit saturé de littérature et d'art se refusait à en absorber davantage.

Il vivait sur lui-même, se nourrissait de sa propre substance, pareil à ces bêtes engourdies, tapies dans un trou, pendant l'hiver; la solitude avait agi sur son cerveau, de même qu'un narcotique. Après l'avoir tout d'abord énervé et tendu, elle amenait une torpeur hantée de songeries vagues; elle annihilait ses desseins, brisait ses volontés, guidait un défilé de rêves qu'il subissait, passivement, sans même essayer de s'y soustraire.

Le tas confus des lectures, des méditations artistiques, qu'il avait accumulées depuis son isolement, ainsi qu'un barrage pour arrêter le courant des anciens souvenirs, avait été brusquement emporté, et le flot s'ébranlait, culbutant le présent, l'avenir, noyant tout sous la nappe du passé, emplissant son esprit d'une immense étendue de tristesse sur laquelle nageaient, semblables à de ridicules épaves, des épisodes sans intérêt de son existence, des riens absurdes.

Le livre qu'il tenait à la main tombait sur ses genoux; il s'abandonnait, regardant, plein de dégoûts et d'alarmes, défiler les années de sa vie défunte; elles pivotaient, ruisselaient maintenant autour du rappel de madame Laure et d'Auguste, enfoncé, dans ces fluctuations, comme un pieu ferme, comme un fait net. Quelle époque que celle-là! c'était le temps des soirées dans le monde, des courses, des parties de cartes, des amours commandées à l'avance, servies, à l'heure, sur le coup de minuit, dans son boudoir rose! Il se remémorait des figures, des mines, des mots nuls qui l'obsédaient avec cette ténacité des airs vulgaires qu'on ne peut se défendre de fredonner, mais qui finissent par s'épuiser, tout à coup, sans qu'on y pense.

Cette période fut de courte durée; il eut une sieste de mémoire, se replongea dans ses études latines afin d'effacer jusqu'à l'empreinte même de ces retours.

Le branle était donné; une seconde phase succéda presque immédiatement à la première, celle des souvenirs de son enfance, celle surtout des ans écoulés chez les Pères.

Ceux-là étaient plus éloignés et plus certains, gravés d'une façon, plus accusée et plus sûre; le parc touffu, les longues allées, les plates-bandes, les bancs, tous les détails matériels se levèrent dans sa chambre.

Puis les jardins s'emplirent, il entendit résonner les cris des élèves, les rires des professeurs se mêlant aux récréations, jouant à la paume, la soutane retroussée, serrée entre les genoux, ou bien causant avec les jeunes gens, sans pose ni morgue, ainsi que des camarades du même âge, sous les arbres.

Il se rappela ce joug paternel qui s'accommodait mal des punitions, se refusait à infliger des 500 et des 1 000 vers, se contentait de faire « réparer », tandis que les autres s'amusaient, la leçon pas sue, recourait plus souvent encore à la simple réprimande, entourait l'enfant d'une surveillance active mais douce, cherchant à lui être agréable, consentant à des promenades où bon lui semblait, le mercredi, saisissant l'occasion de toutes les petites fêtes non carillonnées de l'Eglise, pour ajouter à l'ordinaire des repas des gâteaux et du vin, pour le régaler de parties de campagne; un joug paternel qui consistait à ne pas abrutir l'élève, à discuter avec lui, à le traiter déjà en homme, tout en lui conservant le dorlotement d'un bambin gâté.

Ils arrivaient ainsi à prendre sur l'enfant un réel ascendant, à pétrir, dans une certaine mesure, les intelligences qu'ils cultivaient, à les diriger, dans un sens, à les greffer d'idées spéciales, à assurer la croissance de leurs pensées par une méthode insinuante et pateline qu'ils continuaient, en s'efforçant de les suivre dans la vie, de les soutenir dans leur carrière, en leur adressant ces lettres affectueuses comme le dominicain Lacordaire savait en écrire à ses anciens élèves de Sorrèze.

Des Esseintes se rendait compte par lui-même de l'opération qu'il se figurait avoir sans résultat subie ; son caractère rebelle aux conseils, pointilleux, fureteur, porté aux controverses, l'avait empêché d'être modelé par leur discipline, asservi par leurs leçons ; une fois sorti du collège, son scepticisme s'était accru ; son passage au travers d'un monde légitimiste, intolérant et borné, ses conversations avec d'inintelligents marguilliers et de bas abbés dont les maladresses déchiraient le voile si savamment tissé par les Jésuites, avaient encore fortifié son esprit d'indépendance, augmenté sa défiance en une foi quelconque.

Il s'estimait, en somme, dégagé de tout lien, de toute contrainte ; il avait simplement gardé, contrairement à tous les gens élevés dans les lycées ou les pensions laïques, un excellent souvenir de son collège et de ses maîtres, et voilà que maintenant, il se consultait, en arrivait à se demander si les semences tombées jusqu'à ce jour dans un sol stérile, ne commençaient pas à poindre.

En effet, depuis quelques jours, il se trouvait dans un état d'âme indescriptible. Il croyait pendant une seconde, allait d'instinct à la religion, puis au moindre raisonnement son attirance vers la foi s'évaporait ; mais il restait, malgré tout, plein de trouble.

Il savait pourtant bien, en descendant en lui, qu'il n'aurait jamais l'esprit d'humilité et de pénitence vraiment chrétien ; il savait, à n'en pouvoir hésiter, que ce moment dont parle Lacordaire, ce moment de la grâce « où le dernier trait de lumière pénètre dans l'âme et rattache à un centre commun les vérités qui y sont éparses », ne viendrait jamais pour lui ; il n'éprouvait pas ce besoin de mortification et de prière sans lequel, si l'on écoute la majeure partie des prêtres, aucune conversion n'est possible ; il ne ressentait aucun désir d'implorer un Dieu dont la miséricorde lui semblait des moins probables ; et cependant la sympathie qu'il conservait pour ses anciens maîtres arrivait à le faire s'intéresser à leurs travaux, à leurs doctrines ; ces accents inimitables de la conviction, ces voix ardentes d'hommes d'une intelligence supérieure lui revenaient, l'amenaient à douter de son esprit et de ses forces. Au milieu de cette solitude où il vivait, sans nouvel aliment, sans impressions fraîchement subies, sans renouvellement de pensées, sans cet échange de sensations venues du dehors, de la fréquentation du monde, de l'existence menée en commun ; dans ce confinement contre nature où il s'entêtait, toutes les questions, oubliées pendant son séjour à Paris, se posaient à nouveau, comme d'irritants problèmes.

La lecture des ouvrages latins qu'il aimait, d'ouvrages presque tous rédigés par des évêques et par des moines, avait sans doute contribué à déterminer cette crise. Enveloppé dans une atmosphère de couvent, dans un parfum d'encens qui lui grisaient la tête, il s'était exalté les nerfs et par une association d'idées, ces livres avaient fini par refouler les souvenirs de sa vie de jeune homme, par remettre en lumière ceux de sa jeunesse, chez les Pères.

— Il n'y a pas à dire, pensait des Esseintes s'essayant à se raisonner, à suivre la marche de cette ingestion de l'élément jésuite, à Fontenay; j'ai, depuis mon enfance, et sans que je l'aie jamais su, ce levain qui n'avait pas encore fermenté; ce penchant même que j'ai toujours eu pour les objets religieux en est peut-être une preuve.

Mais il cherchait à se persuader le contraire, mécontent de ne plus être maître absolu chez lui; il se procura des motifs; il avait dû forcément se tourner du côté du sacerdoce, puisque l'Eglise a, seule, recueilli l'art, la forme perdue des siècles; elle a immobilisé, jusque dans la vile reproduction moderne, le contour des orfèvreries, gardé le charme des calices élancés comme des pétunias, les ciboires aux flancs purs; préservé, même dans l'aluminium, dans les faux émaux, dans les verres colorés, la grâce des façons d'antan. En somme, la plupart des objets précieux, classés au musée de Cluny, et échappés par miracle à l'immonde sauvagerie des sans-culottes, proviennent des anciennes abbayes de France; de même que l'Eglise a préservé de la barbarie, au moyen âge, la philosophie, l'histoire et les lettres, de même elle a sauvé l'art plastique, amené jusqu'à nos jours ces merveilleux modèles de tissus, de joailleries que les fabricants de choses saintes gâtent le plus qu'ils peuvent, sans en pouvoir toutefois altérer la forme initiale, exquise. Il n'y avait dès lors rien de surprenant à ce qu'il eût pourchassé ces antiques bibelots, qu'il eût, avec nombre de collectionneurs, retiré ces reliques de chez les antiquaires de Paris, de chez les brocanteurs de la campagne.

Mais, il avait beau invoquer toutes ces raisons, il ne parvenait pas complètement à se convaincre. Certes, en se résumant, il persistait à considérer la religion ainsi qu'une superbe légende, qu'une magnifique imposture, et cependant, en dépit de toutes ses explications, son scepticisme commençait à s'entamer.

Évidemment, ce fait bizarre existait : il était moins assuré maintenant que dans son enfance, alors que la sollicitude des Jésuites était directe, que leur enseignement était inévitable, qu'il était entre leurs mains, leur appartenait, corps et âme, sans liens de famille, sans influences pouvant réagir contre eux, du dehors. Ils lui avaient aussi inculqué un certain goût du merveilleux qui s'était lentement et obscurément ramifié dans son âme, qui s'épanouissait aujourd'hui, dans la solitude, qui agissait quand même sur l'esprit silencieux, interné, promené dans le court manège des idées fixes.

A examiner le travail de sa pensée, à chercher à en relier les fils, à en découvrir les sources et les causes, il en vint à se persuader que ses agissements, pendant sa vie mondaine, dérivaient de l'éducation qu'il avait reçue. Ainsi ses tendances vers l'artifice, ses besoins d'excentricité, n'étaient-ils pas, en somme, des résultats d'études spécieuses, de raffinements extraterrestres, de spéculations quasi théologiques ; c'étaient, au fond, des transports, des élans vers un idéal, vers un univers inconnu, vers une béatitude lointaine, désirable comme celle que nous promettent les Ecritures.

Il s'arrêta net, brisa le fil de ses réflexions. — Allons, se dit-il, dépité, je suis encore plus atteint que je ne le croyais ; voilà que j'argumente avec moi-même, ainsi qu'un casuiste.

Il resta songeur, agité d'une crainte sourde ; certes, si la théorie de Lacordaire était exacte, il n'avait rien à redouter, puisque le coup magique de la conversion ne se produit point dans un sursaut ; il fallait, pour amener l'explosion, que le terrain fût longuement, constamment miné ; mais si les romanciers parlent du coup de foudre de l'amour, un certain nombre de théologiens parlent aussi du coup de foudre de la religion ; en admettant que cette doctrine fût vraie, personne n'était alors sûr de ne pas succomber. Il n'y avait plus ni analyse à faire sur soi-même, ni pressentiments à considérer, ni mesures préventives à requérir ; la psychologie du mysticisme était nulle. C'était ainsi parce que c'était ainsi, et voilà tout.

— Eh! je deviens stupide, se dit des Esseintes ; la crainte de cette maladie va finir par déterminer la maladie elle-même, si ça continue.

Il parvint à secouer un peu cette influence ; ses souve-

nirs s'apaisèrent, mais d'autres symptômes morbides
parurent; maintenant les sujets de discussions le hantaient seuls; le parc, les leçons, les Jésuites étaient loin;
il était dominé, tout entier, par des abstractions; il pensait, malgré lui, à des interprétations contradictoires de
dogmes, à des apostasies perdues, consignées dans
l'ouvrage sur les Conciles, du père Labbe. Des bribes de
ces schismes, des bouts de ces hérésies, qui divisèrent,
pendant des siècles, les Eglises de l'Occident et de
l'Orient, lui revenaient. Ici, Nestorius contestant à la
Vierge le titre de mère de Dieu, parce que, dans le mystère de l'Incarnation, ce n'était pas le Dieu, mais bien la
créature humaine qu'elle avait portée dans ses flancs; là,
Eutychès, déclarant que l'image du Christ ne pouvait
ressembler à celle des autres hommes, puisque la Divinité avait élu domicile dans son corps et en avait, par
conséquent, changé la forme du tout au tout; là encore,
d'autres ergoteurs soutenaient que le Rédempteur n'avait
pas eu du tout de corps, que cette expression des livres
saints devait être prise au figuré; tandis que Tertullien
émettait son fameux axiome quasi matérialiste : « Rien
n'est incorporel que ce qui n'est pas; tout ce qui est, a
un corps qui lui est propre »; enfin cette vieille question,
débattue pendant des ans : le Christ a-t-il été attaché,
seul, sur la croix ou bien la Trinité, une en trois personnes, a-t-elle souffert, dans sa triple hypostase, sur le
gibet du Calvaire ? le sollicitaient, le pressaient — et,
machinalement, comme une leçon jadis apprise, il se
posait à lui-même les questions et se donnait les réponses.

Ce fut, durant quelques jours, dans sa cervelle, un
grouillement de paradoxes, de subtilités, un vol de poils
fendus en quatre, un écheveau de règles aussi compliquées que des articles de codes, prêtant à tous les sens,
à tous les jeux de mots, aboutissant à une jurisprudence
céleste des plus ténues, des plus baroques; puis le côté
abstrait s'effaça, à son tour, et tout un côté plastique lui
succéda, sous l'action des Gustave Moreau pendus aux
murs

Il vit défiler toute une procession de prélats : des archi-
mandrites, des patriarches, levant, pour bénir la foule
agenouillée, des bras d'or, agitant leurs barbes blanches
dans la lecture et la prière; il vit s'enfoncer dans des
cryptes obscures des files silencieuses de pénitents; il vit
s'élever des cathédrales immenses où tonitruaient des
moines blancs en chaire. De même, qu'après une touche

d'opium, de Quincey, au seul mot de « Consul Roma-
nus », évoquait des pages entières de Tite-Live, regardait
s'avancer la marche solennelle des consuls, s'ébranler la
pompeuse ordonnance des armées romaines ; lui, sur une
expression théologique, demeurait haletant, considérait
des reflux de peuple, des apparitions épiscopales se détachant sur les fonds embrasés des basiliques ; ces spectacles le tenaient sous le charme, courant d'âges en âges,
arrivant aux cérémonies religieuses modernes, le roulant
dans un infini de musique, lamentable et tendre.

Là, il n'avait plus de raisonnement à se faire, plus de
débats à supporter ; c'était une indéfinissable impression
de respect et de crainte ; le sens artiste était subjugué
par les scènes si bien calculées des catholiques ; à ces
souvenirs, ses nerfs tressaillaient, puis en une subite
rébellion, en une rapide volte, des idées monstrueuses
naissaient en lui, des idées de ces sacrilèges prévus par le
manuel des confesseurs, des ignominieux et impurs abus
de l'eau bénite et de l'huile sainte. En face d'un Dieu
omnipotent, se dressait maintenant un rival plein de
force, le Démon, et une affreuse grandeur lui semblait
devoir résulter d'un crime pratiqué, en pleine église par
un croyant s'acharnant, dans une horrible allégresse,
dans une joie toute sadique, à blasphémer, à couvrir
d'outrages, à abreuver d'opprobres, les choses révérées ;
des folies de magie, de messe noire, de sabbat, des épou-
vantes de possessions et d'exorcismes se levaient ; il en
venait à se demander s'il ne commettait pas un sacrilège,
en possédant des objets autrefois consacrés, des canons
d'église, des chasubles et des custodes ; et, cette pensée
d'un état peccamineux lui apportait une sorte d'orgueil et
d'allègement ; il y démêlait des plaisirs de sacrilèges,
mais de sacrilèges contestables, en tout cas, peu graves,
puisqu'en somme il aimait ces objets et n'en dépravait
pas l'usage ; il se berçait ainsi de pensées prudentes et
lâches, la suspicion de son âme lui interdisant des crimes
manifestes, lui enlevant la bravoure nécessaire pour
accomplir des péchés épouvantables, voulus, réels.

Peu à peu enfin, ces arguties s'évanouirent. Il vit, en
quelque sorte, du haut de son esprit, le panorama de
l'Eglise, son influence héréditaire sur l'humanité, depuis
des siècles ; il se la représenta, désolée et grandiose,
énonçant à l'homme, l'horreur de la vie, l'inclémence de
la destinée ; prêchant la patience, la contrition, l'esprit de
sacrifice ; tâchant de panser les plaies, en montrant les

blessures saignantes du Christ; assurant des privilèges divins, promettant la meilleure part du paradis aux affligés; exhortant la créature humaine à souffrir, à présenter à Dieu, comme un holocauste, ses tribulations et ses offenses, ses vicissitudes et ses peines. Elle devenait véritablement éloquente, maternelle aux misérables, pitoyable aux opprimés, menaçante pour les oppresseurs et les despotes.

Ici, des Esseintes reprenait pied. Certes, il était satisfait de cet aveu de l'ordure sociale, mais alors, il se révoltait contre le vague remède d'une espérance en une autre vie. Schopenhauer était plus exact; sa doctrine et celle de l'Eglise partaient d'un point de vue commun; lui aussi se basait sur l'iniquité et sur la turpitude du monde, lui aussi jetait avec l'*Imitation de Notre-Seigneur*, cette clameur douloureuse : « C'est vraiment une misère que de vivre sur la terre! » Lui aussi prêchait le néant de l'existence, les avantages de la solitude, avisait l'humanité que quoi qu'elle fît, de quelque côté qu'elle se tournât, elle demeurerait malheureuse : pauvre, à cause des souffrances qui naissent des privations; riche, en raison de l'invincible ennui qu'engendre l'abondance; mais il ne vous prônait aucune panacée, ne vous berçait, pour remédier à d'inévitables maux, par aucun leurre.

Il ne vous soutenait pas le révoltant système du péché originel; ne tentait point de vous prouver que celui-là est un Dieu souverainement bon qui protège les chenapans, aide les imbéciles, écrase l'enfance, abêtit la vieillesse, châtie les incoupables; il n'exaltait pas les bienfaits d'une Providence qui a inventé cette abomination, inutile, incompréhensible, injuste, inepte, la souffrance physique; loin de s'essayer à justifier, ainsi que l'Eglise, la nécessité des tourments et des épreuves, il s'écriait, dans sa miséricorde indignée : « Si un Dieu a fait ce monde, je n'aimerais pas à être ce Dieu; la misère du monde me déchirerait le cœur. »

Ah! lui seul était dans le vrai! qu'étaient toutes les pharmacopées évangéliques à côté de ses traités d'hygiène spirituelle ? Il ne prétendait rien guérir, n'offrait aux malades aucune compensation, aucun espoir; mais sa théorie du Pessimisme était, en somme, la grande consolatrice des intelligences choisies, des âmes élevées; elle révélait la société telle qu'elle est, insistait sur la sottise innée des femmes, vous signalait les ornières, vous sauvait des désillusions en vous avertissant de restreindre autant

que possible vos espérances, de n'en point du tout concevoir, si vous vous en sentiez la force, de vous estimer enfin
heureux si, à des moments inopinés, il ne vous dégringo-
lait pas sur la tête de formidables tuiles.

Élancée de la même piste que l'*Imitation*, cette théorie
aboutissait, elle aussi, mais sans s'égarer parmi de mystérieux dédales et d'invraisemblables routes, au même
endroit, à la résignation, au laisser-faire.

Seulement, si cette résignation tout bonnement issue
de la constatation d'un état de choses déplorable et de
l'impossibilité d'y rien changer, était accessible aux riches
de l'esprit, elle n'était que plus difficilement saisissable
aux pauvres dont la bienfaisante religion calmait plus
aisément alors les revendications et les colères.

Ces réflexions soulageaient des Esseintes d'un lourd
poids ; les aphorismes du grand Allemand apaisaient le
frisson de ses pensées et cependant, les points de contact
de ces deux doctrines les aidaient à se rappeler mutuellement à la mémoire, et il ne pouvait oublier, ce catholicisme si poétique, si poignant, dans lequel il avait baigné
et dont il avait jadis absorbé l'essence par tous les pores.

Ces retours de la croyance, ces appréhensions de la foi
le tourmentaient surtout depuis que des altérations se
produisaient dans sa santé ; ils coïncidaient avec des
désordres nerveux nouvellement venus.

Depuis son extrême jeunesse, il avait été torturé par
d'inexplicables répulsions, par des frémissements qui lui
glaçaient l'échine, lui contractaient les dents, par exemple,
quand il voyait du linge mouillé qu'une bonne était en
train de tordre ; ces effets avaient toujours persisté ;
aujourd'hui encore il souffrait réellement à entendre
déchirer une étoffe, à frotter un doigt sur un bout de craie,
à tâter avec la main un morceau de moire.

Les excès de sa vie de garçon, les tensions exagérées de
son cerveau, avaient singulièrement aggravé sa névrose
originelle, amoindri le sang déjà usé de sa race ; à Paris, il
avait dû suivre des traitements d'hydrothérapie, pour des
tremblements des doigts, pour des douleurs affreuses, des
névralgies qui lui coupaient en deux la face, frappaient à
coups continus la tempe, aiguillaient les paupières,
provoquaient des nausées qu'il ne pouvait combattre
qu'en s'étendant sur le dos, dans l'ombre.

Ces accidents avaient lentement disparu, grâce à une
vie plus réglée, plus calme ; maintenant, ils s'imposaient à
nouveau, variant de forme, se promenant par tout le corps ;

les douleurs quittaient le crâne, allaient au ventre ballonné, dur, aux entrailles traversées d'un fer rouge, aux efforts inutiles et pressants; puis la toux nerveuse, déchirante, aride, commençant juste à telle heure, durant un nombre de minutes toujours égal, le réveilla, l'étrangla au lit; enfin l'appétit cessa, des aigreurs gazeuses et chaudes, des feux secs lui parcoururent l'estomac; il gonflait, étouffait, ne pouvait plus, après chaque tentative de repas, supporter une culotte boutonnée, un gilet serré.

Il supprima les alcools, le café, le thé, but des laitages, recourut à des affusions d'eau froide, se bourra d'assa-fœtida, de valériane et de quinine; il voulut même sortir de sa maison, se promena un peu, dans la campagne, lorsque vinrent ces jours de pluie qui la font silencieuse et vide; il se força à marcher, à prendre de l'exercice; en dernier ressort, il renonça provisoirement à la lecture et, rongé d'ennui, il se détermina, pour occuper sa vie devenue oisive, à réaliser un projet qu'il avait sans cesse différé, par paresse, par haine du dérangement, depuis qu'il s'était installé à Fontenay.

Ne pouvant plus s'enivrer à nouveau des magies du style, s'énerver sur le délicieux sortilège de l'épithète rare qui, tout en demeurant précise, ouvre cependant à l'imagination des initiés, des au-delà sans fin, il se résolut à parachever l'ameublement du logis, à se procurer des fleurs précieuses de serre, à se concéder ainsi une occupation matérielle qui le distrairait, lui détendrait les nerfs, lui reposerait le cerveau, et il espérait aussi que la vue de leurs étranges et splendides nuances le dédommagerait un peu des chimériques et réelles couleurs du style que sa diète littéraire allait lui faire momentanément oublier ou perdre.

VIII

Il avait toujours raffolé des fleurs, mais cette passion qui, pendant ses séjours à Jutigny, s'était tout d'abord étendue à la fleur, sans distinction ni d'espèces ni de genres, avait fini par s'épurer, par se préciser sur une seule caste.

Depuis longtemps déjà, il méprisait la vulgaire plante qui s'épanouit sur les éventaires des marchés parisiens, dans des pots mouillés, sous de vertes bannes ou sous de rougeâtres parasols.

En même temps que ses goûts littéraires, que ses préoccupations d'art, s'étaient affinés, ne s'attachant plus qu'aux œuvres triées à l'étamine, distillées par des cerveaux tourmentés et subtils; en même temps aussi que sa lassitude des idées répandues s'était affirmée, son affection pour les fleurs s'était dégagée de tout résidu, de toute lie, s'était clarifiée, en quelque sorte, rectifiée.

Il assimilait volontiers le magasin d'un horticulteur à un microcosme où étaient représentées toutes les catégories de la société : les fleurs pauvres et canailles, les fleurs de bouge, qui ne sont dans leur vrai milieu que lorsqu'elles reposent sur des rebords de mansardes, les racines tassées dans des boîtes au lait et de vieilles terrines, la giroflée, par exemple; les fleurs prétentieuses, convenues, bêtes, dont la place est seulement dans des cachepots de porcelaine peints par des jeunes filles, telles que la rose; enfin les fleurs de haute lignée telles que les orchidées, délicates et charmantes, palpitantes et frileuses; les fleurs exotiques, exilées à Paris, au chaud, dans des palais de verre; les princesses du règne végétal, vivant à l'écart, n'ayant plus rien de commun avec les plantes de la rue et les flores bourgeoises.

En somme, il ne laissait pas que d'éprouver un certain

intérêt, une certaine pitié, pour les fleurs populacières exténuées par les haleines des égouts et des plombs, dans les quartiers pauvres; il exécrait, en revanche, les bouquets en accord avec les salons crème et or des maisons neuves; il réservait enfin, pour l'entière joie de ses yeux, les plantes distinguées, rares, venues de loin, entretenues avec des soins rusés, sous de faux équateurs produits par les souffles dosés des poêles.

Mais ce choix définitivement posé sur la fleur de serre s'était lui-même modifié sous l'influence de ses idées générales, de ses opinions maintenant arrêtées sur toute chose; autrefois, à Paris, son penchant naturel vers l'artifice l'avait conduit à délaisser la véritable fleur pour son image fidèlement exécutée, grâce aux miracles des caoutchoucs et des fils, des percalines et des taffetas, des papiers et des velours.

Il possédait ainsi une merveilleuse collection de plantes des Tropiques, ouvrées par les doigts de profonds artistes, suivant la nature pas à pas, la créant à nouveau, prenant la fleur dès sa naissance, la menant à maturité, la simulant jusqu'à son déclin; arrivant à noter les nuances les plus infinies, les traits les plus fugitifs de son réveil ou de son repos; observant la tenue de ses pétales, retroussés par le vent ou fripés par la pluie; jetant sur ses corolles mati-neuses, des gouttes de rosée en gomme; la façonnant, en pleine floraison, alors que les branches se courbent sous le poids de la sève, ou élançant sa tige sèche, sa cupule racornie, quand les calices se dépouillent et quand les feuilles tombent.

Cet art admirable l'avait longtemps séduit; mais il rêvait maintenant à la combinaison d'une autre flore.

Après les fleurs factices singeant les véritables fleurs, il voulait des fleurs naturelles imitant des fleurs fausses.

Il dirigea ses pensées dans ce sens; il n'eut point à chercher longtemps, à aller loin, puisque sa maison était située au beau milieu du pays des grands horticulteurs. Il s'en fut tout bonnement visiter les serres de l'avenue de Châtillon et de la vallée d'Aunay, revint éreinté, la bourse vide, émerveillé des folies de végétation qu'il avait vues, ne pensant plus qu'aux espèces qu'il avait acquises, hanté sans trêve par des souvenirs de corbeilles magni-fiques et bizarres.

Deux jours après, les voitures arrivèrent.

Sa liste à la main, des Esseintes appelait, vérifiait ses emplettes, une à une.

Les jardiniers descendirent de leurs carrioles une collection de Caladiums qui appuyaient sur des tiges turgides et velues d'énormes feuilles, de la forme d'un cœur; tout en conservant entre eux un air de parenté, aucun ne se répétait.

Il y en avait d'extraordinaires, des rosâtres, tels que le Virginale qui semblait découpé dans de la toile vernie, dans du taffetas gommé d'Angleterre; de tout blancs, tels que l'Albane, qui paraissait taillé dans la plèvre transparente d'un bœuf, dans la vessie diaphane d'un porc; quelques-uns, surtout le Madame Mame, imitaient le zinc, parodiaient des morceaux de métal estampé, teints en vert empereur, salis par des gouttes de peinture à l'huile, par des taches de minium et de céruse; ceux-ci, comme le Bosphore, donnaient l'illusion d'un calicot empesé, caillouté de cramoisi et de vert myrte; ceux-là, comme l'Aurore Boréale, étalaient une feuille couleur de viande crue, striée de côtes pourpre, de fibrilles violacées, une feuille tuméfiée, suant le vin bleu et le sang.

Avec l'Albane, l'Aurore présentait les deux notes extrêmes du tempérament, l'apoplexie et la chlorose de cette plante.

Les jardiniers apportèrent encore de nouvelles variétés; elles affectaient, cette fois, une apparence de peau factice sillonnée de fausses veines; et, la plupart, comme rongées par des syphilis et des lèpres, tendaient des chairs livides, marbrées de roséoles, damassées de dartres; d'autres avaient le ton rose vif des cicatrices qui se ferment ou la teinte brune des croûtes qui se forment; d'autres étaient bouillonnées par des cautères, soulevées par des brûlures; d'autres encore montraient des épidermes poilus, creusés par des ulcères et repoussés par des chancres; quelques-unes, enfin, paraissaient couvertes de pansements, plaquées d'axonge noire mercurielle, d'onguents verts de belladone, piquées de grains de poussière, par les micas jaunes de la poudre d'iodoforme.

Réunies entre elles, ces fleurs éclatèrent devant des Esseintes, plus monstrueuses que lorsqu'il les avait surprises, confondues avec d'autres, ainsi que dans un hôpital, parmi les salles vitrées des serres.

— Sapristi! fit-il enthousiasmé.

Une nouvelle plante, d'un modèle similaire à celui des Caladiums, l' « Alocasia Metallica », l'exalta encore. Celle-là était enduite d'une couche de vert bronze sur laquelle glissaient des reflets d'argent; elle était le chef-d'œuvre du factice; on eût dit d'un morceau de tuyau de poêle, découpé en fer de pique, par un fumiste.

Les hommes débarquèrent ensuite des touffes de feuilles, losangées, vert-bouteille; au milieu s'élevait une baguette au bout de laquelle tremblotait un grand as de cœur, aussi vernissé qu'un piment; comme pour narguer tous les aspects connus des plantes, du milieu de cet as d'un vermillon intense, jaillissait une queue charnue, cotonneuse, blanche et jaune, droite chez les unes, tire-bouchonnée, tout en haut du cœur, de même qu'une queue de cochon, chez les autres.

C'était l'Anthurium, une aroïdée récemment importée de Colombie en France; elle faisait partie d'un lot de cette famille à laquelle appartenait aussi un Amorphophallus, une plante de Cochinchine, aux feuilles taillées en truelles à poissons, aux longues tiges noires couturées de balafres, pareilles à des membres endommagés de nègre.

Des Esseintes exultait.

On descendait des voitures une nouvelle fournée de monstres : des Echinopsis, sortant de compresses en ouate des fleurs d'un rose de moignon ignoble; des Nidularium, ouvrant, dans des lames de sabres, des fondements écorchés et béants; des « Tillandsia Lindeni » tirant des grattoirs ébréchés, couleur de moût de vin; des Cypripedium, aux contours compliqués, incohérents, imaginés par un inventeur en démence. Ils ressemblaient à un sabot, à un vide-poche, au-dessus duquel se retrousserait une langue humaine, au filet tendu, telle qu'on en voit dessinées sur les planches des ouvrages traitant des affections de la gorge et de la bouche; deux petites ailettes, rouge de jujube, qui paraissaient empruntées à un moulin d'enfant, complétaient ce baroque assemblage d'un dessous de langue, couleur de lie et d'ardoise, et d'une pochette lustrée dont la doublure suintait une visqueuse colle.

Il ne pouvait détacher ses yeux de cette invraisemblable orchidée issue de l'Inde; les jardiniers que ces lenteurs ennuyaient se mirent à annoncer, eux-mêmes, à haute voix, les étiquettes piquées dans les pots qu'ils apportaient.

Des Esseintes regardait, effaré, écoutant sonner les noms rébarbatifs des plantes vertes : l' « Encephalarios horridus », un gigantesque artichaut de fer, peint en rouille, tel qu'on en met aux portes des châteaux, afin d'empêcher les escalades; le « Cocos Micania », une sorte de palmier, dentelé et grêle, entouré, de toutes parts, par

de hautes feuilles semblables à des pagaies et à des rames;
le « Zamia Lehmanni », un immense ananas, un prodigieux
pain de Chester, planté dans de la terre de bruyère et
hérissé, à son sommet, de javelots barbelés et de flèches
sauvages; le « Cibotium Spectabile », enchérissant sur ses
congénères, par la folie de sa structure, jetant un défi au
rêve, en élançant dans un feuillage palmé, une énorme
queue d'orang-outang, une queue velue et brune au bout
contourné en crosse d'évêque.

Mais il les contemplait à peine, attendait avec impatience la série des plantes qui le séduisaient, entre toutes,
les goules végétales, les plantes carnivores, le Gobe-
Mouches des Antilles, au limbe pelucheux, sécrétant un
liquide digestif, muni d'épines courbes se repliant, les unes
sur les autres, formant une grille au-dessus de l'insecte
qu'il emprisonne; les Drosera des tourbières garnis de
crins glanduleux; les Sarracena, les Cephalothus, ouvrant
de voraces cornets capables de digérer, d'absorber, de
véritables viandes; enfin le Népenthès dont la fantaisie
dépasse les limites connues des excentriques formes.

Il ne put se lasser de tourner et de retourner entre ses
mains, le pot où s'agitait cette extravagance de la flore.
Elle imitait le caoutchouc dont elle avait la feuille allongée,
d'un vert métallique et sombre, mais du bout de cette
feuille pendait une ficelle verte, descendait un cordon
ombilical supportant une urne verdâtre, jaspée de violet,
une espèce de pipe allemande en porcelaine, un nid
d'oiseau singulier, qui se balançait, tranquille, montrant
un intérieur tapissé de poils.

— Celle-là va loin, murmura des Esseintes.

Il dut s'arracher à son allégresse, car les jardiniers,
pressés de partir, vidaient le fond de leurs charrettes,
plaçaient pêle-mêle, des Bégonias tubéreux et des Crotons
noirs tachetés de rouge de saturne, en tôle.

Alors il s'aperçut qu'un nom restait encore sur sa liste.
Le Cattleya de la Nouvelle-Grenade; on lui désigna une
clochette ailée d'un lilas effacé, d'un mauve presque
éteint; il s'approcha, mit son nez dessus et recula brusquement; elle exhalait une odeur de sapin verni, de boîte
à jouets, évoquait les horreurs d'un jour de l'an.

Il pensa qu'il ferait bien de se défier d'elle, regretta
presque d'avoir admis parmi les plantes inodores qu'il
possédait, cette orchidée qui fleurait les plus désagréables
des souvenirs.

Une fois seul, il regarda cette marée de végétaux qui

déferlait dans son vestibule; ils se mêlaient, les uns aux autres, croisaient leurs épées, leurs kriss, leurs fers de lances, dessinaient un faisceau d'armes vertes, au-dessus duquel flottaient, ainsi que des fanions barbares, des fleurs aux tons aveuglants et durs.

L'air de la pièce se raréfiait; bientôt, dans l'obscurité d'une encoignure, près du parquet, une lumière rampa, blanche et douce.

Il l'atteignit et s'aperçut que c'étaient des Rhizomorphes qui jetaient en respirant ces lueurs de veilleuses.

Ces plantes sont tout de même stupéfiantes, se dit-il; puis il se recula et en couvrit d'un coup d'œil l'amas : son but était atteint; aucune ne semblait réelle; l'étoffe, le papier, la porcelaine, le métal, paraissaient avoir été prêtés par l'homme à la nature pour lui permettre de créer ses monstres. Quand elle n'avait pu imiter l'œuvre humaine, elle avait été réduite à recopier les membranes intérieures des animaux, à emprunter les vivaces teintes de leurs chairs en pourriture, les magnifiques hideurs de leurs gangrènes.

Tout n'est que syphilis, songea des Esseintes, l'œil attiré, rivé sur les horribles tigrures des Caladium que caressait un rayon de jour. Et il eut la brusque vision d'une humanité sans cesse travaillée par le virus des anciens âges. Depuis le commencement du monde, de pères en fils, toutes les créatures se transmettaient l'inusable héritage, l'éternelle maladie qui a ravagé les ancêtres de l'homme, qui a creusé jusqu'aux os maintenant exhumés des vieux fossiles!

Elle avait couru, sans jamais s'épuiser à travers les siècles; aujourd'hui encore, elle sévissait, se dérobant en de sournoises souffrances, se dissimulant sous les symptômes des migraines et des bronchites, des vapeurs et des gouttes; de temps à autre, elle grimpait à la surface, s'attaquant de préférence aux gens mal soignés, mal nourris, éclatant en pièces d'or, mettant, par ironie, une parure de sequins d'almée sur le front des pauvres diables, leur gravant, pour comble de misère, sur l'épiderme, l'image de l'argent et du bien-être!

Et la voilà qui reparaissait, en sa splendeur première, sur les feuillages colorés des plantes!

— Il est vrai, poursuivit des Esseintes, revenant au point de départ de son raisonnement, il est vrai que la plupart du temps la nature est, à elle seule, incapable de procréer des espèces aussi malsaines et aussi perverses;

elle fournit la matière première, le germe et le sol, la
matrice nourricière et les éléments de la plante que
l'homme élève, modèle, peint, sculpte ensuite à sa guise.

Si entêtée, si confuse, si bornée qu'elle soit, elle s'est
enfin soumise, et son maître est parvenu à changer par des
réactions chimiques les substances de la terre, à user de
combinaisons longuement mûries, de croisements lentement apprêtés, à se servir de savantes boutures, de
méthodiques greffes, et il lui fait maintenant pousser des
fleurs de couleurs différentes sur la même branche, invente
pour elle de nouveaux tons, modifie, à son gré, la forme
séculaire de ses plantes, débrutit les blocs, termine les
ébauches, les marque de son étampe, leur imprime son
cachet d'art.

Il n'y a pas à dire, fit-il, résumant ses réflexions;
l'homme, peut en quelques années amener une sélection
que la paresseuse nature ne peut jamais produire qu'après
des siècles; décidément, par le temps qui court, les
horticulteurs sont les seuls et les vrais artistes.

Il était un peu las et il étouffait dans cette atmosphère
de plantes enfermées; les courses qu'il avait effectuées,
depuis quelques jours, l'avaient rompu; le passage entre
le grand air et la tiédeur du logis, entre l'immobilité d'une
vie recluse et le mouvement d'une existence libérée, avait
été trop brusque; il quitta son vestibule et fut s'étendre
sur son lit; mais, absorbé par un sujet unique, comme
monté par un ressort, l'esprit, bien qu'endormi, continua
de dévider sa chaîne, et bientôt il roula dans les sombres
folies d'un cauchemar.

Il se trouvait, au milieu d'une allée, en plein bois, au
crépuscule; il marchait à côté d'une femme qu'il n'avait
jamais ni connue, ni vue; elle était efflanquée, avait des
cheveux filasse, une face de bouledogue, des points de son
sur les joues, des dents de travers lancées en avant sous
un nez camus. Elle portait un tablier blanc de bonne, un
long fichu écartelé en buffleterie sur la poitrine, des demi-
bottes de soldat prussien, un bonnet noir orné de ruches
et garni d'un chou.

Elle avait l'air d'une foraine, l'apparence d'une saltimbanque de foire.

Il se demanda qu'elle était cette femme qu'il sentait
entrée, implantée depuis longtemps déjà dans son intimité
et dans sa vie; il cherchait en vain son origine, son nom,
son métier, sa raison d'être; aucun souvenir ne lui revenait
de cette liaison inexplicable et pourtant certaine.

Il scrutait encore sa mémoire, lorsque soudain une étrange figure parut devant eux, à cheval, trotta pendant une minute et se retourna sur sa selle.

Alors, son sang ne fit qu'un tour et il resta cloué, par l'horreur, sur place. Cette figure ambiguë, sans sexe, était verte et elle ouvrait dans des paupières violettes, des yeux d'un bleu clair et froid, terribles ; des boutons entouraient sa bouche ; des bras extraordinairement maigres, des bras de squelette, nus jusqu'aux coudes, sortaient de manches en haillons, tremblaient de fièvre, et les cuisses décharnées grelottaient dans des bottes à chaudron, trop larges.

L'affreux regard s'attachait à des Esseintes, le pénétrait, le glaçait jusqu'aux moelles ; plus affolée encore, la femme bouledogue se serra contre lui et hurla à la mort, la tête renversée sur son cou roide.

Et aussitôt il comprit le sens de l'épouvantable vision. Il avait devant les yeux l'image de la Grande Vérole.

Talonné par la peur, hors de lui, il enfila un sentier de traverse, gagna, à toutes jambes, un pavillon qui se dressait parmi de faux ébéniers, à gauche ; là, il se laissa tomber sur une chaise, dans un couloir.

Après quelques instants, alors qu'il commençait à reprendre haleine, des sanglots lui avaient fait lever la tête ; la femme bouledogue était devant lui ; et, lamentable et grotesque, elle pleurait à chaudes larmes, disant qu'elle avait perdu ses dents pendant la fuite, tirant de la poche de son tablier de bonne, des pipes en terre, les cassant et s'enfonçant des morceaux de tuyaux blancs dans les trous de ses gencives.

— Ah ! çà, mais elle est absurde, se disait des Esseintes : jamais ces tuyaux ne pourront tenir — et, en effet, tous coulaient de la mâchoire, les uns après les autres.

A ce moment, le galop d'un cheval s'approcha. Une effroyable terreur poigna des Esseintes ; ses jambes se dérobèrent ; le galop se précipitait ; le désespoir le releva comme d'un coup de fouet ; il se jeta sur la femme qui piétinait maintenant sur les fourneaux des pipes, la supplia de se taire, de ne pas les dénoncer par le bruit de ses bottes. Elle se débattait, il l'entraîna au fond du corridor, l'étranglant pour l'empêcher de crier ; il aperçut, tout à coup, une porte d'estaminet, à persiennes peintes en vert, sans loquet, la poussa, prit son élan et s'arrêta.

Devant lui, au milieu d'une vaste clairière, d'immenses et blancs pierrots faisaient des sauts de lapins, dans des rayons de lune.

Des larmes de découragement lui montèrent aux yeux ;
jamais, non, jamais il ne pourrait franchir le seuil de la
porte — Je serais écrasé, pensait-il, — et, comme pour
justifier ses craintes, la série des pierrots immenses se
multipliait ; leurs culbutes emplissaient maintenant tout
l'horizon, tout le ciel qu'ils cognaient alternativement,
avec leurs pieds et avec leurs têtes.

Alors les pas du cheval s'arrêtèrent. Il était là, derrière
une lucarne ronde, dans le couloir ; plus mort que vif, des
Esseintes se retourna, vit par l'œil-de-bœuf des oreilles
droites, des dents jaunes, des naseaux soufflant deux jets
de vapeur qui puaient le phénol.

Il s'affaissa, renonçant à la lutte, à la fuite ; il ferma les
yeux pour ne pas apercevoir l'affreux regard de la
Syphilis qui pesait sur lui, au travers du mur, qu'il
croisait quand même sous ses paupières closes, qu'il
sentait glisser sur son échine moite, sur son corps dont les
poils se hérissaient dans des mares de sueur froide. Il
s'attendait à tout, espérait même pour en finir le coup de
grâce ; un siècle, qui dura sans doute une minute, s'écoula ;
il rouvrit, en frissonnant, les yeux. Tout s'était évanoui ;
sans transition, ainsi que par un changement à vue, par
un truc de décor, un paysage minéral atroce fuyait au
loin, un paysage blafard, désert, raviné, mort ; une lumière
éclairait ce site désolé, une lumière tranquille, blanche,
rappelant les lueurs du phosphore dissous dans l'huile.

Sur le sol quelque chose remua qui devint une femme
très pâle, nue, les jambes moulées dans des bas de soie
verts.

Il la contempla curieusement ; semblables à des crins
crespelés par des fers trop chauds, ses cheveux frisaient
en se cassant du bout ; des urnes de Népenthès pendaient
à ses oreilles ; des tons de veau cuit brillaient dans ses
narines entrouvertes. Les yeux pâmés, elle l'appela tout
bas.

Il n'eut pas le temps de répondre, car déjà la femme
changeait ; des couleurs flamboyantes passaient dans ses
prunelles ; ses lèvres se teignaient du rouge furieux des
Anthurium ; les boutons de ses seins éclataient, vernis tels
que deux gousses de piment rouge.

Une soudaine intuition lui vint : c'est la Fleur, se dit-il ;
et la manie raisonnante persista dans le cauchemar,
dériva de même que pendant la journée de la végétation
sur le Virus.

Alors il observa l'effrayante irritation des seins et de la

bouche, découvrit sur la peau du corps des macules de
bistre et de cuivre, recula, égaré; mais l'œil de la femme le
fascinait et il avançait lentement, essayant de s'enfoncer les
talons dans la terre pour ne pas marcher, se laissant choir,
se relevant quand même pour aller vers elle; il la touchait
presque lorsque de noirs Amorphophallus jaillirent de
toutes parts, s'élancèrent vers ce ventre qui se soulevait et
s'abaissait comme une mer. Il les avait écartés, repoussés,
éprouvant un dégoût sans borne à voir grouiller entre ses
doigts ces tiges tièdes et fermes; puis subitement, les
odieuses plantes avaient disparu et deux bras cherchaient
à l'enlacer; une épouvantable angoisse lui fit sonner le
cœur à grands coups, car les yeux, les affreux yeux de la
femme étaient devenus d'un bleu clair et froid, terribles.
Il fit un effort surhumain pour se dégager de ses étreintes,
mais d'un geste irrésistible, elle le retint, le saisit et,
hagard, il vit s'épanouir sous les cuisses à l'air, le farouche
Nidularium qui bâillait, en saignant, dans des lames de
sabre.

Il frôlait avec son corps la hideuse blessure de cette
plante; il se sentit mourir, s'éveilla dans un sursaut,
suffoqué, glacé, fou de peur, soupirant : — Ah! ce n'est,
Dieu merci, qu'un rêve.

IX

Ces cauchemars se renouvelèrent; il craignit de s'endormir. Il resta, étendu sur son lit, des heures entières, tantôt dans de persistantes insomnies et de fiévreuses agitations, tantôt dans d'abominables rêves que rompaient des sursauts d'homme perdant pied, dégringolant du haut en bas d'un escalier, dévalant, sans pouvoir se retenir, au fond d'un gouffre.

La névrose engourdie, durant quelques jours, reprenait le dessus, se révélait plus véhémente et plus têtue, sous de nouvelles formes.

Maintenant les couvertures le gênaient; il étouffait sous les draps et il avait des fourmillements par tout le corps, des cuissons de sang, des piqûres de puces le long des jambes; à ces symptômes, se joignirent bientôt une douleur sourde dans les maxillaires et la sensation qu'un étau lui comprimait les tempes.

Ses inquiétudes s'accrurent; malheureusement les moyens de dompter l'inexorable maladie manquèrent. Il avait sans succès tenté d'installer des appareils hydro-thérapiques dans son cabinet de toilette. L'impossibilité de faire monter l'eau à la hauteur où sa maison était perchée, la difficulté même de se procurer de l'eau, en quantité suffisante, dans un village où les fontaines ne fonctionnent parcimonieusement qu'à certaines heures l'arrêtèrent; ne pouvant être sabré par des jets de lance qui plaqués, écrasés sur les anneaux de la colonne verté-brale, étaient seuls assez puissants pour mater l'insomnie et ramener le calme, il fut réduit aux courtes aspersions dans sa baignoire ou dans son tub, aux simples affusions froides, suivies d'énergiques frictions pratiquées, à l'aide du gant de crin, par son domestique.

Mais ces simili-douches n'enrayaient nullement la

marche de la névrose; tout au plus éprouvait-il un soulagement de quelques heures, chèrement payé du reste
par le retour des accès qui revenaient à la charge, plus
violents et plus vifs.

Son ennui devint sans borne; la joie de posséder de
mirobolantes floraisons était tarie; il était déjà blasé sur
leur contexture et sur leurs nuances; puis malgré les soins
dont il les entoura, la plupart de ses plantes dépérirent;
il les fit enlever de ses pièces et, arrivé à un état d'excita-
bilité extrême, il s'irrita de ne plus les voir, l'œil blessé par
le vide des places qu'elles occupaient.

Pour se distraire et tuer les interminables heures, il
recourut à ses cartons d'estampes et rangea ses Goya;
les premiers états de certaines planches des *Caprices*, des
épreuves reconnaissables à leur ton rougeâtre, jadis
achetées dans les ventes à prix d'or, le déridèrent et il
s'abîma en elles, suivant les fantaisies du peintre, épris de
ses scènes vertigineuses, de ses sorcières chevauchant des
chats, de ses femmes s'efforçant d'arracher les dents d'un
pendu, de ses bandits, de ses succubes, de ses démons et de
ses nains.

Puis, il parcourut toutes les autres séries de ses eaux-
fortes et de ses aquatintes, ses *Proverbes* d'une horreur si
macabre, ses sujets de guerre d'une rage si féroce, sa
planche du *Garot* enfin, dont il choyait une merveilleuse
épreuve d'essai, imprimée sur papier épais, non collé,
aux visibles pontuseaux traversant la pâte.

La verve sauvage, le talent âpre, éperdu de Goya le
captait; mais l'universelle admiration que ses œuvres
avaient conquise, le détournait néanmoins un peu, et il
avait renoncé, depuis des années, à les encadrer, de peur
qu'en les mettant en évidence, le premier imbécile venu
ne jugeât nécessaire de lâcher des âneries et de s'extasier,
sur un mode tout appris, devant elles.

Il en était de même de ses Rembrandt qu'il examinait,
de temps à autre, à la dérobée; et, en effet, si le plus bel
air du monde devient vulgaire, insupportable, dès que le
public le fredonne, dès que les orgues s'en emparent,
l'œuvre d'art qui ne demeure pas indifférente aux faux
artistes, qui n'est point contestée par les sots, qui ne se
contente pas de susciter l'enthousiasme de quelques-uns,
devient, elle aussi, par cela même; pour les initiés, polluée,
banale, presque repoussante.

Cette promiscuité dans l'admiration était d'ailleurs l'un
des plus grands chagrins de sa vie; d'incompréhensibles

succès lui avaient, à jamais gâté des tableaux et des livres jadis chers ; devant l'approbation des suffrages, il finissait par leur découvrir d'imperceptibles tares, et il les rejetait, se demandant si son flair ne s'épointait pas, ne se dupait point.

Il referma ses cartons et, une fois de plus, il tomba, désorienté, dans le spleen. Afin de changer le cours de ses idées, il essaya des lectures émollientes, tenta, en vue de se réfrigérer le cerveau, des solanées de l'art, lut ces livres si charmants pour les convalescents et les mal-à-l'aise que des œuvres plus tétaniques ou plus riches en phosphates fatigueraient, les romans de Dickens.

Mais ces volumes produisirent un effet contraire à celui qu'il attendait : ces chastes amoureux, ces héroïnes protestantes, vêtues jusqu'au cou, s'aimaient parmi les étoiles, se bornaient à baisser les yeux, à rougir, à pleurer de bonheur, en se serrant les mains. Aussitôt cette exagération de pureté le lança dans un excès opposé ; en vertu de la loi des contrastes, il sauta d'un extrême à l'autre, se rappela des scènes vibrantes et corsées, songea aux pratiques humaines des couples, aux baisers mélangés, aux baisers colombins, ainsi que les désigne la pudeur ecclésiastique, quand ils pénètrent entre les lèvres.

Il interrompit sa lecture, rumina loin de la bégueule Angleterre, sur les peccadilles libertines, sur les salaces apprêts que l'Eglise désapprouve ; une commotion le frappa ; l'anaphrodisie de sa cervelle et de son corps qu'il avait crue définitive, se dissipa ; la solitude agit encore sur le détraquement de ses nerfs ; il fut une fois de plus obsédé non par la religion même, mais par la malice des actes et des péchés qu'elle condamne ; l'habituel sujet de ses obsécrations et de ses menaces le tint seul ; le côté charnel, insensible depuis des mois, remué tout d'abord, par l'énervement des lectures pieuses, puis réveillé, mis debout, dans une crise de névrose, par le cant anglais, se dressa et la stimulation de ses sens le reportant en arrière, il pataugea dans le souvenir de ses vieux cloaques.

Il se leva et, mélancoliquement, ouvrit une petite boîte de vermeil au couvercle semé d'aventurines.

Elle était pleine de bonbons violets ; il en prit un, et il le palpa entre ses doigts, pensant aux étranges propriétés de ce bonbon praliné, comme givré de sucre ; jadis, alors que son impuissance était acquise, alors aussi qu'il songeait, sans aigreurs, sans regrets, sans nouveaux désirs, à la femme, il déposait l'un de ces bonbons sur

sa langue, le laissait fondre et soudain, se levaient avec
une douceur infinie, des rappels très effacés, très lan-
guissants des anciennes paillardises.

Ces bonbons inventés par Siraudin et désignés sous
la ridicule appellation de « Perles des Pyrénées » étaient
une goutte de parfum de sarcanthus, une goutte d'essence féminine, cristallisée dans un morceau de sucre;
ils pénétraient les papilles de la bouche, évoquaient des
souvenances. d'eau opalisée par des vinaigres rares, de
baisers très profonds, tout imbibés d'odeurs.

D'habitude, il souriait, humant cet arôme amoureux,
cette ombre de caresses qui lui mettait un coin de nudité
dans la cervelle et ranimait, pour une seconde, le goût
naguère adoré de certaines femmes; aujourd'hui, ils
n'agissaient plus en sourdine, ne se bornaient plus à
raviver l'image de désordres lointains et confus; ils
déchiraient, au contraire, les voiles, jetaient devant ses
yeux la réalité corporelle, pressante et brutale.

En tête du défilé des maîtresses que la saveur de ce
bonbon aidait à dessiner en des traits certains, l'une
s'arrêta, montrant des dents longues et blanches, une
peau satinée, toute rose, un nez taillé en biseau, des yeux
de souris, des cheveux coupés à la chien et blonds.

C'était miss Urania, une Américaine, au corps bien
découplé, aux jambes nerveuses, aux muscles d'acier,
aux bras de fonte.

Elle avait été l'une des acrobates les plus renommées
du Cirque.

Des Esseintes l'avait, durant de longues soirées, atten-
tivement suivie; les premières fois, elle lui était apparue
telle qu'elle était, c'est-à-dire solide et belle, mais le
désir de l'approcher ne l'étreignit point; elle n'avait rien
qui la recommandât à la convoitise d'un blasé, et cependant il retourna au Cirque alléché par il ne savait quoi,
poussé par un sentiment difficile à définir.

Peu à peu, en même temps qu'il l'observait, de singulières conceptions naquirent; à mesure qu'il admirait sa
souplesse et sa force, il voyait un artificiel changement
de sexe se produire en elle; ses singeries gracieuses, ses
mièvreries de femelle s'effaçaient de plus en plus, tandis
que se développaient, à leur place, les charmes agiles et
puissants d'un mâle; en un mot, après avoir tout d'abord
été femme, puis, après avoir hésité, après avoir avoisiné
l'androgyne, elle semblait se résoudre, se préciser, devenir
complètement un homme.

Alors, de même qu'un robuste gaillard s'éprend d'une fille grêle, cette clownesse doit aimer, par tendance, une créature faible, ployée, pareille à moi, sans souffle, se dit des Esseintes; à se regarder, à laisser agir l'esprit`de comparaison, il en vint à éprouver, de son côté, l'impression que lui-même se féminisait, et il envia décidément la possession de cette femme, aspirant ainsi qu'une fillette chlorotique, après le grossier hercule dont les bras la peuvent broyer dans une étreinte.

Cet échange de sexe entre miss Urania et lui, l'avait exalté; nous sommes voués l'un à l'autre, assurait-il; à cette subite admiration de la force brutale jusqu'alors exécrée, se joignit enfin l'exorbitant attrait de la boue, de la basse prostitution heureuse de payer cher les tendresses malotrues d'un souteneur.

En attendant qu'il se décidât à séduire l'acrobate, à entrer, si faire se pouvait, dans la réalité même, il confirmait ses rêves, en posant la série de ses propres pensées sur les lèvres inconscientes de la femme, en relisant ses intentions qu'il plaçait dans le sourire immuable et fixe de l'histrionne tournant sur son trapèze.

Un beau soir, il se résolut à dépêcher les ouvreuses. Miss Urania crut nécessaire de ne point céder, sans une préalable cour; néanmoins elle se montra peu farouche, sachant par les ouï-dire, que des Esseintes était riche et que son nom aidait à lancer les femmes.

Mais aussitôt que ses vœux furent exaucés, son désappointement dépassa le possible. Il s'était imaginé l'Américaine, stupide et bestiale comme un lutteur de foire, et sa bêtise était malheureusement toute féminine. Certes, elle manquait d'éducation et de tact, n'avait ni bon sens ni esprit, et elle témoignait d'une ardeur animale, à table, mais tous les sentiments enfantins de la femme subsistaient en elle; elle possédait le caquet et la coquetterie des filles entichées de balivernes; la transmutation des idées masculines dans son corps de femme n'existait pas.

Avec cela, elle avait une retenue puritaine, au lit et aucune de ces brutalités d'athlète qu'il souhaitait tout en les craignant; elle n'était pas sujette comme il en avait, un moment, conçu l'espoir, aux perturbations de son sexe. En sondant bien le vide de ses convoitises, peut-être eût-il cependant aperçu un penchant vers un être délicat et fluet, vers un tempérament absolument contraire au sien, mais alors il eût découvert une préférence non pour une fillette, mais pour un joyeux gringalet, pour un cocasse et maigre clown.

Fatalement, des Esseintes rentra dans son rôle d'homme momentanément oublié; ses impressions de féminilité, de faiblesse, de quasi-protection achetée, de peur même, disparurent; l'illusion n'était plus possible; miss Urania était une maîtresse ordinaire, ne justifiant en aucune façon, la curiosité cérébrale qu'elle avait fait naître.

Bien que le charme de sa chair fraîche, de sa beauté magnifique, eût d'abord étonné et retenu des Esseintes, il chercha promptement à esquiver cette liaison, précipita la rupture, car sa précoce impuissance s'augmentait encore devant les glaciales tendresses, devant les prudes laisser-aller de cette femme.

Et pourtant elle était la première à s'arrêter devant lui, dans le passage ininterrompu de ces luxures; mais, au fond, si elle s'était plus énergiquement empreinte dans sa mémoire qu'une foule d'autres dont les appâts avaient été moins fallacieux et les plaisirs moins limités, cela tenait à sa senteur de bête bien portante et saine; la redondance de sa santé était l'antipode même de cette anémie, travaillée aux parfums, dont il retrouvait un fin relent dans le délicat bonbon de Siraudin.

Ainsi qu'une odorante antithèse, miss Urania s'imposait fatalement à son souvenir, mais presque aussitôt des Esseintes, heurté par cet imprévu d'un arôme naturel et brut, retournait aux exhalaisons civilisées, et inévitablement il songeait à ses autres maîtresses; elles se pressaient, en troupeau, dans sa cervelle, mais par-dessus toutes s'exhaussait maintenant la femme dont la monstruosité l'avait tant satisfait pendant des mois.

Celle-là était une petite et sèche brune, aux yeux noirs, aux cheveux pommadés, plaqués sur la tête, comme avec un pinceau, séparés par une raie de garçon, près d'une tempe. Il l'avait connue dans un café-concert, où elle donnait des représentations de ventriloque.

A la stupeur d'une foule que ces exercices mettaient mal à l'aise, elle faisait parler, à tour de rôle, des enfants en carton, rangés en flûte de pan, sur des chaises; elle conversait avec des mannequins presque vivants et, dans la salle même, des mouches bourdonnaient autour des lustres et l'on entendait bruire le silencieux public qui s'étonnait d'être assis et se reculait instinctivement dans ses stalles, alors que le roulement d'imaginaires voitures le frôlait, en passant, de l'entrée jusqu'à la scène.

Des Esseintes avait été fasciné; une masse d'idées germa en lui; tout d'abord il s'empressa de réduire, à coups de billets de banque, la ventriloque qui lui plut par le contraste même qu'elle opposait avec l'Américaine. Cette brunette suintait des parfums préparés, malsains et capiteux et elle brûlait comme un cratère; en dépit de tous ses subterfuges, des Esseintes s'épuisa en quelques heures; il n'en persista pas moins à se laisser complaisamment gruger par elle, car plus que la maîtresse, le phénomène l'attirait.

D'ailleurs les plans qu'il s'était proposés, avaient mûri. Il se résolut à accomplir des projets jusqu'alors irréalisables.

Il fit apporter, un soir, un petit sphinx, en marbre noir, couché dans la pose classique, les pattes allongées, la tête rigide et droite et une chimère, en terre polychrome, brandissant une crinière hérissée, dardant des yeux féroces, éventant avec les sillons de sa queue ses flancs gonflés ainsi que des soufflets de forge. Il plaça chacune de ces bêtes, à un bout de la chambre, éteignit les lampes, laissant les braises rougeoyer dans l'âtre et éclairer vaguement la pièce en agrandissant les objets presque noyés dans l'ombre.

Puis, il s'étendit sur un canapé, près de la femme dont l'immobile figure était atteinte par la lueur d'un tison, et il attendit.

Avec des intonations étranges qu'il lui avait fait longuement et patiemment répéter à l'avance, elle anima, sans même remuer les lèvres, sans même les regarder, les deux monstres.

Et dans le silence de la nuit, l'admirable dialogue de la Chimère et du Sphinx commença, récité par des voix gutturales et profondes, rauques, puis aiguës, comme surhumaines.

« — Ici, Chimère, arrête-toi. »

« — Non; jamais. »

Bercé par l'admirable prose de Flaubert, il écoutait, pantelant, le terrible duo et des frissons le parcoururent, de la nuque aux pieds, quand la Chimère proféra la solennelle et magique phrase :

« Je cherche des parfums nouveaux, des fleurs plus larges, des plaisirs inéprouvés. »

Ah! c'était à lui-même que cette voix aussi mystérieuse qu'une incantation, parlait; c'était à lui qu'elle racontait sa fièvre d'inconnu, son idéal inassouvi, son besoin

d'échapper à l'horrible réalité de l'existence, à franchir les confins de la pensée, à tâtonner sans jamais arriver à une certitude, dans les brumes des au-delà de l'art!
— Toute la misère de ses propres efforts lui refoula le cœur. Doucement, il étreignait la femme silencieuse, à ses côtés, se réfugiant, ainsi qu'un enfant inconsolé, près d'elle, ne voyant même pas l'air maussade de la comédienne obligée à jouer une scène, à exercer son métier, chez elle, aux instants du repos, loin de la rampe.

Leur liaison continua, mais bientôt les défaillances de des Esseintes s'aggravèrent; l'effervescence de sa cervelle ne fondait plus les glaces de son corps : les nerfs n'obéissaient plus à la volonté; les folies passionnelles des vieillards le dominèrent. Se sentant devenir de plus en plus indécis près de cette maîtresse, il recourut à l'adjuvant le plus efficace des vieux et inconstants prurits, à la peur.

Pendant qu'il tenait la femme entre ses bras, une voix de rogomme éclatait derrière la porte : « Ouvriras-tu ? je sais bien que t'es avec un miché, attends, attends un peu, salope! » — Aussitôt, de même que ces libertins excités par la terreur d'être pris en flagrant délit, à l'air, sur les berges, dans le jardin des Tuileries, dans un rambuteau ou sur un banc, il retrouvait passagèrement ses forces, se précipitait sur la ventriloque dont la voix continuait à tapager hors de la pièce et, il éprouvait des allégresses inouïes, dans cette bousculade, dans cette panique de l'homme courant un danger, interrompu, pressé dans son ordure.

Malheureusement, ces séances furent de durée brève; malgré les prix exagérés qu'il lui paya, la ventriloque le congédia et, le soir même, s'offrit à un gaillard dont les exigences étaient moins compliquées et les reins plus sûrs.

Celle-là, il l'avait regrettée et, au souvenir de ses artifices, les autres femmes lui parurent dénuées de saveur; les grâces pourries de l'enfance lui semblèrent même fades; son mépris pour leurs monotones grimaces devint tel qu'il ne pouvait plus se résoudre à les subir.

Remâchant son dégoût, seul, un jour qu'il se promenait sur l'avenue de Latour-Maubourg, il fut abordé, près des Invalides, par un tout jeune homme qui le pria de lui indiquer la voie la plus courte pour se rendre à la rue de Babylone. Des Esseintes lui désigna son chemin et, comme il traversait aussi l'esplanade, ils firent route ensemble.

La voix du jeune homme insistant, d'une façon inopinée, afin d'être plus amplement renseigné, disant :
— Alors vous croyez qu'en prenant à gauche, ce serait plus long; l'on m'avait pourtant affirmé qu'en obliquant par l'avenue, j'arriverais plus tôt, — était, tout à la fois, suppliante et timide, très basse et douce.

Des Esseintes le regarda. Il paraissait échappé du collège, était pauvrement vêtu d'un petit veston de cheviote lui étreignant les hanches, dépassant à peine la chute des reins, d'une culotte noire, collante, d'un col rabattu, échancré sur une cravate bouffante bleu foncé, à vermicelles blancs, forme La Vallière. Il tenait à la main un livre de classe cartonné, et il était coiffé d'un melon brun, à bords plats.

La figure était troublante; pâle et tirée, assez régulière sous les longs cheveux noirs, elle était éclairée par de grands yeux humides, aux paupières cernées de bleu, rapprochés du nez que pointillaient d'or quelques rousseurs et sous lequel s'ouvrait une bouche petite, mais bordée de grosses lèvres, coupées, au milieu, d'une raie ainsi qu'une cerise.

Ils se dévisagèrent, pendant un instant, en face, puis le jeune homme baissa les yeux et se rapprocha; son bras frôla bientôt celui de des Esseintes qui ralentit le pas, considérant, songeur, la marche balancée de ce jeune homme.

Et du hasard de cette rencontre, était née une défiante amitié qui se prolongea durant des mois; des Esseintes n'y pensait plus sans frémir; jamais il n'avait supporté un plus attirant et un plus impérieux fermage; jamais il n'avait connu des périls pareils, jamais aussi il ne s'était senti plus douloureusement satisfait.

Parmi les rappels qui l'assiégeaient, dans sa solitude, celui de ce réciproque attachement dominait les autres. Toute la levure d'égarement que peut détenir un cerveau surexcité par la névrose, fermentait; et, à se complaire ainsi dans ces souvenirs, dans cette délectation morose, comme la théologie appelle cette récurrence des vieux opprobres, il mêlait aux visions physiques des ardeurs spirituelles cinglées par l'ancienne lecture des casuistes, des Busembaum et des Diana, des Liguori et des Sanchez, traitant des péchés contre le 6e et le 9e commandement du Décalogue.

En faisant naître un idéal extrahumain dans cette âme qu'elle avait baignée et qu'une hérédité datant du règne de Henri III prédisposait peut-être, la religion avait aussi remué l'illégitime idéal des voluptés; des obsessions libertines et mystiques hantaient, en se confondant, son cerveau altéré d'un opiniâtre désir d'échapper aux vulgarités du monde, de s'abîmer, loin des usages vénérés, dans d'originales extases, dans des crises célestes ou maudites, également écrasantes par les déperditions de phosphore qu'elles entraînent.

Actuellement, il sortait de ces rêveries, anéanti, brisé, presque moribond, et il allumait aussitôt les bougies et les lampes, s'inondant de clarté, croyant entendre ainsi, moins distinctement que dans l'ombre, le bruit sourd, persistant, intolérable, des artères qui lui battaient, à coups redoublés, sous la peau du cou.

X

Pendant cette singulière maladie qui ravage les races à bout de sang, de soudaines accalmies succèdent aux crises; sans qu'il pût s'expliquer pourquoi, des Esseintes se réveilla tout valide, un beau matin; plus de toux déracinante, plus de coins enfoncés à coups de maillet dans la nuque, mais une sensation ineffable de bienêtre, une légèreté de cervelle dont les pensées s'éclaircissaient et, d'opaques et glauques, devenaient fluides et irisées, de même que des bulles de savon de nuances tendres.

Cet état dura quelques jours; puis subitement, une après-midi, les hallucinations de l'odorat se montrèrent.

Sa chambre embauma la frangipane; il vérifia si un flacon ne traînait pas, débouché; il n'y avait point de flacon dans la pièce; il passa dans son cabinet de travail, dans sa salle à manger : l'odeur persista.

Il sonna son domestique : — Vous ne sentez rien, dit-il ? L'autre renifla une prise d'air et déclare ne respirer aucune fleur : le doute ne pouvait exister; la névrose revenait, une fois de plus, sous l'apparence d'une nouvelle illusion des sens.

Fatigué par la ténacité de cet imaginaire arôme, il résolut de se plonger dans des parfums véritables, espérant que cette homéopathie nasale le guérirait ou du moins qu'elle retarderait la poursuite de l'importune frangipane.

Il se rendit dans son cabinet de toilette. Là, près d'un ancien baptistère qui lui servait de cuvette, sous une longue glace en fer forgé, emprisonnant ainsi que d'une margelle argentée de lune, l'eau verte et comme morte du miroir, des bouteilles de toute grandeur, de toute forme, s'étageaient sur des rayons d'ivoire.

Il les plaça sur une table et les divisa en deux séries : celle des parfums simples, c'est-à-dire des extraits ou des esprits, et celle des parfums composés, désignée sous le terme générique de bouquets.

Il s'enfonça dans un fauteuil et se recueillit.

Il était, depuis des années, habile dans la science du flair ; il pensait que l'odorat pouvait éprouver des jouissances égales à celles de l'ouïe et de la vue, chaque sens étant susceptible, par suite d'une disposition naturelle et d'une érudite culture, de percevoir des impressions nouvelles, de les décupler, de les coordonner, d'en composer ce tout qui constitue une œuvre ; et il n'était pas, en somme, plus anormal qu'un art existât, en dégageant d'odorants fluides, que d'autres, en détachant des ondes sonores, ou en frappant de rayons diversement colorés la rétine d'un œil ; seulement, si personne ne peut discerner, sans une intuition particulière développée par l'étude, une peinture de grand maître d'une croûte, un air de Beethoven d'un air de Clapisson, personne, non plus, ne peut, sans une initiation préalable, ne point confondre, au premier abord, un bouquet créé par un sincère artiste, avec un pot-pourri fabriqué par un industriel, pour la vente des épiceries et des bazars.

Dans cet art des parfums, un côté l'avait, entre tous, séduit, celui de la précision factice.

Presque jamais, en effet, les parfums ne sont issus des fleurs dont ils portent le nom ; l'artiste qui oserait emprunter à la seule nature ses éléments, ne produirait qu'une œuvre bâtarde, sans vérité, sans style, attendu que l'essence obtenue par la distillation des fleurs ne saurait offrir qu'une très lointaine et très vulgaire analogie avec l'arôme même de la fleur vivante, épandant ses effluves, en pleine terre.

Aussi, à l'exception de l'inimitable jasmin, qui n'accepte aucune contrefaçon, aucune similitude, qui repousse jusqu'aux à peu près, toutes les fleurs sont exactement représentées par des alliances d'alcoolats et d'esprits, dérobant au modèle sa personnalité même et y ajoutant ce rien, ce ton en plus, ce fumet capiteux, cette touche rare qui qualifie une œuvre d'art.

En résumé, dans la parfumerie, l'artiste achève l'odeur initiale de la nature dont il taille la senteur, et il la monte ainsi qu'un joaillier épure l'eau d'une pierre et la fait valoir.

Peu à peu, les arcanes de cet art, le plus négligé de tous,

s'étaient ouverts devant des Esseintes qui déchiffrait maintenant cette langue, variée, aussi insinuante que celle de la littérature, ce style d'une concision inouïe, sous son apparence flottante et vague.

Pour cela, il lui avait d'abord fallu travailler la grammaire, comprendre la syntaxe des odeurs, se bien pénétrer des règles qui les régissent, et, une fois familiarisé avec ce dialecte, comparer les œuvres des maîtres, des Alkinson et des Lubin, des Chardin et des Violet, des Legrand et des Piesse, désassembler la construction de leurs phrases, peser la proportion de leurs mots et l'arrangement de leurs périodes.

Puis, dans cet idiome des fluides, l'expérience devait appuyer les théories trop souvent incomplètes et banales.

La parfumerie classique était, en effet, peu diversifiée, presque incolore, uniformément coulée dans une matrice fondue par d'anciens chimistes; elle radotait, confinée en ses vieux alambics, lorsque la période romantique était éclose et l'avait, elle aussi, modifiée, rendue plus jeune, plus malléable et plus souple.

Son histoire suivait, pas à pas, celle de notre langue. Le style parfumé Louis XIII, composé des éléments chers à cette époque, de la poudre d'iris, du musc, de la civette, de l'eau de myrte déjà désignée sous le nom d'eau des anges, était à peine suffisant pour exprimer les grâces cavalières, les teintes un peu crues du temps, que nous ont conservées certains des sonnets de Saint-Amand. Plus tard, avec la myrrhe, l'oliban, les senteurs mystiques, puissantes et austères, l'allure pompeuse du grand siècle, les artifices redondants de l'art oratoire, le style large, soutenu, nombreux, de Bossuet et des maîtres de la chaire, furent presque possibles; plus tard encore, les grâces fatiguées et savantes de la société française sous Louis XV, trouvèrent plus facilement leur interprète dans la frangipane et la maréchale qui donnèrent en quelque sorte la synthèse même de cette époque; puis, après l'ennui et l'incuriosité du premier empire, qui abusa des eaux de Cologne et des préparations au romarin, la parfumerie se jeta, derrière Victor Hugo et Gautier, vers les pays du soleil; elle créa des orientales, des selam fulgurants d'épices, découvrit des intonations nouvelles, des antithèses jusqu'alors inosées, tria et reprit d'anciennes nuances qu'elle compliqua, qu'elle subtilisa, qu'elle assortit; elle rejeta résolument enfin, cette volontaire décrépitude à laquelle l'avaient réduite les Malesherbe, les Boileau, les Andrieux, les Baour-Lormian, les bas distillateurs de ses poèmes.

Mais cette langue n'était pas demeurée, depuis la période de 1830, stationnaire. Elle avait encore évolué, et, se modelant sur la marche du siècle, elle s'était avancée parallèlement avec les autres arts ; s'était, elle aussi, pliée aux vœux des amateurs et des artistes, se lançant sur le Chinois et le Japonais, imaginant des albums odoran' ;, imitant les bouquets de fleurs de Takéoka, obtenant par des alliances de lavande et de girofle, l'odeur du Rondéletia ; par un mariage de patchouli et de camphre, l'arôme singulier de l'encre de Chine ; par des composés de citron, de girofle et de néroli, l'émanation de l'Hovénia du Japon.

Des Esseintes étudiait, analysait l'âme de ces fluides, faisait l'exégèse de ces textes ; il se complaisait à jouer pour sa satisfaction personnelle, le rôle d'un psychologue, à démonter et à remonter les rouages d'une œuvre, à dévisser les pièces formant la structure d'une exhalaison composée, et, dans cet exercice, son odorat était parvenu à la sûreté d'une touche presque impeccable.

De même qu'un marchand de vins reconnaît le cru dont il hume une goutte ; qu'un vendeur de houblon, dès qu'il flaire un sac, détermine aussitôt sa valeur exacte ; qu'un négociant chinois peut immédiatement révéler l'origine des thés qu'il sent, dire dans quelles fermes des monts Bohées, dans quels couvents bouddhiques, il a été cultivé, l'époque où ses feuilles ont été cueillies, préciser le degré de torréfaction, l'influence qu'il a subie dans le voisinage de la fleur de prunier, de l'Aglaia, de l'Olea fragrans, de tous ces parfums qui servent à modifier sa nature, à y ajouter un rehaut inattendu, à introduire dans son fumet un peu sec un relent de fleurs lointaines et fraîches ; de même aussi des Esseintes pouvait en respirant un soupçon d'odeur, vous raconter aussitôt les doses de son mélange, expliquer la psychologie de sa mixture, presque citer le nom de l'artiste qui l'avait écrit et lui avait imprimé la marque personnelle de son style.

Il va de soi qu'il possédait la collection de tous les produits employés par les parfumeurs ; il avait même du véritable baume de la Mecque, ce baume si rare qui ne se récolte que dans certaines parties de l'Arabie Pétrée et dont le monopole appartient au Grand Seigneur.

Assis maintenant, dans son cabinet de toilette, devant sa table, il songeait à créer un nouveau bouquet et il était pris de ce moment d'hésitation bien connu des écrivains, qui, après des mois de repos, s'apprêtent à recommencer une nouvelle œuvre.

Ainsi que Balzac que hantait l'impérieux besoin de noircir beaucoup de papier pour se mettre en train, des Esseintes reconnut la nécessité de se refaire auparavant la main par quelques travaux sans importance; voulant fabriquer de l'héliotrope, il soupesa des flacons d'amande et de vanille, puis il changea d'idée et se résolut à aborder le pois de senteur.

Les expressions, les procédés lui échappaient; il tâtonna; en somme, dans la fragrance de cette fleur, l'oranger domine : il tenta de plusieurs combinaisons et il finit par atteindre le ton juste, en joignant à l'oranger de la tubéreuse et de la rose qu'il lia par une goutte de vanille.

Les incertitudes se dissipèrent; une petite fièvre l'agita, il fut prêt au travail; il composa encore du thé en mélangeant de la cassie et de l'iris, puis, sûr de lui, il se détermina à marcher de l'avant, à plaquer une phrase fulminante dont le hautain fracas effondrerait le chuchotement de cette astucieuse frangipane qui se faufilait encore dans sa pièce.

Il mania l'ambre, le musc-tonkin, aux éclats terribles, le patchouli, le plus âcre des parfums végétaux et dont la fleur, à l'état brut, dégage un remugle de moisi et de rouille. Quoi qu'il fît, la hantise du XVIIIe siècle, l'obséda; les robes à paniers, les falbalas tournèrent devant ses yeux; des souvenirs des « Vénus » de Boucher, tout en chair, sans os, bourrées de coton rose, s'installèrent sur ses murs; des rappels du roman de Thémidore, de l'exquise Rosette retroussée dans un désespoir couleur feu, le poursuivirent. Furieux, il se leva et, afin de se libérer, il renifla, de toutes ses forces, cette pure essence de spikanard, si chère aux Orientaux et si désagréable aux Européens, à cause de son relent trop prononcé de valériane. Il demeura étourdi sous la violence de ce choc; comme pilées par un coup de marteau, les filigranes de la délicate odeur disparurent; il profita de ce temps de répit pour échapper aux siècles défunts, aux vapeurs surannées, pour entrer, ainsi qu'il le faisait jadis, dans des œuvres moins restreintes ou plus neuves.

Il avait autrefois aimé à se bercer d'accords en parfumerie; il usait d'effets analogues à ceux des poètes, employait, en quelque sorte, l'admirable ordonnance de certaines pièces de Baudelaire, telles que « l'Irréparable »

et « le Balcon », où le dernier des cinq vers qui composent
la strophe est l'écho du premier et revient, ainsi qu'un
refrain, noyer l'âme dans des infinis de mélancolie et de
langueur.

Il s'égarait dans les songes qu'évoquaient pour lui ces
stances aromatiques, ramené soudain à son point de
départ, au motif de sa méditation, par le retour du thème
initial, reparaissant, à des intervalles ménagés, dans l'odorante orchestration du poème.

Actuellement, il voulut vagabonder dans un surprenant
et variable paysage, et il débuta par une phrase, sonore,
ample, ouvrant tout d'un coup une échappée de campagne immense.

Avec ses vaporisateurs, il injecta dans la pièce une
essence formée d'ambroisie, de lavande de Mitcham, de
pois de senteur, de bouquet, une essence qui, lorsqu'elle
est distillée par un artiste, mérite le nom qu'on lui
décerne, « d'extrait de pré fleuri »; puis dans ce pré, il
introduisit une précise fusion de tubéreuse, de fleur
d'oranger et d'amande, et aussitôt d'artificiels lilas
naquirent, tandis que des tilleuls s'éventèrent, rabattant
sur le sol leurs pâles émanations que simulait l'extrait du
tilia de Londres.

Ce décor posé en quelques grandes lignes, fuyant à
perte de vue sous ses yeux fermés, il insuffla une légère
pluie d'essences humaines et quasi félines, sentant la jupe,
annonçant la femme poudrée et fardée, le stéphanotis,
l'ayapana, l'opopanax, le chypre, le champaka, le sarcanthus, sur lesquels il juxtaposa un soupçon de seringa,
afin de donner dans la vie factice du maquillage qu'ils
dégageaient, un fleur naturel de rires en sueur, de joies
qui se démènent au plein soleil.

Ensuite il laissa, par un ventilateur, s'échapper ces
ondes odorantes, conservant seulement la campagne qu'il
renouvela et dont il força la dose pour l'obliger à revenir
ainsi qu'une ritournelle dans ses strophes.

Les femmes s'étaient peu à peu évanouies; la campagne était devenue déserte; alors, sur l'horizon enchanté,
des usines se dressèrent, dont les formidables cheminées
brûlaient, à leurs sommets, comme des bols de punch.

Un souffle de fabriques, de produits chimiques, passait maintenant dans la brise qu'il soulevait avec des
éventails, et la nature exhalait encore, dans cette puru-
lence de l'air, ses doux effluves.

Des Esseintes maniait, échauffait entre ses doigts, une

boulette de styrax, et une très bizarre odeur montait dans la pièce, une odeur tout à la fois répugnante et exquise, tenant de la délicieuse senteur de la jonquille et de l'immonde puanteur de la gutta-percha et de l'huile de houille. Il se désinfecta les mains, inséra en une boîte hermétiquement close, sa résine, et les fabriques disparurent à leur tour. Alors, il darda parmi les vapeurs ravivées des tilleuls et des prés, quelques gouttes de new mown hay et, au milieu du site magique momentanément dépouillé de ses lilas, des gerbes de foin s'élevèrent, amenant une saison nouvelle, épandant leur fine effluence dans l'été de ces senteurs.

Enfin, quand il eut assez savouré ce spectacle, il dispersa précipitamment des parfums exotiques, épuisa ses vaporisateurs, accéléra ses esprits concentrés, lâcha bride à tous ses baumes, et, dans la touffeur exaspérée de la pièce, éclata une nature démente et sublimée, forçant ses haleines, chargeant d'alcoolats en délire une artificielle brise, une nature pas vraie et charmante, toute paradoxale, réunissant les piments des tropiques, les souffles poivrés du santal de la Chine et de l'hediosmia de la Jamaïque, aux odeurs françaises du jasmin, de l'aubépine et de la verveine, poussant, en dépit des saisons et des climats, des arbres d'essences diverses, des fleurs aux couleurs et aux fragrances les plus opposées, créant par la fonte et le heurt de tous ces tons, un parfum général, innommé, imprévu, étrange, dans lequel reparaissait, comme un obstiné refrain, la phrase décorative du commencement, l'odeur du grand pré, éventé par les lilas et les tilleuls.

Tout à coup une douleur aiguë le perça; il lui sembla qu'un vilebrequin lui forait les tempes. Il ouvrit les yeux, se retrouva au milieu de son cabinet de toilette, assis devant sa table; péniblement, il marcha, abasourdi, vers la croisée qu'il entrebâilla. Une bouffée d'air rasséréna l'étouffante atmosphère qui l'enveloppait; il se promena, de long en large, pour raffermir ses jambes, alla et vint, regardant le plafond où des crabes et des algues poudrées de sel, s'enlevaient en relief sur un fond grenu aussi blond que le sable d'une plage; un décor pareil revêtait les plinthes, bordant les cloisons tapissées de crêpe Japonais vert d'eau, un peu chiffonné, simulant le friselis d'une rivière que le vent ride et, dans ce léger courant, nageait le pétale d'une rose autour duquel tournoyait une nuée de petits poissons dessinés en deux traits d'encre.

Mais ses paupières demeuraient lourdes; il cessa d'arpenter le court espace compris entre le baptistère et la baignoire, et il s'appuya sur la rampe de la fenêtre; son étourdissement cessa; il reboucha soigneusement les fioles, et il mit à profit cette occasion pour remédier au désordre de ses maquillages. Il n'y avait point touché depuis son arrivée à Fontenay, et il s'étonna presque, maintenant, de revoir cette collection naguère visitée par tant de femmes. Les uns sur les autres, des flacons et des pots s'entassaient. Ici, une boîte en porcelaine, de la famille verte, contenait le schnouda, cette merveilleuse crème blanche qui, une fois étendue sur les joues, passe, sous l'influence de l'air, au rose tendre, puis à un incarnat si réel qu'il procure l'illusion vraiment exacte d'une peau colorée de sang; là, des laques, incrustés de burgau, renfermaient de l'or Japonais et du vert d'Athènes, couleur d'aile de cantharide, des ors et des verts qui se transmuent en une pourpre profonde dès qu'on les mouille; près de pots pleins de pâte d'aveline, de serkis du harem, d'émulsines au lys de kachemyr, de lotions d'eau de fraise et de sureau pour le teint, et près de petites bouteilles remplies de solutions d'encre de Chine et d'eau de rose à l'usage des yeux, des instruments en ivoire, en nacre, en acier, en argent, s'étalaient éparpillés avec des brosses en luzerne pour les gencives : des pinces, des ciseaux, des strigiles, des estompes, des crêpons et des houppes, des gratte-dos, des mouches et des limes.

Il manipulait tout cet attirail, autrefois acheté sur les instances d'une maîtresse qui se pâmait sous l'influence de certains aromates et de certains baumes, une femme détraquée et nerveuse, aimant à faire macérer la pointe de ses seins dans les senteurs, mais n'éprouvant, en somme, une délicieuse et accablante extase, que lorsqu'on lui ratissait la tête avec un peigne ou qu'elle pouvait humer, au milieu des caresses, l'odeur de la suie, du plâtre des maisons en construction, par les temps de pluie, ou de la poussière mouchetée par de grosses gouttes d'orage, pendant l'été.

Il rumina ces souvenirs, et une après-midi écoulée, à Pantin, par désœuvrement, par curiosité, en compagnie de cette femme, chez l'une de ses sœurs, lui revint, remuant en lui un monde oublié de vieilles idées et d'anciens parfums; tandis que les deux femmes jacassaient et se montraient leurs robes, il s'était approché de la fenêtre et, au travers des vitres poudreuses, il avait vu la

rue pleine de boue s'étendre et entendu ses pavés bruire
sous le coup répété des galoches battant les mares.

Cette scène déjà lointaine se présenta subitement, avec
une vivacité singulière. Pantin était là, devant lui, animé,
vivant, dans cette eau verte et comme morte de la glace
margée de lune où ses yeux inconscients plongeaient;
une hallucination l'emporta loin de Fontenay; le miroir
lui répercuta en même temps que la rue les réflexions
qu'elle avait autrefois fait naître et, abîmé dans un songe,
il se répéta cette ingénieuse, mélancolique et consolante
antienne qu'il avait jadis notée dès son retour dans
Paris :

— Oui, le temps des grandes pluies est venu; voilà que
les gargouilles dégobillent, en chantant sous les trottoirs,
et que les fumiers marinent dans des flaques qui
emplissent de leur café au lait les bols creusés dans le
macadam; partout, pour l'humble passant, les rince-
pieds fonctionnent.

Sous le ciel bas, dans l'air mou, les murs des maisons
ont des sueurs noires et leurs soupiraux fétident; la
dégoûtation de l'existence s'accentue et le spleen écrase;
les semailles d'ordures que chacun a dans l'âme éclosent;
des besoins de sales ribotes agitent les gens austères et,
dans le cerveau des gens considérés, des désirs de forçats
vont naître.

Et pourtant, je me chauffe devant un grand feu et,
d'une corbeille de fleurs épanouies sur la table se dégage
une exhalaison de benjoin, de géranium et de vétyver qui
remplit la chambre. En plein mois de novembre, à Pantin, rue de Paris, le printemps persiste et voici que je ris,
à part moi, des familles craintives qui, afin d'éviter les
approches du froid, fuient à toute vapeur vers Antibes ou
vers Cannes.

L'inclémente nature n'est pour rien dans cet extraordinaire phénomène; c'est à l'industrie seule, il faut bien
le dire, que Pantin est redevable de cette saison factice.

En effet, ces fleurs sont en taffetas, montées sur du
fil d'archal, et la senteur printanière filtre par les joints
de la fenêtre, exhalée des usines du voisinage, des par-
fumeries de Pinaud et de Saint-James.

Pour les artisans usés par les durs labeurs des ateliers,
pour les petits employés trop souvent pères, l'illusion
d'un peu de bon air est, grâce à ces commerçants,
possible.

Puis de ce fabuleux subterfuge d'une campagne, une

médication intelligente peut sortir; les viveurs poitrinaires qu'on exporte dans le Midi, meurent, achevés par la rupture de leurs habitudes, par la nostalgie des excès parisiens qui les ont vaincus. Ici, sous un faux climat, aidé par des bouches de poêles, les souvenirs libertins renaîtront, très doux, avec les languissantes émanations féminines évaporées par les fabriques. Au mortel ennui de la vie provinciale, le médecin peut, par cette supercherie, substituer platoniquement, pour son malade, l'atmosphère des boudoirs de Paris, des filles. Le plus souvent, il suffira, pour consommer la cure, que le sujet ait l'imagination un peu fertile.

. . . .

. . . .

Puisque, par le temps qui court, il n'existe plus de substance saine, puisque le vin qu'on boit et que la liberté qu'on proclame, sont frelatés et dérisoires, puisqu'il faut enfin une singulière dose de bonne volonté pour croire que les classes dirigeantes sont respectables et que les classes domestiquées sont dignes d'être soulagées ou plaintes, il ne me semble, conclut des Esseintes, ni plus ridicule ni plus fou, de demander à mon prochain une somme d'illusion à peine équivalente à celle qu'il dépense dans des buts imbéciles chaque jour, pour se figurer que la ville de Pantin est une Nice artificielle, une Menton factice.

. . . .

Tout cela n'empêche pas, fit-il, arraché à ses réflexions, par une défaillance de tout son corps, qu'il va falloir me défier de ces délicieux et abominables exercices qui m'écrasent. Il soupira : — Allons, encore des plaisirs à modérer, des précautions à prendre; et il se réfugia dans son cabinet de travail, pensant échapper plus facilement ainsi à la hantise de ces parfums.

Il ouvrit la croisée toute large, heureux de prendre un bain d'air; mais, soudain, il lui parut que la brise soufflait un vague montant d'essence de bergamote avec laquelle se coalisait de l'esprit de jasmin, de cassie et de l'eau de rose. Il haleta, se demandant s'il n'était point décidément sous le joug d'une de ces possessions qu'on exorcisait au moyen âge. L'odeur changea et se transforma, tout en persistant. Une indécise senteur de teinture de tolu, de baume du Pérou, de safran, soudés par quelques gouttes d'ambre et de musc, s'élevait maintenant du village couché, au bas de la côte, et, subitement, la métamorphose s'opéra, ces bribes éparses se relièrent et, à nouveau, la frangipane, dont son odorat avait perçu les éléments et préparé l'analyse, fusa de la vallée de Fontenay jusqu'au fort, assaillant ses narines excédées, ébranlant encore ses nerfs rompus, le jetant dans une telle prostration, qu'il s'affaissa évanoui, presque mourant, sur la barre d'appui de la fenêtre.

XI

Les domestiques effrayés s'empressèrent d'aller chercher le médecin de Fontenay qui ne comprit absolument rien à l'état de des Esseintes. Il bafouilla quelques termes médicaux, tâta le pouls, examina la langue du malade, tenta mais en vain de le faire parler, ordonna des calmants et du repos, promit de revenir le lendemain, et, sur un signe négatif de des Esseintes qui retrouva assez de force pour improuver le zèle de ses domestiques et congédier cet intrus, il partit et s'en fut raconter, par tout le village, les excentricités de cette maison dont l'ameublement l'avait positivement frappé de stupeur et gelé sur place.

Au grand étonnement des serviteurs qui n'osaient plus bouger de l'office, leur maître se rétablit en quelques jours et ils le surprirent, tambourinant sur les vitres, regardant, d'un air inquiet, le ciel.

Une après-midi, les timbres sonnèrent des appels brefs, et des Esseintes prescrivit qu'on lui apprêtât ses malles, pour un long voyage.

Tandis que l'homme et la femme choisissaient, sur ses indications, les objets utiles à emporter, il arpentait fiévreusement la cabine de la salle à manger, consultait les heures des paquebots, parcourait son cabinet de travail où il continuait à scruter les nuages, d'un air tout à la fois impatient et satisfait.

Le temps était, depuis une semaine déjà, atroce. Des fleuves de suie roulaient, sans discontinuer, au travers des plaines grises du ciel, des blocs de nuées pareils à des rocs déracinés d'un sol.

Par instants, des ondées crevaient et engloutissaient la vallée sous des torrents de pluie.

Ce jour-là, le firmament avait changé d'aspect. Les

flots d'encre s'étaient volatilisés et taris, les aspérités des
nuages s'étaient fondues; le ciel était uniformément plat,
couvert d'une taie saumâtre. Peu à peu, cette taie parut
descendre, une brume d'eau enveloppa la campagne;
la pluie ne croula plus, par cataractes, ainsi que la veille,
mais elle tomba, sans relâche, fine, pénétrante, aiguë,
délayant les allées, gâchant les routes, joignant avec ses
fils innombrables la terre au ciel; la lumière se brouilla;
un jour livide éclaira le village maintenant transformé en
un lac de boue pointillé par les aiguilles de l'eau qui
piquaient de gouttes de vif argent le liquide fangeux des
flaques; dans la désolation de la nature, toutes les couleurs
se fanèrent, laissant seuls les toits luire sur les tons éteints
des murs.

Quel temps! soupira le vieux domestique, en déposant
sur une chaise les vêtements que réclamait son maître,
un complet jadis commandé à Londres.

Pour toute réponse des Esseintes se frotta les mains, et
s'installa devant une bibliothèque vitrée où un jeu de
chaussettes de soie était disposé en éventail; il hésitait sur
la nuance, puis, rapidement, considérant la tristesse du
jour, le camaïeu morose de ses habits, songeant au but à
atteindre, il choisit une paire de soie feuille-morte, les
enfila rapidement, se chaussa de brodequins à agrafes et à
bouts découpés, revêtit le complet, gris-souris, quadrillé
de gris-lave et pointillé de martre, se coiffa d'un petit
melon, s'enveloppa d'un mac-farlane bleu-lin et, suivi du
domestique qui pliait sous le poids d'une malle, d'une
valise à soufflets, d'un sac de nuit, d'un carton à chapeau,
d'une couverture de voyage renfermant des parapluies et
des cannes, il gagna la gare. Là, il déclara au domestique
qu'il ne pouvait fixer la date de son retour, qu'il revien-
drait dans un an, dans un mois, dans une semaine, plus tôt
peut-être, ordonna que rien ne fût changé de place au
logis, remit l'approximative somme nécessaire à l'entretien
du ménage pendant son absence, et il monta en wagon,
laissant le vieillard ahuri, bras ballants et bouche béante,
derrière la barrière où s'ébranlait le train.

Il était seul dans son compartiment; une campagne
indécise, sale, vue telle qu'au travers d'un aquarium d'eau
trouble, fuyait à toute volée derrière le convoi que cinglait
la pluie. Plongé dans ses réflexions, des Esseintes ferma
les yeux.

Une fois de plus, cette solitude si ardemment enviée
et enfin acquise, avait abouti à une détresse affreuse;

ce silence qui lui était autrefois apparu comme une compensation des sottises écoutées pendant des ans, lui pesait maintenant d'un poids insoutenable. Un matin, il s'était réveillé, agité ainsi qu'un prisonnier mis en cellule; ses lèvres énervées remuaient pour articuler des sons, des larmes lui montaient aux yeux, il étouffait de même qu'un homme qui aurait sangloté pendant des heures.

Dévoré du désir de marcher, de regarder une figure humaine, de parler avec un autre être, de se mêler à la vie commune, il en vint à retenir ses domestiques, appelés sous un prétexte; mais la conversation était impossible; outre que ces vieilles gens, ployés par des années de silence et des habitudes de garde-malades, étaient presque muets, la distance à laquelle les avait toujours tenus des Esseintes n'était point faite pour les engager à desserrer les dents. D'ailleurs, ils possédaient des cerveaux inertes et étaient incapables de répondre autrement que par des monosyllabes aux questions qu'on leur posait.

Il ne put donc se procurer aucune ressource, aucun soulagement près d'eux; mais un nouveau phénomène se produisit. La lecture de Dickens qu'il avait naguère consommée pour s'apaiser les nerfs et qui n'avait produit que des effets contraires aux effets hygiéniques qu'il espérait, commença lentement à agir dans un sens inattendu, déterminant des visions de l'existence anglaise qu'il ruminait pendant des heures; peu à peu, dans ces contemplations fictives, s'insinuèrent des idées de réalité précise, de voyage accompli, de rêves vérifiés sur lesquels se greffa l'envie d'éprouver des impressions neuves et d'échapper ainsi aux épuisantes débauches de l'esprit s'étourdissant à moudre à vide.

Cet abominable temps de brouillard et de pluie aidait encore à ces pensées, en appuyant les souvenirs de ses lectures, en lui mettant la constante image sous les yeux d'un pays de brume et de boue, en empêchant ses désirs de dévier de leur point de départ, de s'écarter de leur source.

Il n'y tint plus, et brusquement il s'était décidé, un jour. Sa hâte fut telle qu'il prit la fuite bien avant l'heure, voulant se dérober au présent, se sentir bousculé dans un brouhaha de rue, dans un vacarme de foule et de gare.

Je respire, se disait-il, au moment où le convoi ralentissait sa valse et s'arrêtait dans la rotonde du débarcadère de Sceaux, en rhythmant ses dernières pirouettes, par le fracas saccadé des plaques tournantes.

Une fois au boulevard d'Enfer, dans la rue, il héla un
cocher, jouissant à être ainsi empêtré avec ses malles et ses
couvertures. Moyennant la promesse d'un copieux pour-
boire, il s'entendit avec l'homme au pantalon noisette et
au gilet rouge : — A l'heure, fit-il, et, rue de Rivoli, vous
vous arrêterez devant le *Galignani's Messenger;* car il
songeait à acheter, avant son départ, un guide Baedeker
ou Murray, de Londres.

La voiture s'ébranla lourdement, soulevant autour de
ses roues des cerceaux de crotte; on naviguait en plein
marécage; sous le ciel gris qui semblait s'appuyer sur le
toit des maisons, les murailles ruisselaient du haut en bas,
les gouttières débordaient, les pavés étaient enduits d'une
boue de pain d'épice dans laquelle les passants glissaient;
sur les trottoirs que râflaient les omnibus, des gens tassés
s'arrêtaient, des femmes retroussées jusqu'aux genoux,
courbées sous des parapluies, s'aplatissaient pour éviter
des éclaboussures, contre les boutiques.

La pluie entrait en diagonale par les portières; des
Esseintes dut relever les glaces que l'eau raya de ses
cannelures tandis que des gouttes de fange rayonnaient
comme un feu d'artifice de tous les côtés du fiacre. Au
bruit monotone des sacs de pois secoués sur sa tête par
l'ondée dégoulinant sur les malles et sur le couvercle de la
voiture, des Esseintes rêvait à son voyage; c'était déjà un
acompte de l'Angleterre qu'il prenait à Paris par cet
affreux temps; un Londres pluvieux, colossal, immense,
puant la fonte échauffée et la suie, fumant sans relâche
dans la brume se déroulait maintenant devant ses yeux;
puis des enfilades de docks s'étendaient à perte de vue,
pleins de grues, de cabestans, de ballots, grouillant
d'hommes perchés sur des mâts, à califourchon sur des
vergues, alors que, sur les quais, des myriades d'autres
hommes étaient penchés, le derrière en l'air, sur des
barriques qu'ils poussaient dans des caves.

Tout cela s'agitait sur des rives, dans des entrepôts
gigantesques, baignés par l'eau teigneuse et sourde d'une
imaginaire Tamise, dans une futaie de mâts, dans une
forêt de poutres crevant les nuées blafardes du firmament,
pendant que des trains filaient, à toute vapeur, dans le ciel,
que d'autres roulaient dans les égouts, éructant des cris
affreux, vomissant des flots de fumée par des bouches de
puist, que par tous les boulevards, par toutes les rues, où
éclataient, dans un éternel crépuscule, les monstrueuses
et voyantes infamies de la réclame, des flots de voitures

coulaient, entre des colonnes de gens, silencieux, affairés, les yeux en avant, les coudes au corps.

Des Esseintes frissonnait délicieusement à se sentir confondu dans ce terrible monde de négociants, dans cet isolant brouillard, dans cette incessante activité, dans cet impitoyable engrenage broyant des millions de déshérités que des philanthropes excitaient, en guise de consolation, à réciter des versets et à chanter des psaumes.

Puis, la vision s'éteignit brusquement avec un cahot du fiacre qui le fit rebondir sur la banquette. Il regarda par les portières; la nuit était venue; les becs de gaz clignotaient, au milieu d'un halo jaunâtre, en pleine brume; des rubans de feux nageaient dans des mares et semblaient tourner autour des roues des voitures qui sautaient dans de la flamme liquide et sale; il tenta de se reconnaître, aperçut le Carrousel et, subitement, sans motif, peut-être par le simple contre-coup de la chute qu'il faisait du haut d'espaces feints, sa pensée rétrograda jusqu'au souvenir d'un incident trivial : il se rappela que le domestique avait négligé de mettre, tandis qu'il le regardait préparer ses malles, une brosse à dents parmi les ustensiles de son nécessaire de toilette; alors il passa en revue la liste des objets empaquetés; tous avaient été rangés dans sa valise, mais la contrariété d'avoir omis cette brosse persista jusqu'à ce que le cocher, en s'arrêtant, rompit la chaîne de ces réminiscences et de ces regrets.

Il était, dans la rue de Rivoli, devant le *Galignani's Messenger*. Séparées par une porte aux verres dépolis couverts d'inscriptions et munis de passe-partout encadrant des découpures de journaux et des bandes azurées de télégrammes, deux grandes vitrines regorgeaient d'albums et de livres. Il s'approcha, attiré par la vue de ces cartonnages en papier bleu-perruquier et vert-chou gaufrés, sur toutes les coutures, de ramages d'argent et d'or, de ces couvertures en toiles couleur carmélite, poireau, caca d'oie, groseille, estampées au fer froid, sur les plats et le dos, de filets noirs. Tout cela avait une touche antiparisienne, une tournure mercantile, plus brutale et pourtant moins vile que celles des reliures de camelote, en France; çà et là, au milieu d'albums ouverts, reproduisant des scènes humoristiques de du Maurier et de John Leech, ou lançant au travers de plaines en chromo les délirantes cavalcades de Caldecott, quelques romans français apparaissaient, mêlant à ces verjus de teintes, des vulgarités bénignes et satisfaites.

Il finit par s'arracher à cette contemplation, poussa la porte, pénétra dans une vaste bibliothèque, pleine de monde; des étrangères assises dépliaient des cartes et baragouinaient, en des langues inconnues, des remarques. Un commis lui apporta toute une collection de guides. A son tour, il s'assit, retournant ces livres dont les flexibles cartonnages pliaient entre ses doigts. Il les parcourut, s'arrêta sur une page du Baedeker, décrivant les musées de Londres. Il s'intéressait aux détails laconiques et précis du guide; mais son attention dévia de l'ancienne peinture anglaise sur la nouvelle qui le sollicitait davantage. Il se rappelait certains spécimens qu'il avait vus, dans les expositions internationales, et il songeait qu'il les reverrait peut-être à Londres : des tableaux de Millais, la « Veillée de sainte Agnès » d'un vert argenté si lunaire, des tableaux de Watts, aux couleurs étranges, bariolés de gomme-gutte et d'indigo, des tableaux esquissés par un Gustave Moreau malade, brossés par un Michel-Ange anémié et retouchés par un Raphaël noyé dans le bleu; entre autres toiles, il se rappelait une « Dénonciation de Caïn », une « Ida » et des « Eves » où, dans le singulier et mystérieux amalgame de ces trois maîtres, sourdait la personnalité tout à la fois quintessenciée et brute d'un Anglais docte et rêveur, tourmenté par des hantises de tons atroces.

Toutes ces toiles assaillaient en foule sa mémoire. Le commis étonné par ce client qui s'oubliait devant une table, lui demanda sur lequel de ces guides il fixait son choix. Des Esseintes demeura ébaubi, puis il s'excusa, fit l'emplette d'un Baedeker et franchit la porte. L'humidité le glaça; le vent soufflait de côté, cinglait les arcades de ses fouets de pluies. — Allez là, fit-il, au cocher, en désignant du doigt au bout d'une galerie, un magasin qui formait l'angle de la rue de Rivoli et de la rue Castiglione et ressemblait avec ses carreaux blanchâtres, éclairés en dedans, à une gigantesque veilleuse, brûlant dans le malaise de ce brouillard, dans la misère de ce temps malade.

C'était la « Bodéga ». Des Esseintes s'égara dans une grande salle qui s'allongeait, en couloir, soutenue par des piliers de fonte, bardée, de chaque côté de ses murs, de hautes futailles posées tout debout sur des chantiers.

Cerclées de fer, la panse garnie de créneaux de bois simulant un ratelier de pipes dans les crans duquel pendaient des verres en forme de tulipes, le pied en l'air; le bas-ventre troué et emmanché d'une cannelle de grès,

ces barriques armoriées d'un blason royal, étalaient sur des
étiquettes en couleur le nom de leur cru, la contenance
de leurs flancs, le prix de leur vin, acheté à la pièce, à la
bouteille, ou dégusté au verre.

Dans l'allée restée libre entre ces rangées de tonneaux,
sous les flammes du gaz qui bourdonnait aux becs d'un
affreux lustre peint en gris fer, des tables couvertes de
corbeilles de biscuits Palmers, de gâteaux salés et secs,
d'assiettes où s'entassaient des mince-pie et des sand-
wichs cachant sous leurs fades enveloppes d'ardents
sinapismes à la moutarde, se succédaient entre une haie de
chaises, jusqu'au fond de cette cave encore bardée de
nouveaux muids portant sur leur tête de petits barils,
couchés sur le flanc, estampillés de titres gravés au fer
chaud, dans le chêne.

Un fumet d'alcool saisit des Esseintes lorsqu'il prit
place dans cette salle où sommeillaient de puissants vins.
Il regarda autour de lui : ici, les foudres s'alignaient,
détaillant toute la série des porto, des vins âpres ou
fruiteux, couleur d'acajou ou d'amarante, distingués par
de laudatives épithètes : « old port, light delicate, cock-
burn's very fine, magnificent old Regina »; là, bombant
leurs formidables abdomens, se pressaient, côte à côte,
des fûts énormes renfermeant le vin martial de l'Espagne,
le xérès et ses dérivés, couleur de topaze brûlée ou crue,
le san lucar, le pasto, le pale dry, l'oloroso, l'amontilla,
sucrés ou secs.

La cave était pleine; accoudé sur un coin de table, des
Esseintes attendait le verre de porto commandé à un
gentleman, en train de déboucher d'explosifs sodas
contenus dans des bouteilles ovales qui rappelaient, en
les exagérant, ces capsules de gélatine et de gluten
employées par les pharmacies pour masquer le goût de
certains remèdes.

Tout autour de lui, des Anglais foisonnaient : des
dégaines de pâles clergymens, vêtus de noir de la tête aux
pieds, avec des chapeaux mous, des souliers lacés, des
redingotes interminables constellées sur la poitrine de
petits boutons, des mentons ras, des lunettes rondes, des
cheveux graisseux et plats; des trognes de tripiers et des
mufles de dogues avec des cous apoplectiques, des oreilles
comme des tomates, des joues vineuses, des yeux injectés
et idiots, des colliers de barbe pareils à ceux de quelques
grands singes; plus loin, au bout du chai, un long dépen-
deur d'andouilles aux cheveux d'étoupe, au menton

garni de poils blancs ainsi qu'un fond d'artichaut, déchiffrait, au travers d'un microscope, les minuscules romains d'un journal anglais ; en face, une sorte de commodore américain, boulot et trapu, les chairs boucanées et le nez en bulbe, s'endormait, regardant, un cigare planté dans le trou velu de sa bouche, des cadres pendus aux murs renfermant des annonces de vins de Champagne, les marques de Perrier et de Rœderer, d'Heidsieck et de Mumm, et une tête encapuchonnée de moine, avec le nom écrit en caractères gothiques de Dom Pérignon, à Reims.

Un certain amollissement enveloppa des Esseintes dans cette atmosphère de corps de garde ; étourdi par les bavardages des Anglais causant entre eux, il rêvassait, évoquant devant la pourpre des porto remplissant les verres, les créatures de Dickens qui aiment tant à les boire, peuplant imaginairement la cave de personnages nouveaux, voyant ici, les cheveux blancs et le teint enflammé de Monsieur Wickfield ; là, la mine flegmatique et rusée et l'œil implacable de Monsieur Tulkinghorn, le funèbre avoué de Bleak-house. Positivement, tous se détachaient de sa mémoire, s'installaient, dans la Bodéga, avec leurs faits et leurs gestes ; ses souvenirs, ravivés par de récentes lectures, atteignaient une précision inouïe. La ville du romancier, la maison bien éclairée, bien chauffée, bien servie, bien close, les bouteilles lentement versées par la petite Dorrit, par Dora Copperfield, par la sœur de Tom Pinch, lui apparurent naviguant ainsi qu'une arche tiède, dans un déluge de fange et de suie. Il s'acagnarda dans ce Londres fictif, heureux d'être à l'abri, écoutant naviguer sur la Tamise les remorqueurs qui poussaient de sinistres hurlements, derrière les Tuileries, près du pont. Son verre était vide ; malgré la vapeur éparse dans cette cave encore échauffée par les fumigations des cigares et des pipes, il éprouvait, en retombant dans la réalité, par ce temps d'humidité fétide, un petit frisson.

Il demanda un verre d'amontillado, mais alors devant ce vin sec et pâle, les lénitives histoires, les douces malvacées de l'auteur anglais se défeuillèrent et les impitoyables révulsifs, les douloureux rubéfiants d'Edgar Poe, surgirent ; le froid cauchemar de la barrique d'amontillado, de l'homme muré dans un souterrain, l'assaillit ; les faces bénévoles et communes des buveurs américains et anglais qui occupaient la salle, lui parurent refléter d'involontaires et d'atroces pensées, d'instinctifs et d'odieux desseins ;

puis il s'aperçut qu'il s'esseulait, que l'heure du dîner
était proche; il paya, s'arracha de sa chaise, et gagna, tout
étourdi, la porte. Il reçut un soufflet mouillé dès qu'il mit
les pieds dehors; inondés par la pluie et par les rafales, les
réverbères agitaient leurs petits éventails de flamme, sans
éclairer; encore descendu de plusieurs crans, le ciel s'était
abaissé jusqu'au ventre des maisons. Des Esseintes
considéra les arcades de la rue de Rivoli, noyées dans
l'ombre et submergées par l'eau, et il lui sembla qu'il se
tenait dans le morne tunnel creusé sous la Tamise; des
tiraillements d'estomac le rappelèrent à la réalité; il
rejoignit sa voiture, jeta au cocher l'adresse de la taverne
de la rue d'Amsterdam, près de la gare, et il consulta sa
montre : sept heures. Il avait juste le temps de dîner; le
train ne partait qu'à huit heures cinquante minutes, et il
comptait sur ses doigts, supputait les heures de la traversée
de Dieppe à Newhaven, se disant : — Si les chiffres de
l'indicateur sont exacts, je serai demain, sur le coup de
midi et demi, à Londres.

Le fiacre s'arrêta devant la taverne; de nouveau, des
Esseintes descendit et il pénétra dans une longue salle,
sans dorure, brune, divisée par des cloisons à mi-corps, en
une série de compartiments semblables aux boxs des
écuries; dans cette salle, évasée près de la porte, d'abondantes pompes à bières se dressaient sur un comptoir,
près de jambons aussi culottés que de vieux violons, de
homards peints au minium, de maquereaux marinés, avec
des ronds d'oignons et de carottes crus, des tranches de
citron, des bouquets de laurier et de thym, des baies de
genièvre et du gros poivre nageant dans une sauce trouble.

L'un de ces boxs était vide. Il s'en empara et héla un
jeune homme en habit noir, qui s'inclina en jargonnant des
mots incompréhensibles. Pendant que l'on préparait le
couvert, des Esseintes contempla ses voisins; de même
qu'à la Bodéga, des insulaires, aux yeux faïence, au teint
cramoisi, aux airs réfléchis ou rogues, parcouraient des
feuilles étrangères; seulement des femmes, sans cavaliers,
dînaient, entre elles, en tête à tête, de robustes Anglaises
aux faces de garçon, aux dents larges comme des palettes,
aux joues colorées, en pomme, aux longues mains et aux
longs pieds. Elles attaquaient, avec une réelle ardeur, un
rumpsteak-pie, une viande chaude, cuite dans une sauce
aux champignons et revêtue de même qu'un pâté, d'une
croûte.

Après avoir perdu depuis si longtemps l'appétit, il

demeura confondu devant ces gaillardes dont la voracité aiguisa sa faim. Il commanda un potage oxstail, se régala de cette soupe à la queue de bœuf, tout à la fois onctueuse et veloutée, grasse et ferme; puis, il examina la liste des poissons, demanda un haddok, une sorte de merluche fumée qui lui parut louable et, pris d'une fringale à voir s'empiffrer les autres, il mangea un rosbif aux pommes et s'enfourna deux pintes d'ale, excité par ce petit goût de vacherie musquée que dégage cette fine et pâle bière.

Sa faim se comblait; il chipota un bout de fromage bleu de Stilton dont la douceur s'imprégnait d'amertume, picora une tarte à la rhubarbe, et, pour varier, étancha sa soif avec le porter, cette bière noire qui sent le jus de réglisse dépouillé de sucre.

Il respirait; depuis des années il n'avait et autant bâfré et autant bu; ce changement d'habitude, ce choix de nourritures imprévues et solides avait tiré l'estomac de son somme. Il s'enfonça dans sa chaise, alluma une cigarette et s'apprêta à déguster sa tasse de café qu'il trempa de gin.

La pluie continuait à tomber; il l'entendait crépiter sur les vitres qui plafonnaient le fond de la pièce et dégouliner en cascades dans les gargouilles; personne ne bougeait dans la salle; tous se dorlotaient, ainsi que lui, au sec, devant des petits verres.

Les langues se délièrent; comme presque tous ces Anglais levaient, en parlant, les yeux en l'air, des Esseintes conclut qu'ils s'entretenaient du mauvais temps; aucun d'eux ne riait et tous étaient vêtus de cheviote grise, réglée de jaune nankin et de rose de papier buvard. Il jeta un regard ravi sur ses habits dont la couleur et la coupe ne différaient pas sensiblement de celles des autres, et il éprouva le contentement de ne point détonner dans ce milieu, d'être, en quelque sorte et superficiellement, naturalisé citoyen de Londres; puis il eut un sursaut. Et l'heure du train? se dit-il. Il consulta sa montre : huit heures moins dix; j'ai encore près d'une demi-heure à rester là; et une fois de plus, il songea au projet qu'il avait conçu.

Dans sa vie sédentaire, deux pays l'avaient seulement attiré, la Hollande et l'Angleterre.

Il avait exaucé le premier de ses souhaits; n'y tenant plus, un beau jour, il avait quitté Paris et visité les villes des Pays-Bas, une à une.

Somme toute, il était résulté de cruelles désillusions de ce voyage. Il s'était figuré une Hollande, d'après les œuvres de Teniers et de Steen, de Rembrandt et d'Ostade, se façonnant d'avance, à son usage, d'incomparables juiveries aussi dorées que des cuirs de Cordoue par le soleil; s'imaginant de prodigieuses kermesses, de continuelles ribotes dans les campagnes; s'attendant à cette bonhomie patriarcale, à cette joviale débauche célébrées par les vieux maîtres.

Certes, Haarlem et Amsterdam l'avaient séduit; le peuple, non décrassé, vu, dans les vraies campagnes, ressemblait bien à celui peint par Van Ostade, avec ses enfants non équarris et taillés à la serpe et ses commères grasses à lard, bosselées de gros tetons et de gros ventres; mais de joies effrénées, d'ivrogneries familiales, point; en résumé, il devait le reconnaître, l'école hollandaise du Louvre l'avait égaré; elle avait simplement servi de tremplin à ses rêves; il s'était élancé, avait bondi sur une fausse piste et erré dans des visions inégalables, ne découvrant nullement sur la terre ce pays magique et réel qu'il espérait, ne voyant point, sur des gazons semés de futailles, des danses de paysans et de paysannes pleurant de joie, trépignant de bonheur, s'allégeant à force de rire, dans leurs jupes et dans leurs chausses.

Non, décidément, rien de tout cela n'était visible; la Hollande était un pays tel que les autres et, qui plus est, un pays nullement primitif, nullement bonhomme, car la religion protestante y sévissait, avec ses rigides hypocrisies et ses solennelles raideurs.

Ce désenchantement lui revenait; il consulta de nouveau sa montre : dix minutes le séparaient encore de l'heure du train. Il est grand temps de demander l'addition et de partir, se dit-il. Il se sentait une lourdeur d'estomac et une pesanteur, par tout le corps, extrêmes. Voyons, fit-il, pour se verser du courage, buvons le coup de l'étrier; et il remplit un verre de brandy, tout en réclamant sa note. Un individu, en habit noir, une serviette sur le bras, une espèce de majordome au crâne pointu et chauve, à la barbe grisonnante et dure, sans moustaches, s'avança, un crayon derrière l'oreille, se posta, une jambe en avant, comme un chanteur, tira de sa poche un calepin, et, sans regarder son papier, les yeux fixés sur le plafond, près d'un lustre, inscrivit et compta la dépense. Voilà, dit-il, en arrachant la feuille de son calepin, et il la remit à des Esseintes qui le considérait curieusement, ainsi qu'un animal rare. Quel surprenant John Bull, pensait-il, en contemplant ce flegmatique personnage à

qui sa bouche rasée donnait aussi la vague apparence
d'un timonier de la marine américaine.

A ce moment, la porte de la taverne s'ouvrit; des gens
entrèrent apportant avec eux une odeur de chien mouillé
à laquelle se mêla une fumée de houille, rabattue par le
vent dans la cuisine dont la porte sans loquet claqua;
des Esseintes était incapable de remuer les jambes; un
doux et tiède anéantissement se glissait par tous ses
membres, l'empêchait même d'étendre la main pour
allumer un cigare. Il se disait : Allons, voyons, debout,
il faut filer; et d'immédiates objections contrariaient ses
ordres. A quoi bon bouger, quand on peut voyager si
magnifiquement sur une chaise ? N'était-il pas à Londres
dont les senteurs, dont l'atmosphère, dont les habitants,
dont les pâtures, dont les ustensiles, l'environnaient ?
Que pouvait-il donc espérer, sinon de nouvelles désillusions, comme en Hollande ?

Il n'avait plus que le temps de courir à la gare, et une
immense aversion pour le voyage, un impérieux besoin
de rester tranquille s'imposaient avec une volonté de plus
en plus accusée, de plus en plus tenace. Pensif, il laissa
s'écouler les minutes, se coupant ainsi la retraite, se
disant : Maintenant il faudrait se précipiter aux guichets,
se bousculer aux bagages; quel ennui! quelle corvée ça
serait! — Puis, se répétant, une fois de plus : En somme,
j'ai éprouvé et j'ai vu ce que je voulais éprouver et voir.
Je suis saturé de vie anglaise depuis mon départ; il faudrait être fou pour aller perdre, par un maladroit déplacement, d'impérissables sensations. Enfin quelle aberration ai-je donc eue pour avoir tenté de renier des idées
anciennes, pour avoir condamné les dociles fantasmago-
ries de ma cervelle, pour avoir, ainsi qu'un véritable
béjaune, cru à la nécessité, à la curiosité, à l'intérêt d'une
excursion ? — Tiens, fit-il, regardant sa montre, mais
l'heure est venue de rentrer au logis; cette fois, il se dressa
sur ses jambes, sortit, commanda au cocher de le recon-
duire à la gare de Sceaux, et il revint avec ses malles, ses
paquets, ses valises, ses couvertures, ses parapluies et ses
cannes, à Fontenay, ressentant l'éreintement physique et
la fatigue morale d'un homme qui rejoint son chez soi,
après un long et périlleux voyage.

XII

Durant les jours qui suivirent son retour, des Esseintes considéra ses livres, et à la pensée qu'il aurait pu se séparer d'eux pendant longtemps, il goûta une satisfaction aussi effective que celle dont il eût joui s'il les avait retrouvés, après une sérieuse absence. Sous l'impulsion de ce sentiment, ces objets lui semblèrent nouveaux, car il perçut en eux des beautés oubliées depuis l'époque où il les avait acquis.

Tout, volumes, bibelots, meubles, prit à ses yeux un charme particulier; son lit lui parut plus moelleux, en comparaison de la couchette qu'il aurait occupée à Londres; le discret et silencieux service de ses domestiques l'enchanta, fatigué qu'il était, par la pensée, de la loquacité bruyante des garçons d'hôtel; l'organisation méthodique de sa vie lui fit l'effet d'être plus enviable, depuis que le hasard des pérégrinations devenait possible.

Il se retrempa dans ce bain de l'habitude auquel d'artificiels regrets insinuaient une qualité plus roborative et plus tonique.

Mais ses volumes le préoccupèrent principalement. Il les examina, les rangea à nouveau sur les rayons, vérifiant si, depuis son arrivée à Fontenay, les chaleurs et les pluies n'avaient point endommagé leurs reliures et piqué leurs papiers rares.

Il commença par remuer toute sa bibliothèque latine, puis il disposa dans un nouvel ordre les ouvrages spéciaux d'Archélaüs, d'Albert le Grand, de Lulle, d'Arnaud de Villanova traitant de kabbale et de sciences occultes; enfin il compulsa, un à un, ses livres modernes, et joyeusement il constata que tous étaient demeurés, au sec, intacts.

Cette collection lui avait coûté de considérables

sommes ; il n'admettait pas, en effet, que les auteurs qu'il
choyait fussent, dans sa bibliothèque, de même que dans
celles des autres, gravés sur du papier de coton, avec les
souliers à clous d'un Auvergnat.

A Paris, jadis, il avait fait composer, pour lui seul,
certains volumes que des ouvriers spécialement embau-
chés, tiraient aux presses à bras ; tantôt il recourait à
Perrin de Lyon dont les sveltes et purs caractères convenaient aux réimpressions archaïques des vieux bouquins ;
tantôt il faisait venir d'Angleterre ou d'Amérique, pour
la confection des ouvrages du présent siècle, des lettres
neuves ; tantôt encore il s'adressait à une maison de Lille
qui possédait, depuis des siècles, tout un jeu de corps
gothiques ; tantôt enfin il réquisitionnait l'ancienne
imprimerie Enschedé, de Haarlem, dont la fonderie
conserve les poinçons et les frappes des caractères dits
de civilité.

Et il avait agi de même pour ses papiers. Las, un beau
jour, des chines argentés, des japons nacrés et dorés, des
blancs wathmans, des hollandes bis, des turkeys et des
seychal-mills teints en chamois, et dégoûté aussi par les
papiers fabriqués à la mécanique, il avait commandé des
vergés à la forme, spéciaux, dans les vieilles manufactures
de Vire où l'on se sert encore des pilons naguère usités
pour broyer le chanvre. Afin d'introduire un peu de
variété dans ses collections il s'était, à diverses reprises,
fait expédier de Londres, des étoffes apprêtées, des
papiers à poils, des papiers reps et, pour aider à son
dédain des bibliophiles, un négociant de Lubeck lui
préparait un papier à chandelle perfectionné, bleuté,
sonore, un peu cassant, dans la pâte duquel les fétus
étaient remplacés par des paillettes d'or semblables à
celles qui pointillent l'eau-de-vie de Dantzick.

Il s'était procuré, dans ces conditions, des livres
uniques, adoptant des formats inusités qu'il faisait revêtir
par Lortic, par Trautz-Bauzonnet, par Chambolle, par
les successeurs de Capé, d'irréprochables reliures en soie
antique, en peau de bœuf estampée, en peau de bouc du
Cap, des reliures pleines, à compartiments et à mosaïques,
doublées de tabis ou de moire, ecclésiastiquement ornées
de fermoirs et de coins, parfois même émaillées par
Gruel-Engelmann d'argent oxydé et d'émaux lucides.

Il s'était fait ainsi imprimer avec les admirables lettres
épiscopales de l'ancienne maison Le Clere, les œuvres de
Baudelaire dans un large format rappelant celui des

missels, sur un feutre très léger du Japon, spongieux, doux comme une moelle de sureau et imperceptiblement teinté, dans sa blancheur laiteuse, d'un peu de rose. Cette édition tirée à un exemplaire d'un noir velouté d'encre de Chine, avait été vêtue en dehors et recouverte en dedans d'une mirifique et authentique peau de truie choisie entre mille, couleur chair, toute piquetée à la place de ses poils et ornée de dentelles noires au fer froid, miraculeusement assorties par un grand artiste.

Ce jour-là, des Esseintes ôta cet incomparable livre de ses rayons et il le palpait dévotement, relisant certaines pièces qui lui semblaient, dans ce simple mais inestimable cadre, plus pénétrantes que de coutume.

Son admiration pour cet écrivain était sans borne. Selon lui, en littérature, on s'était jusqu'alors borné à explorer les superficies de l'âme ou à pénétrer dans ses souterrains accessibles et éclairés, relevant, çà et là, les gisement des péchés capitaux, étudiant leurs filons, leur croissance, notant, ainsi que Balzac, par exemple, les stratifications de l'âme possédée par la monomanie d'une passion, par l'ambition, par l'avarice, par la bêtise paternelle, par l'amour sénile.

C'était, au demeurant, l'excellente santé des vertus et des vices, le tranquille agissement des cervelles communément conformées, la réalité pratique des idées courantes, sans idéal de maladive dépravation, sans au-delà; en somme, les découvertes des analystes s'arrêtaient aux spéculations mauvaises ou bonnes, classifiées par l'Eglise; c'était la simple investigation, l'ordinaire surveillance d'un botaniste qui suit de près le développement prévu, de floraisons normales plantées dans de la naturelle terre.

Baudelaire était allé plus loin; il était descendu jusqu'au fond de l'inépuisable mine, s'était engagé à travers des galeries abandonnées ou inconnues, avait abouti à ces districts de l'âme où se ramifient les végétations monstrueuses de la pensée.

Là, près de ces confins où séjournent les aberrations et les maladies, le tétanos mystique, la fièvre chaude de la luxure, les typhoïdes et les vomitos du crime, il avait trouvé, couvant sous la morne cloche de l'Ennui, l'effrayant retour d'âge des sentiments et des idées.

Il avait révélé la psychologie morbide de l'esprit qui a atteint l'octobre de ses sensations; raconté les symptômes des âmes requises par la douleur, privilégiées par le spleen; montré la carie grandissante des impressions,

alors que les enthousiasmes, les croyances de la jeunesse
sont taris, alors qu'il ne reste plus que l'aride souvenir
des misères supportées, des intolérances subies, des
froissements encourus, par des intelligences qu'opprime
un sort absurde.

Il avait suivi toutes les phases de ce lamentable
automne, regardant la créature humaine, docile à s'aigrir,
habile à se frauder, obligeant ses pensées à tricher entre
elles, pour mieux souffrir, gâtant d'avance, grâce à
l'analyse et à l'observation, toute joie possible.

Puis, dans cette sensibilité irritée de l'âme, dans cette
férocité de la réflexion qui repousse la gênante ardeur
des dévouements, les bienveillants outrages de la charité,
il voyait, peu à peu, surgir l'horreur de ces passions âgées,
de ces amours mûres, où l'un se livre encore quand l'autre
se tient déjà en garde, où la lassitude réclame aux couples
des caresses filiales dont l'apparente juvénilité paraît
neuve, des candeurs maternelles dont la douceur repose
et concède, pour ainsi dire, les intéressants remords d'un
vague inceste.

En de magnifiques pages il avait exposé ses amours
hybrides, exaspérées par l'impuissance où elles sont de
se combler, ces dangereux mensonges des stupéfiants et
des toxiques appelés à l'aide pour endormir la souffrance
et mater l'ennui. A une époque où la littérature attribuait
presque exclusivement la douleur de vivre aux malchances
d'un amour méconnu ou aux jalousies de l'adultère, il
avait négligé ces maladies infantiles et sondé ces plaies
plus incurables, plus vivaces, plus profondes, qui sont
creusées par la satiété, la désillusion, le mépris, dans les
âmes en ruine que le présent torture, que le passé répugne,
que l'avenir effraye et désespère.

Et plus des Esseintes relisait Baudelaire, plus il reconnaissait un indicible charme à cet écrivain qui, dans un
temps où le vers ne servait plus qu'à peindre l'aspect
extérieur des êtres et des choses, était parvenu à exprimer
l'inexprimable, grâce à une langue musculeuse et charnue,
qui, plus que toute autre, possédait cette merveilleuse
puissance de fixer avec une étrange santé d'expressions,
les états morbides les plus fuyants, les plus tremblés,
des esprits épuisés et des âmes tristes.

Après Baudelaire le nombre était assez restreint, des
livres français rangés sur ses rayons. Il était assurément
insensible aux œuvres sur lesquelles il est d'un goût
adroit de se pâmer. « Le grand rire de Rabelais » et « le

solide comique de Molière » ne réussissaient pas à le
dérider, et son antipathie envers ces farces allait même
assez loin pour qu'il ne craignît pas de les assimiler, au
point de vue de l'art, à ces parades des bobèches qui
aident à la joie des foires.

En fait de poésies anciennes, il ne lisait guère que
Villon, dont les mélancoliques ballades le touchaient et,
çà et là, quelques morceaux de d'Aubigné qui lui fouet-
taient le sang avec les incroyables virulences de leurs
apostrophes et de leurs anathèmes.

En prose, il se souciait fort peu de Voltaire et de
Rousseau, voire même de Diderot, dont les « Salons »
tant vantés lui paraissaient singulièrement remplis de
fadaises morales et d'aspirations jobardes; en haine de
tous ces fatras, il se confinait presque exclusivement dans
la lecture de l'éloquence chrétienne, dans la lecture de
Bourdaloue et de Bossuet dont les périodes sonores et
parées lui imposaient; mais, de préférence encore, il
savourait ces moelles condensées en de sévères et fortes
phrases, telles que les façonnèrent Nicole, dans ses
pensées, et surtout Pascal dont l'austère pessimisme, dont
la douloureuse attrition lui allaient au cœur.

A part ces quelques livres, la littérature française
commençait, dans sa bibliothèque, avec le siècle.

Elle se divisait en deux groupes : l'un comprenait la
littérature ordinaire, profane; l'autre la littérature catholique, une littérature spéciale, à peu près inconnue,
divulguée pourtant par de séculaires et d'immenses maisons de librairie, aux quatre coins du monde.

Il avait eu le courage d'errer parmi ces cryptes, et,
ainsi que dans l'art séculier, il avait découvert, sous un
gigantesque amas d'insipidités, quelques œuvres écrites
par de vrais maîtres.

Le caractère distinctif de cette littérature, c'était la
constante immuabilité de ses idées et de sa langue; de
même que l'Eglise avait perpétué la forme primordiale
des objets saints, de même aussi, elle avait gardé les
reliques de ses dogmes et pieusement conservé la châsse
qui les enfermait, la langue oratoire du grand siècle. Ainsi
que le déclarait même l'un de ses écrivains, Ozanam, le
style chrétien n'avait que faire de la langue de Rousseau;
il devait exclusivement se servir du dialecte employé par
Bourdaloue et par Bossuet.

En dépit de cette affirmation, l'Eglise, plus tolérante,
fermait les yeux sur certaines expressions, sur certaines

tournures empruntées à la langue laïque du même siècle,
et l'idiome catholique s'était un peu dégorgé de ses
phrases massives, alourdies, chez Bossuet surtout, par la
longueur de ces incidentes et par le pénible ralliement
de ses pronoms ; mais là s'étaient bornées les concessions,
et d'autres n'eussent sans doute mené à rien, car, ainsi
délestée, cette prose pouvait suffire aux sujets restreints
que l'Eglise se condamnait à traiter.

Incapable de s'attaquer à la vie contemporaine, de
rendre visible et palpable l'aspect le plus simple des êtres
et des choses, inapte à expliquer les ruses compliquées
d'une cervelle indifférente à l'état de grâce, cette langue
excellait cependant aux sujets abstraits ; utile dans la
discussion d'une controverse, dans la démonstration
d'une théorie, dans l'incertitude d'un commentaire, elle
avait, plus que toute autre aussi, l'autorité nécessaire
pour affirmer, sans discussion, la valeur d'une doctrine.

Malheureusement, là comme partout, une innombrable
armée de cuistres avait envahi le sanctuaire et sali par
son ignorance et son manque de talent, sa tenue rigide
et noble ; pour comble de malchance, des dévotes s'en
étaient mêlées et de maladroites sacristies et d'imprudents
salons avaient exalté ainsi que des œuvres de génie, les
misérables bavardages de ces femmes.

Des Esseintes avait eu la curiosité de lire parmi ces
œuvres, celles de madame Swetchine, cette générale russe,
dont la maison fut, à Paris, recherchée par les plus fer-
vents des catholiques ; elles avaient dégagé pour lui un
inaltérable et un accablant ennui ; elles étaient plus que
mauvaises, elles étaient quelconques ; cela donnait l'idée
d'un écho retenu par une petite chapelle où tout un
monde gourmé et confit, marmottait ses prières, se
demandait, à voix basse, de ses nouvelles, se répétait,
d'un air mystérieux et profond, quelques lieux communs
sur la politique, sur les prévisions du baromètre, sur l'état
actuel de l'atmosphère.

Mais il y avait pis : une lauréate brevetée de l'Institut,
madame Augustus Craven, l'auteur du *Récit d'une sœur*,
d'une *Eliane*, d'un *Fleurange*, soutenus à grand renfort
de serpent et d'orgue, par la presse apostolique toute
entière. Jamais, non, jamais des Esseintes n'avait imaginé
qu'on pût écrire de pareilles insignifiances. Ces livres
étaient, au point de vue de la conception, d'une telle
nigauderie et ils étaient écrits dans une langue si nau-

séeuse, qu'ils en devenaient presque personnels, presque rares.

Du reste, ce n'était point parmi les femmes que des Esseintes, qui avait l'âme peu fraîche et qui était peu sentimental de sa nature, pouvait rencontrer un retrait littéraire adapté suivant ses goûts.

Il s'ingénia pourtant et, avec une attention qu'aucune impatience ne put réduire, à savourer l'œuvre de la fille de génie, de la Vierge aux bas bleus du groupe ; ses efforts échouèrent ; il ne mordit point à ce *Journal* et à ces *Lettres* où Eugénie de Guérin célèbre sans discrétion le prodigieux talent d'un frère qui rimait, avec une telle ingénuité, avec une telle grâce, qu'il fallait, à coup sûr, remonter aux œuvres de M. de Jouy et de M. Ecouchard Lebrun, afin d'en trouver et d'aussi hardies et d'aussi neuves !

Il avait inutilement aussi tenté de comprendre les délices de ces ouvrages où l'on découvre des récits tels que ceux-ci : « J'ai suspendu, ce matin, à côté du lit de papa, une croix qu'une petite fille lui donna hier. » — « Nous sommes invitées, Mimi et moi, à assister, demain, chez M. Roquiers, à la bénédiction d'une cloche ; cette course ne me déplaît pas » ; — où l'on relève des événements de cette importance : « Je viens de suspendre à mon cou une médaille de la sainte Vierge que Louise m'a envoyée, pour préservatif du choléra » ; — de la poésie de ce genre : « O le beau rayon de lune qui vient de tomber sur l'évangile que je lisais ! » — enfin, des observations aussi pénétrantes et aussi fines que celle-ci : « Quand je vois passer devant une croix un homme qui se signe ou ôte son chapeau, je me dis : Voilà un chrétien qui passe. »

Et cela continuait de la sorte, sans arrêt, sans trêve, jusqu'à ce que Maurice de Guérin mourût et que sa sœur le pleurât en de nouvelles pages, écrites dans une prose aqueuse que parsemaient, çà et là, des bouts de poèmes dont l'humiliante indigence finissait par apitoyer des Esseintes.

Ah ! ce n'était pas pour dire, mais le parti catholique était bien peu difficile dans le choix de ses protégées et bien peu artiste ! Ces lymphes qu'il avait tant choyées et pour lesquelles il avait épuisé l'obéissance de ses feuilles, écrivaient toutes comme des pensionnaires de couvent, dans une langue blanche, dans un de ces flux de la phrase qu'aucun astringent n'arrête !

Aussi des Esseintes se détournait-il de cette littérature, avec horreur ; mais, ce n'étaient pas non plus les maîtres modernes du sacerdoce, qui lui offraient des compensations suffisantes pour remédier à ses déboires. Ceux-là étaient des prédicateurs ou des polémistes impeccables et corrects, mais la langue chrétienne avait fini, dans leurs discours et dans leurs livres, par devenir impersonnelle, par se figer dans une rhétorique aux mouvements et aux repos prévus, dans une série de périodes construites d'après un modèle unique. Et en effet, tous les ecclésiastiques écrivaient de même, avec un peu plus ou un peu moins d'abandon ou d'emphase, et la différence était presque nulle entre les grisailles tracées par NN. SS. Dupanloup ou Landriot, La Bouillerie ou Gaume, par Dom Guéranger ou le père Ratisbonne, par Monseigneur Freppel ou Monseigneur Perraud, par les RR. PP. Ravignan ou Gratry, par le jésuite Olivain, le carme Dosithée, le dominicain Didon ou par l'ancien prieur de Saint-Maximin, le Révérend Chocarne.

Souvent des Esseintes y avait songé : il fallait un talent bien authentique, une originalité bien profonde, une conviction bien ancrée, pour dégeler cette langue si froide, pour animer ce style public que ne pouvait soutenir aucune pensée qui fût imprévue, aucune thèse qui fût brave.

Cependant quelques écrivains existaient dont l'ardente éloquence fondait et tordait cette langue, Lacordaire surtout, l'un des seuls écrivains qu'ait, depuis des années, produits l'Eglise.

Enfermé, de même que tous ses confrères, dans le cercle étroit des spéculations orthodoxes, obligé, ainsi qu'eux, de piétiner sur place et de ne toucher qu'aux idées émises et consacrées par les Pères de l'Eglise et développées par les maîtres de la chaire, il parvenait à donner le change, à les rajeunir, presque à les modifier, par une forme plus personnelle et plus vive. Çà et là, dans ses Conférences de Notre-Dame, des trouvailles d'expressions, des audaces de mots, des accents d'amour, des bondissements, des cris d'allégresse, des effusions éperdues qui faisaient fumer le style séculaire sous sa plume. Puis, en sus de l'orateur de talent, qu'était cet habile et doux moine dont les adresses et dont les efforts s'étaient épuisés dans l'impossible tâche de concilier les doctrines libérales d'une société avec les dogmes autoritaires de l'Eglise, il y avait en lui un tempérament de fervente

dilection, de diplomatique tendresse. Alors, dans les
lettres qu'il écrivait à des jeunes gens, passaient des
caresses de père exhortant ses fils, de souriantes répri-
mandes, de bienveillants conseils, d'indulgents pardons.
D'aucunes étaient charmantes, où il avouait toute sa
gourmandise d'affection, et d'autres étaient presque imposantes lorsqu'il soutenait le courage et dissipait les doutes,
par les inébranlables certitudes de sa Foi. En somme, ce
sentiment de paternité qui prenait sous sa plume quelque
chose de délicat et de féminin imprimait à sa prose un
accent unique parmi toute la littérature cléricale.

Après lui, bien rares se faisaient les ecclésiastiques et
les moines qui eussent une individualité quelconque.
Tout au plus, quelques pages de son élève l'abbé Peyreyve, pouvaient-elles supporter une lecture. Il avait
laissé de touchantes biographies de son maître, écrit
quelques aimables lettres, composé des articles, dans la
langue sonore des discours, prononcé des panégyriques où
le ton déclamatoire dominait trop. Certes, l'abbé Peyreyve
n'avait ni les émotions, ni les flammes de Lacordaire.
Il était trop prêtre et trop peu homme ; çà et là pourtant
dans sa rhétorique de sermon éclataient des rapprochements curieux, des phrases larges et solides, des éléva-
tions presque augustes.

Mais, il fallait arriver aux écrivains qui n'avaient point
subi l'Ordination, aux écrivains séculiers, attachés aux
intérêts du catholicisme et dévoués à sa cause, pour
retrouver des prosateurs qui valussent qu'on s'arrêtât.

Le style épiscopal, si banalement manié par les prélats,
s'était retrempé et avait, en quelque sorte, reconquis une
mâle vigueur, avec le comte de Falloux. Sous son apparence modérée, cet académicien exsudait du fiel ; ses discours prononcés, en 1848, au Parlement, étaient diffus et
ternes, mais ses articles insérés dans le *Correspondant* et
réunis depuis en livres, étaient mordants et âpres, sous la
politesse exagérée de leur forme. Conçus comme des
harangues, ils contenaient une certaine verve amère et
surprenaient par l'intolérance de leur conviction.

Polémiste dangereux à cause de ses embuscades, logi-
cien retors, marchant de côté, frappant à l'improviste, le
comte de Falloux avait aussi écrit de pénétrantes pages
sur la mort de madame Swetchine, dont il avait recueilli
les opuscules et qu'il révérait à l'égal d'une sainte.

Mais, où le tempérament de l'écrivain s'accusait vraiment, c'était dans deux brochures parues l'une en 1846

et l'autre en 1880, cette dernière intitulée : *l'Unité nationale*.

Animé d'une rage froide, l'implacable légitimiste combattait, cette fois, contrairement à ses habitudes, en face, et jetait aux incrédules, en guise de péroraison, ces fulminantes invectives :

« Et vous, utopistes systématiques, qui faites abstraction de la nature humaine, fauteurs d'athéisme, nourris de chimères et de haines, émancipateurs de la femme, destructeurs de la famille, généalogistes de la race simienne, vous, dont le nom était naguère une injure, soyez contents : vous aurez été les prophètes et vos disciples seront les pontifes d'un abominable avenir ! »

L'autre brochure portait ce titre : *le Parti catholique*, et elle était dirigée contre le despotisme de l'*Univers*, et contre Veuillot dont elle se refusait à prononcer le nom. Ici les attaques sinueuses recommençaient, le venin filtrait sous chacune de ces lignes où le gentilhomme, couvert de bleus, répondait par de méprisants sarcasmes aux coups de savate du lutteur.

A eux deux, ils représentaient bien les deux partis de l'Eglise où les dissidences se résolvent en d'intraitables haines ; de Falloux, plus hautain et plus cauteleux, appartenait à cette secte libérale dans laquelle étaient déjà réunis et de Montalembert et Cochin, et Lacordaire et de Broglie ; il appartenait, tout entier, aux idées du *Correspondant*, une revue qui s'efforçait de couvrir d'un vernis de tolérance les théories impérieuses de l'Eglise ; Veuillot, plus débraillé, plus franc, rejetait ces masques, attestait sans hésiter la tyrannie des volontés ultramontaines, avouait et réclamait tout haut l'impitoyable joug de ses dogmes.

Celui-là s'était fabriqué, pour la lutte, une langue particulière, où il entrait du La Bruyère et du faubourien du Gros-Caillou. Ce style mi-solennel, mi-canaille, brandi par cette personnalité brutale, prenait un poids redoutable de casse-tête. Singulièrement entêté et brave, il avait assommé avec ce terrible outil, et les libres penseurs et les évêques, tapant à tour de bras, frappant comme un bœuf sur ses ennemis, à quelque parti qu'ils appartinssent. Tenu en défiance par l'Eglise qui n'admettait ni ce style de contrebande ni ces poses de barrière, ce religieux arsouille s'était quand même imposé par son grand talent, ameutant après lui toute la presse qu'il étrillait jusqu'au sang dans ses *Odeurs de Paris*, tenant tête à tous les assauts, se débarrassant à coups de soulier de tous les bas plumitifs qui s'essayaient à lui sauter aux jambes.

Malheureusement, ce talent incontesté n'existait que dans le pugilat; au calme, Veuillot n'était plus qu'un écrivain médiocre; ses poésies et ses romans inspiraient la pitié; sa langue à la poivrade s'éventait à ne pas cogner; l'arpin catholique se changeait, au repos, en un cacochyme qui toussait de banales litanies et balbutiait d'enfantins cantiques.

Plus guindé, plus contraint, plus grave, était l'apologiste chéri de l'Eglise, l'inquisiteur de la langue chrétienne, Ozanam. Encore qu'il fût difficile à surprendre, des Esseintes ne laissait pas que d'être étonné par l'aplomb de cet écrivain qui parlait des desseins impénétrables de Dieu, alors qu'il eût fallu administrer les preuves des invraisemblables assertions qu'il avançait; avec le plus beau sang-froid, celui-là déformait les événements, contredisait, plus impudemment encore que les panégyristes des autres partis, les actes reconnus de l'histoire, certifiait que l'Eglise n'avait jamais caché l'estime qu'elle faisait de la science, qualifiait les hérésies de miasmes impurs, traitait le bouddhisme et les autres religions avec un tel mépris qu'il s'excusait de souiller la prose catholique par l'attaque même de leurs doctrines.

Par instants, la passion religieuse insufflait une certaine ardeur à sa langue oratoire sous les glaces de laquelle bouillonnait un courant de violence sourde; dans ses nombreux écrits sur le Dante, sur saint François, sur l'auteur du « Stabat », sur les poètes franciscains, sur le socialisme, sur le droit commercial, sur tout, cet homme plaidait la défense du Vatican qu'il estimait indéfectible, appréciait indifféremment toutes les causes suivant qu'elles se rapprochaient ou s'écartaient plus ou moins de la sienne.

Cette manière d'envisager les questions à un seul point de vue était celle aussi de ce piètre écrivassier que d'aucuns lui opposaient comme un rival, Nettement. Celui-là était moins sanglé et il affectait des prétentions moins altières et plus mondaines; à diverses reprises, il était sorti du cloître littéraire où s'emprisonnait Ozanam, et il avait parcouru les œuvres profanes, pour les juger. Il était entré là-dedans à tâtons, ainsi qu'un enfant dans une cave, ne voyant autour de lui que des ténèbres, ne

percevant au milieu de ce noir que la lueur du cierge qui
l'éclairait en avant, à quelques pas.

Dans cette ignorance des lieux, dans cette ombre, il
avait choppé à tout bout de champ, parlant de Mürger
qui avait « le souci du style ciselé et soigneusement fini »,
d'Hugo qui recherchait l'infect et l'immonde et auquel il
osait comparer M. de Laprade, de Delacroix qui dédai-
gnait la règle, de Paul Delaroche et du poète Reboul
qu'il exaltait, parce qu'ils lui semblaient posséder la foi.

Des Esseintes ne pouvait s'empêcher de hausser les
épaules devant ces malheureuses opinions que recouvrait
une prose assistée, dont l'étoffe déjà portée, s'accrochait
et se déchirait, à chaque coin de phrases.

D'un autre côté, les ouvrages de Poujoulat et de
Genoude, de Montalembert, de Nicolas et de Carné ne
lui inspiraient pas une sollicitude beaucoup plus vive;
son inclination pour l'histoire traitée avec un soin érudit
et dans une langue honorable par le duc de Broglie, et
son penchant pour les questions sociales et religieuses
abordées par Henry Cochin qui s'était pourtant révélé
dans une lettre où il racontait une émouvante prise de
voile au Sacré-Cœur, ne se prononçaient guère. Depuis
longtemps, il n'avait plus touché à ces livres, et l'époque
était déjà lointaine où il avait jeté aux vieux papiers les
puériles élucubrations du sépulcral Pontmartin et du
minable Féval, et où il avait confié aux domestiques,
pour un commun usage, les historiettes des Aubineau et
des Lasserre, ces bas hagiographes des miracles opérés
par M. Dupont de Tours et par la Vierge.

En somme, des Esseintes n'extrayait même point de
cette littérature, une passagère distraction à ses ennuis;
aussi repoussait-il dans les angles obscurs de sa bibliothèque ces amas de livres qu'il avait jadis étudiés, lorsqu'il était sorti de chez les Pères. — J'aurais bien dû
abandonner ceux-là à Paris, se dit-il, en dénichant derrière les autres, des livres qui lui étaient plus particulièrement insupportables, ceux de l'abbé Lamennais et
ceux de cet imperméable sectaire, si magistralement, si
pompeusement ennuyeux et vide, le comte Joseph de
Maistre.

Un seul volume restait installé sur un rayon, à portée
de sa main, l'*Homme*, d'Ernest Hello.

Celui-là était l'antithèse absolue de ses confrères en
religion. Presque isolé dans le groupe pieux que ses
allures effarouchaient, Ernest Hello avait fini par quitter

ce chemin de grande communication qui mène de la
terre au ciel; sans doute écœuré par la banalité de cette
voie, et par la cohue de ces pèlerins de lettres qui suivaient à la queue leu-leu, depuis des siècles, la même
chaussée, marchant dans les pas les uns des autres,
s'arrêtant aux mêmes endroits, pour échanger les mêmes
lieux communs sur la religion, sur les Pères de l'Eglise,
sur leurs mêmes croyances, sur leurs mêmes maîtres, il
était parti par les sentiers de traverse, avait débouché
dans la morne clairière de Pascal où il s'était longuement
arrêté pour reprendre haleine, puis il avait continué sa
route et était entré plus avant que le janséniste, qu'il
huait d'ailleurs, dans les régions de la pensée humaine.

Tortillé et précieux, doctoral et complexe, Hello, par
les pénétrantes arguties de son analyse, rappelait à des
Esseintes les études fouillées et pointues de quelques-uns
des psychologues incrédules du précédent et du présent
siècle. Il y avait en lui une sorte de Duranty catholique,
mais plus dogmatique et plus aigu, un manieur expéri-
menté de loupe, un ingénieur savant de l'âme, un habile
horloger de la cervelle, se plaisant à examiner le méca-
nisme d'une passion et à l'expliquer par le menu des
rouages.

Dans cet esprit bizarrement conformé, il existait des
relations de pensées, des rapprochements et des oppositions imprévus; puis, tout un curieux procédé qui faisait de l'étymologie des mots, un tremplin aux idées
dont l'association devenait parfois ténue, mais demeurait
presque constamment ingénieuse et vive.

Il avait ainsi, et malgré le mauvais équilibre de ses
constructions, démonté avec une singulière perspicacité,
« l'Avare », « l'homme médiocre », analysé « le Goût du
monde », « la passion du malheur », révélé les intéressantes comparaisons qui peuvent s'établir entre les opérations de la photographie et celles du souvenir.

Mais cette adresse à manier cet outil perfectionné de
l'analyse qu'il avait dérobé aux ennemis de l'Eglise, ne
représentait que l'un des côtés du tempérament de cet
homme.

Un autre être existait encore, en lui : cet esprit se
dédoublait, et, après l'endroit apparaissait l'envers de
l'écrivain, un fanatique religieux et un prophète biblique.

De même que Hugo dont il rappelait çà et là les luxa-
tions et d'idées et de phrases, Ernest Hello s'était plu à
jouer les petits saint Jean à Pathmos; il pontifiait et

vaticinait du haut d'un rocher fabriqué dans les bon-
dieuseries de la rue Saint-Sulpice, haranguant le lecteur
avec une langue apocalyptique que salait, par places,
l'amertume d'un Isaïe.

Il affectait alors des prétentions démesurées à la profondeur ; quelques complaisants criaient au génie, feignaient
de le considérer comme le grand homme, comme le puits
de science du siècle, un puits peut-être, mais au fond
duquel l'on ne voyait bien souvent goutte.

Dans son volume, *Paroles de Dieu*, où il paraphrasait les
Ecritures et s'efforçait de compliquer leur sens à peu près
clair ; dans son autre livre, l'*Homme*, dans sa brochure, *le
Jour du Seigneur*, rédigée dans un style biblique, entre-
coupé et obscur, il apparaissait ainsi qu'un apôtre vindi-
catif, orgueilleux, rongé de bile, et il se révélait également
tel qu'un diacre atteint de l'épilepsie mystique, tel qu'un
de Maistre qui aurait du talent, tel qu'un sectaire har-
gneux et féroce.

Seulement, pensait des Esseintes, ce dévergondage
maladif bouchait souvent les échappées inventives du
casuiste ; avec plus d'intolérance encore qu'Ozanam, il
niait résolument tout ce qui n'appartenait pas à son clan,
proclamait les axiomes les plus stupéfiants, soutenait, avec
une déconcertante autorité que « la géologie s'était retour-
née vers Moïse », que l'histoire naturelle, que la chimie,
que toute la science contemporaine vérifiaient l'exactitude
scientifique de la Bible ; à chaque page, il était question de
l'unique vérité, du savoir surhumain de l'Eglise, le tout,
semé d'aphorismes plus que périlleux et d'imprécations
furibondes, vomies à plein pot sur l'art du dernier siècle.

A cet étrange alliage s'ajoutaient l'amour des douceurs
béates, des traductions du livre des *Visions* d'Angèle de
Foligno, un livre d'une sottise fluide sans égale, et des
œuvres choisies de Jean Rusbrock l'Admirable, un mystique du XIIIe siècle, dont la prose offrait un incompréhensible mais attirant amalgame d'exaltations ténébreuses,
d'effusions caressantes, de transports âpres.

Toute la pose de l'outrecuidant pontife qu'était Hello,
avait jailli d'une abracadabrante préface écrite à propos de
ce livre. Ainsi qu'il le faisait remarquer, « les choses
extraordinaires ne peuvent que se balbutier », et il balbutiait en effet, déclarant que « la ténèbre sacrée où Rusbrock
étend ses ailes d'aigle, est son océan, sa proie, sa gloire, et
que les quatre horizons seraient pour lui un vêtement trop
étroit ».

Quoi qu'il en fût, des Esseintes se sentait attiré par cet esprit mal équilibré, mais subtil; la fusion n'avait pu s'accomplir entre l'adroit psychologue et le pieux cuistre, et ces cahots, ces incohérences mêmes constituaient la personnalité de cet homme.

Avec lui, s'était recruté le petit groupe des écrivains qui travaillaient sur le front de bandière du camp clérical. Ils n'appartenaient pas au gros de l'armée, étaient, à proprement parler, les batteurs d'estrade d'une Religion qui se défiait des gens de talent, tels que Veuillot, tels que Hello, parce qu'ils ne lui semblaient encore ni assez asservis ni assez plats; au fond, il lui fallait des soldats qui ne raisonnassent point, des troupes de ces combattants aveugles, de ces médiocres dont Hello parlait avec la rage d'un homme qui a subi leur joug; aussi le catholicisme s'était-il empressé d'écarter de ses feuilles l'un de ses partisans, un pamphlétaire enragé, qui écrivait une langue tout à la fois exaspérée et précieuse, coquebine et farouche, Léon Bloy, et avait-il jeté à la porte de ses librairies comme un pestiféré et comme un malpropre, un autre écrivain qui s'était pourtant égosillé à célébrer ses louanges, Barbey d'Aurevilly.

Il est vrai que celui-là était par trop compromettant et par trop peu docile; les autres courbaient, en somme, la tête sous les semonces, et rentraient dans le rang; lui, était l'enfant terrible et non reconnu du parti; il courait littérairement la fille, qu'il amenait toute dépoitraillée dans le sanctuaire. Il fallait même cet immense mépris dont le catholicisme couvre le talent, pour qu'une excommunication en bonne et due forme n'eût point mis hors la loi cet étrange serviteur qui, sous prétexte d'honorer ses maîtres, cassait les vitres de la chapelle, jonglait avec les saints ciboires, exécutait des danses de caractère autour du tabernacle.

Deux ouvrages de Barbey d'Aurevilly attisaient spécialement des Esseintes, *Le Prêtre marié* et *Les Diaboliques*. D'autres, tels que *L'Ensorcelé*, *Le Chevalier des Touches*, *Une vieille maîtresse*, étaient certainement plus pondérés et plus complets, mais ils laissaient plus froid des Esseintes qui ne s'intéressait réellement qu'aux œuvres mal portantes, minées et irritées par la fièvre.

Avec ces volumes presque sains, Barbey d'Aurevilly avait constamment louvoyé entre ces deux fossés de la religion catholique qui arrivent à se joindre : le mysticisme et le sadisme.

Dans ces deux livres que feuilletait des Esseintes, Barbey avait perdu toute prudence, avait lâché bride à sa monture, était parti, ventre à terre, sur les routes qu'il avait parcourues jusqu'à leurs points les plus extrêmes.

Toute la mystérieuse horreur du moyen âge planait au-dessus de cet invraisemblable livre *Le Prêtre marié ;* la magie se mêlait à la religion, le grimoire à la prière, et, plus impitoyable, plus sauvage que le Diable, le Dieu du péché originel torturait sans relâche l'innocente Calixte, sa réprouvée, la désignant par une croix rouge au front, comme jadis il fit marquer par l'un de ses anges les maisons des infidèles qu'il voulait tuer.

Conçues par un moine à jeun, pris de délire, ces scènes se déroulaient dans le style capricant d'un agité ; malheureusement parmi ces créatures détraquées ainsi que des Coppélia galvanisées d'Hoffmann, d'aucunes, telles que le Néel de Néhou, semblaient avoir été imaginées dans ces moments d'affaissement qui succèdent aux crises, et elles détonnaient dans cet ensemble de folie sombre où elles apportaient l'involontaire comique que dégage la vue d'un petit seigneur de zinc, qui joue du cor, en bottes molles, sur le socle d'une pendule.

Après ces divagations mystiques, l'écrivain avait eu une période d'accalmie ; puis une terrible rechute s'était produite.

Cette croyance que l'homme est un âne de Buridan, un être tiraillé entre deux puissances d'égale force, qui demeurent, à tour de rôle, victorieuses de son âme et vaincues ; cette conviction que la vie humaine n'est plus qu'un incertain combat livré entre l'enfer et le ciel ; cette foi en deux entités contraires, Satan et le Christ, devaient fatalement engendrer ces discordes intérieures où l'âme, exaltée par une incessante lutte, échauffée en quelque sorte par les promesses et les menaces, finit par s'abandonner et se prostitue à celui des deux partis dont la poursuite a été la plus tenace.

Dans *Le Prêtre marié,* les louanges du Christ dont les tentations avaient réussi, étaient chantées par Barbey d'Aurevilly ; dans *Les Diaboliques,* l'auteur avait cédé au Diable qu'il célébrait, et alors apparaissait le sadisme, ce bâtard du catholicisme, que cette religion a, sous toutes ses formes, poursuivi de ses exorcismes et de ses bûchers, pendant des siècles.

Cet état si curieux et si mal défini ne peut, en effet, prendre naissance dans l'âme d'un mécréant ; il ne consiste point seulement à se vautrer parmi les excès de la chair, aiguisés par de sanglants sévices, car il ne serait plus alors qu'un écart des sens génésiques, qu'un cas de satyriasis arrivé à son point de maturité suprême ; il consiste avant tout dans une pratique sacrilège, dans une rébellion morale, dans une débauche spirituelle, dans une aberration tout idéale, toute chrétienne ; il réside aussi dans une joie tempérée par la crainte, dans une joie analogue à cette satisfaction mauvaise des enfants qui désobéissent et jouent avec des matières défendues, par ce seul motif que leurs parents leur en ont expressément interdit l'approche.

En effet, s'il ne comportait point un sacrilège, le sadisme n'aurait pas de raison d'être ; d'autre part, le sacrilège qui découle de l'existence même d'une religion, ne peut être intentionnellement et pertinemment accompli que par un croyant, car l'homme n'éprouverait aucune allégresse à profaner une foi qui lui serait ou indifférente ou inconnue.

La force du sadisme, l'attrait qu'il présente, gît donc tout entier dans la jouissance prohibée de transférer à Satan les hommages et les prières qu'on doit à Dieu ; il gît donc dans l'inobservance des préceptes catholiques qu'on suit même à rebours, en commettant, afin de bafouer plus gravement le Christ, les péchés qu'il a le plus expressément maudits : la pollution du culte et l'orgie charnelle.

Au fond, ce cas, auquel le marquis de Sade a légué son nom, était aussi vieux que l'Eglise ; il avait sévi dans le XVIIIe siècle, ramenant, pour ne pas remonter plus haut, par un simple phénomène d'atavisme, les pratiques impies du sabbat au moyen âge.

A avoir seulement consulté le *Malleus maleficorum*, ce terrible code de Jacob Sprenger, qui permit à l'Eglise d'exterminer, par les flammes, des milliers de nécromans et de sorciers, des Esseintes reconnaissait, dans le sabbat, toutes les pratiques obscènes et tous les blasphèmes du sadisme. En sus des scènes immondes chères au Malin, des nuits successivement consacrées aux accouplements licites et indus, des nuits ensanglantées par les bestialités du rut, il retrouvait la parodie des processions, les insultes et les menaces permanentes à Dieu, le dévouement à son Rival, alors qu'on célébrait, en maudissant le pain et le vin, la messe noire, sur le dos d'une femme, à quatre pattes, dont la croupe nue et constamment souillée servait d'autel et que les assistants communiaient, par dérision, avec une hostie noire dans la pâte de laquelle une image de bouc était empreinte.

Ce dégorgement d'impures railleries, de salissants opprobres était manifeste chez le marquis de Sade qui épiçait ses redoutables voluptés de sacrilèges outrages.

Il hurlait au ciel, invoquait Lucifer, traitait Dieu de méprisable, de scélérat, d'imbécile, crachait sur la communion, s'essayait à contaminer par de basses ordures une Divinité qu'il espérait vouloir bien le damner, tout en déclarant, pour la braver encore, qu'elle n'existait pas.

Cet état psychique, Barbey d'Aurevilly le côtoyait. S'il n'allait pas aussi loin que de Sade, en proférant d'atroces malédictions contre le Sauveur ; si, plus prudent ou plus craintif, il prétendait toujours honorer l'Église, il n'en adressait pas moins, comme au moyen âge, ses postulations au Diable et il glissait, lui aussi, afin d'affronter Dieu, à l'érotomanie démoniaque, forgeant des monstruosités sensuelles, empruntant même à *La Philosophie dans le boudoir* un certain épisode qu'il assaisonnait de nouveaux condiments, lorsqu'il écrivait ce conte : *Le Dîner d'un athée.*

Ce livre excessif délectait des Esseintes ; aussi avait-il fait tirer, en violet d'évêque, dans un encadrement de pourpre cardinalice, sur un authentique parchemin que les auditeurs de Rote avaient béni, un exemplaire des *Diaboliques* imprimé avec ces caractères de civilité dont les croches biscornues, dont les paraphes en queues retroussées et en griffes, affectent une forme satanique.

Après certaines pièces de Baudelaire qui, à l'imitation des chants clamés pendant les nuits du sabbat, célébraient des litanies infernales, ce volume était, parmi toutes les œuvres de la littérature apostolique contemporaine, le seul qui témoignât de cette situation d'esprit tout à la fois dévote et impie, vers laquelle les revenez-y du catholicisme, stimulés par les accès de la névrose, avaient souvent poussé des Esseintes.

Avec Barbey d'Aurevilly, prenait fin la série des écrivains religieux ; à vrai dire, ce paria appartenait plus, à tous les points de vue, à la littérature séculière qu'à cette autre chez laquelle il revendiquait une place qu'on lui déniait ; sa langue d'un romantisme échevelé, pleine de locutions torses, de tournures inusitées, de comparaisons outrées, enlevait, à coups de fouet, ses phrases qui pétaradaient, en agitant de bruyantes sonnailles, tout le long du texte. En somme, d'Aurevilly apparaissait, ainsi qu'un étalon, parmi ces hongres qui peuplent les écuries ultramontaines.

Des Esseintes se faisait ces réflexions, en relisant, çà et
là, quelques passages de ce livre et, comparant ce style
nerveux et varié au style lymphatique et fixé de ses
confrères, il songeait aussi à cette évolution de la langue
qu'a si justement révélée Darwin.

Mêlé aux profanes, élevé au milieu de l'école romantique, au courant des œuvres nouvelles, habitué au
commerce des publications modernes, Barbey était forcément en possession d'un dialecte qui avait supporté de
nombreuses et profondes modifications, qui s'était
renouvelé, depuis le grand siècle.

Confinés au contraire sur leur territoire, écroués dans
d'identiques et d'anciennes lectures, ignorant le mouvement littéraire des siècles et bien décidés, au besoin, à se
crever les yeux pour ne pas le voir, les ecclésiastiques
employaient nécessairement une langue immuable,
comme cette langue du XVIIIe siècle que les descendants
des Français établis au Canada parlent et écrivent couram-
ment encore, sans qu'aucune sélection de tournures ou de
mots ait pu se produire dans leur idiome isolé de l'ancienne métropole et enveloppé, de tous les côtés, par la
langue anglaise.

Sur ces entrefaites, le son argentin d'une cloche qui
tintait un petit angelus, annonça à des Esseintes que le
déjeuner était prêt. Il laissa là ses livres, s'essuya le front,
se dirigea vers la salle à manger, se disant que, parmi tous
ces volumes qu'il venait de ranger, les œuvres de Barbey
d'Aurevilly étaient encore les seules dont les idées et le
style présentassent ces faisandages, ces taches morbides,
ces épidermes talés et ce goût blet, qu'il aimait tant à
savourer parmi les écrivains décadents, latins et monastiques des vieux âges.

XIII

La saison allait en se détraquant; toutes se confondaient, cette année-là; après les rafales et les brumes, des ciels chauffés à blanc, tels que des plaques de tôle, sortirent de l'horizon. En deux jours, sans aucune transition, au froid humide des brouillards, au ruissellement des pluies, succéda une chaleur torride, une atmosphère d'une lourdeur atroce. Attisé comme par de furieux ringards, le soleil s'ouvrit, en gueule de four, dardant une lumière presque blanche qui brûlait la vue; une poussière de flammes s'éleva des routes calcinées, grillant les arbres secs, rissolant les gazons jaunis; la réverbération des murs peints au lait de chaux, les foyers allumés sur le zinc des toits et sur les vitres des fenêtres, aveugla; une température de fonderie en chauffe pesa sur le logis de des Esseintes.

A moitié nu, il ouvrit une croisée, reçut une bouffée de fournaise en pleine face; la salle à manger, où il se réfugia, était ardente, et l'air raréfié bouillait. Il s'assit, désolé, car la surexcitation qui le soutenait, depuis qu'il se plaisait à rêvasser, en classant ses livres, avait pris fin.

Semblable à tous les gens tourmentés par la névrose, la chaleur l'écrasait; l'anémie, maintenue par le froid, reprenait son cours, affaiblissant le corps débilité par d'abondantes sueurs.

La chemise collée au dos trempé, le périnée humide, les jambes et les bras moites, le front inondé, découlant en larmes salées le long des joues, des Esseintes gisait anéanti, sur sa chaise; à ce moment, la vue de la viande déposée sur la table, lui souleva le cœur; il prescrivit qu'on la fît disparaître, commanda des œufs à la coque, tenta d'avaler des mouillettes, mais elles lui barrèrent la gorge; des nausées lui venaient aux lèvres; il but quelques gouttes de vin qui lui piquèrent, comme des pointes de feu, l'estomac. Il s'étancha la figure; la sueur, tout à l'heure tiède, fluait, maintenant froide, le long des tempes; il se prit à sucer quelques morceaux de glace, pour tromper le mal de cœur; ce fut en vain.

Un affaissement sans borne le coucha contre la table; manquant d'air, il se leva, mais les mouillettes avaient gonflé, et remontaient lentement dans le gosier qu'elles obstruaient. Jamais il ne s'était senti aussi inquiet, aussi délabré, aussi mal à l'aise; avec cela, ses yeux se troublèrent, il vit les objets doubles, tournant sur eux-mêmes; bientôt les distances se perdirent; son verre lui parut à une lieue de lui; il lui disait bien qu'il était le jouet d'illusions sensorielles et il était incapable de réagir; il fut s'étendre sur le canapé du salon, mais alors un tangage de navire en marche le berça et le mal de cœur s'accrut; il se releva, et résolut de précipiter par un digestif ces œufs qui l'étouffaient.

Il regagna la salle à manger et mélancoliquement se compara, dans cette cabine, aux passagers atteints du mal de mer; il se dirigea, en trébuchant, vers l'armoire, examina l'orgue à bouche, ne l'ouvrit point, et saisit sur le rayon, plus haut, une bouteille de bénédictine qu'il gardait, à cause de sa forme qui lui semblait suggestive en pensées tout à la fois doucement luxurieuses et vaguement mystiques.

Mais, pour l'instant, il demeurait indifférent, regardant d'un œil atone cette bouteille trapue, d'un vert sombre, qui, à d'autres moments, évoquait, en lui, les prieurés du moyen âge, avec son antique panse monacale, sa tête et son col vêtus d'une capuche de parchemin, son cachet de cire rouge écartelé de trois mitres d'argent sur champ d'azur et scellé, au goulot, ainsi qu'une bulle, par les liens de plomb, avec son étiquette écrite en un latin retentissant, sur un papier jauni et comme déteint par les temps : *liquor Monachorum Benedictinorum Abbatiæ Fiscanensis.*

Sous cette robe toute abbatiale, signée d'une croix et des initiales ecclésiastiques : P. O. M.; serrée dans ses parchemins et dans ses ligatures, de même qu'une authentique charte, dormait une liqueur couleur de safran, d'une finesse exquise. Elle distillait un arôme quintessencié d'angélique et d'hysope mêlées à des herbes marines aux iodes et aux bromes alanguis par des sucres, et elle stimulait le palais avec une ardeur spiritueuse dissimulée sous une friandise toute virginale, toute novice,

flattait l'odorat par une pointe de corruption enveloppée
dans une caresse tout à la fois enfantine et dévote.

Cette hypocrisie qui résultait de l'extraordinaire
désaccord établi entre le contenant et le contenu, entre le
contour liturgique du flacon et son âme, toute féminine,
toute moderne, l'avait jadis fait rêver ; enfin il avait longuement aussi songé devant cette bouteille aux moines mêmes
qui la vendaient, aux bénédictins de l'abbaye de Fécamp
qui, appartenant à cette congrégation de Saint-Maur,
célèbre par ses travaux d'histoire, militaient sous la règle
de saint Benoît, mais ne suivaient point les observances des
moines blancs de Cîteaux et des moines noirs de Cluny.
Invinciblement, ils lui apparaissaient, ainsi qu'au moyen
âge, cultivant des simples, chauffant des cornues, résumant dans des alambics de souveraines panacées, d'incontestables magistères.

Il but une goutte de cette liqueur et il éprouva, durant
quelques minutes, un soulagement ; mais bientôt ce feu
qu'une larme de vin avait allumé dans ses entrailles, se
raviva. Il jeta sa serviette, revint dans son cabinet, se
promena de long en large ; il lui semblait être sous une
cloche pneumatique où le vide se faisait à mesure, et une
défaillance d'une douceur atroce lui coulait du cerveau
par tous les membres. Il se roidit et, n'y tenant plus, pour
la première fois peut-être depuis son arrivée à Fontenay,
il se réfugia dans son jardin et s'abrita sous un arbre d'où
tombait une rondelle d'ombre. Assis sur le gazon, il
regarda, d'un air hébété, les carrés de légumes que les
domestiques avaient plantés. Il les regardait et ce ne fut
qu'au bout d'une heure qu'il les aperçut, car un brouillard
verdâtre flottait devant ses yeux et ne lui laissait voir,
comme au fond de l'eau, que des images indécises dont
l'aspect et les tons changeaient.

À la fin pourtant, il reprit son équilibre, il distingua
nettement des oignons et des choux ; plus loin, un champ
de laitue et, au fond, tout le long de la haie, une série de
lys blancs immobiles dans l'air lourd.

Un sourire lui plissa les lèvres, car subitement il se
rappelait l'étrange comparaison du vieux Nicandre qui
assimilait, au point de vue de la forme, le pistil des lys
aux génitoires d'un âne, et un passage d'Albert le Grand
lui revenait également, celui où ce thaumaturge enseigne
un bien singulier moyen de connaître, en se servant d'une
laitue, si une fille est encore vierge.

Ces souvenirs l'égayèrent un peu ; il examina le jardin,

s'intéressant aux plantes flétries par la chaleur, et aux
terres ardentes qui fumaient dans la pulvérulence embrasée
de l'air; puis, au-dessus de la haie séparant le jardin en
contrebas de la route surélevée montant au fort, il aperçut
des gamins qui se roulaient, en plein soleil, dans la lumière.

Il concentrait son attention sur eux quand un autre,
plus petit, parut, sordide à voir; il avait des cheveux de
varech remplis de sable, deux bulles vertes au-dessous du
nez, des lèvres dégoûtantes, entourées de crasse blanche
par du fromage à la pie écrasé sur du pain et semé de
hachures de ciboule verte.

Des Esseintes huma l'air; un pica, une perversion
s'empara de lui; cette immonde tartine lui fit venir l'eau
à la bouche. Il lui sembla que son estomac, qui se refusait
à toute nourriture, digérerait cet affreux mets et que son
palais en jouirait comme d'un régal.

Il se leva d'un bond, courut à la cuisine, ordonna de
chercher dans le village, une miche, du fromage blanc, de
la ciboule, prescrivit qu'on lui apprêtât une tartine absolument pareille à celle que rongeait l'enfant, et il retourna
s'asseoir sous son arbre.

Les marmots se battaient maintenant. Ils s'arrachaient
des lambeaux de pain qu'ils s'enfonçaient, dans les joues,
en se suçant les doigts. Des coups de pied et des coups de
poing pleuvaient et les plus faibles, foulés par terre,
ruaient, et pleuraient, le derrière raboté par les caillasses.

Ce spectacle ranima des Esseintes; l'intérêt qu'il prit à
ce combat détournait ses pensées de son mal; devant
l'acharnement de ces méchants mômes, il songea à la
cruelle et abominable loi de la lutte pour l'existence, et
bien que ces enfants fussent ignobles, il ne put s'empêcher
de s'intéresser à leur sort et de croire que mieux eût valu
pour eux que leur mère n'eût point mis bas.

En effet, c'était de la gourme, des coliques et des fièvres,
des rougeoles et des gifles dès le premier âge; des coups de
bottes et des travaux abêtissants, vers les treize ans; des
duperies de femmes, des maladies et des cocuages dès
l'âge d'homme; c'était aussi, vers le déclin, des infirmités
et des agonies, dans un dépôt de mendicité ou dans un
hospice.

Et l'avenir était, en somme, égal pour tous et, ni les uns,
ni les autres, s'ils avaient eu un peu de bon sens, n'auraient pu s'envier. Pour les riches, c'étaient dans un
milieu différent, les mêmes passions, les mêmes tracas,
les mêmes peines, les mêmes maladies, et c'étaient aussi,

les mêmes jouissances médiocres, qu'elles fussent
alcooliques, littéraires ou charnelles. Il y avait même une
vague compensation à tous les maux, une sorte de justice
qui rétablissait l'équilibre du malheur entre les classes,
en dispensant plus aisément les pauvres des souffrances
physiques qui accablaient plus implacablement le corps
plus débile et plus émacié des riches.

Quelle folie que de procréer des gosses! pensait des
Esseintes. Et dire que les ecclésiastiques qui ont fait vœu
de stérilité ont poussé l'inconséquence jusqu'à canoniser
saint Vincent de Paul parce qu'il réservait pour d'inutiles
tortures des innocents!

Grâce à ses odieuses précautions, celui-là avait reculé,
pendant des années, la mort d'êtres inintelligents et
insensibles, de telle façon que, devenus, plus tard, presque
compréhensifs et, en tout cas, aptes à la douleur, ils
pussent prévoir l'avenir, attendre et redouter cette mort
dont ils ignoraient naguère jusqu'au nom, quelques-uns
même, l'appeler, en haine de cette condamnation à
l'existence qu'il leur infligeait en vertu d'un code théologique absurde!

Et depuis que ce vieillard était décédé, ses idées avaient
prévalu; on recueillait des enfants abandonnés au lieu de
les laisser doucement périr sans qu'ils s'en aperçussent,
et cependant cette vie qu'on leur conservait, devenait, de
jours en jours, plus rigoureuse et plus aride! Sous
prétexte de liberté et de progrès, la Société avait encore
découvert le moyen d'aggraver la misérable condition de
l'homme, en l'arrachant à son chez lui, en l'affublant
d'un costume ridicule, en lui distribuant des armes particulières, en l'abrutissant sous un esclavage identique à
celui dont on avait jadis affranchi, par compassion, les
nègres, et tout cela pour le mettre à même d'assassiner
son prochain, sans risquer l'échafaud, comme les ordinaires meurtriers qui opèrent, seuls, sans uniformes, avec
des armes moins bruyantes et moins rapides.

Quelle singulière époque, se disait des Esseintes, que
celle qui, tout en invoquant les intérêts de l'humanité,
cherche à perfectionner les anesthésiques pour supprimer
la souffrance physique et prépare, en même temps, de
tels stimulants pour aggraver la douleur morale!

Ah! si jamais, au nom de la pitié, l'inutile procréation
devait être abolie, c'était maintenant! Mais ici, encore,
les lois édictées par des Portalis ou des Homais apparaissaient, féroces et étranges.

La Justice trouvait toutes naturelles les fraudes en
matière de génération; c'était un fait, reconnu, admis; il
n'était point de ménage, si riche qu'il fût, qui ne confiât
ses enfants à la lessive ou qui n'usât d'artifices qu'on
vendait librement et qu'il ne serait d'ailleurs venu à
l'esprit de personne, de réprouver. Et pourtant, si ces
réserves ou si ces subterfuges demeuraient insuffisants,
si la fraude ratait et, qu'afin de la réparer, l'on recourût à
des mesures plus efficaces, ah! alors, il n'y avait pas assez
de prisons, pas assez de maisons centrales, pas assez de
bagnes, pour enfermer les gens que condamnaient, de
bonne foi, du reste, d'autres individus qui, le soir même,
dans le lit conjugal, trichaient de leur mieux pour ne
pas enfanter des mômes!

La supercherie elle-même n'était donc pas un crime,
mais la réparation de cette supercherie en était un.

En somme, pour la Société, était réputé crime l'acte
qui consistait à tuer un être doué de vie; et cependant,
en expulsant un fœtus, on détruisait un animal, moins
formé, moins vivant, et, à coup sûr, moins intelligent et
plus laid qu'un chien ou qu'un chat qu'on peut se permettre impunément d'étrangler dès sa naissance!

Il est bon d'ajouter, pensait des Esseintes, que, pour
plus d'équité, ce n'est point l'homme maladroit, qui
s'empresse généralement de disparaître, mais bien la
femme, victime de la maladresse, qui expie le forfait
d'avoir sauvé de la vie un innocent!

Fallait-il, tout de même, que le monde fût rempli de
préjugés pour vouloir réprimer des manœuvres si naturelles, que l'homme primitif, que le sauvage de la Poly-
nésie est amené à les pratiquer, par le fait de son seul
instinct!

Le domestique interrompit les charitables réflexions
que ruminait des Esseintes, en lui apportant sur un plat
de vermeil la tartine qu'il avait souhaitée. Un haut de
cœur le tordit; il n'eut pas le courage de mordre ce pain,
car l'excitation maladive de l'estomac avait cessé; une
sensation de délabrement affreux lui revenait; il dut se
lever; le soleil tournait et gagnait peu à peu sa place;
la chaleur devenait à la fois plus pesante et plus
active.

— Jetez cette tartine, dit-il au domestique, à ces
enfants qui se massacrent sur la route; que les plus faibles
soient estropiés, n'aient part à aucun morceau et soient,
de plus, rossés d'importance par leurs familles quand ils

rentreront chez elles les culottes déchirées et les yeux
meurtris; cela leur donnera un aperçu de la vie qui les
attend! Et il rejoignit sa maison et s'affaissa, défaillant,
dans un fauteuil.

— Il faut pourtant que j'essaie de manger un peu, se
dit-il. Et il tenta de tremper un biscuit dans un vieux
Constantia de J.-P. Cloete, dont il lui restait en cave
quelques bouteilles.

Ce vin, couleur de pelure d'oignons un tantinet brûlé,
tenant du Malaga rassis et du Porto, mais avec un
bouquet sucré, spécial, et un arrière-goût de raisins aux
sucs condensés et sublimés par d'ardents soleils, l'avait
parfois réconforté, et souvent même avait infusé une
énergie nouvelle à son estomac affaibli par les jeûnes forcés
qu'il subissait; mais ce cordial, d'ordinaire si fidèle,
échoua. Alors, il espéra qu'un émollient refroidirait peut-
être les fers chauds qui le brûlaient, et il recourut au
Nalifka, une liqueur russe, contenue dans une bouteille
glacée d'or mat; ce sirop onctueux et framboisé fut, lui
aussi, inefficace. Hélas! le temps était loin, où, jouissant
d'une bonne santé, des Esseintes montait, chez lui, en
pleine canicule, dans un traîneau, et, là, enveloppé de
fourrures, les ramenant sur sa poitrine, s'efforçait de
grelotter, se disait, en s'étudiant à claquer des dents :
— Ah! ce vent est glacial, mais on gèle ici, on gèle! parvenait presque à se convaincre qu'il faisait froid!

Ces remèdes n'agissaient malheureusement plus,
depuis que ses maux devenaient réels.

Il n'avait point, avec cela, la ressource d'employer le
laudanum; au lieu de l'apaiser, ce calmant l'irritait
jusqu'à le priver de repos. Jadis, il avait voulu se procurer
avec l'opium et le haschisch des visions, mais ces deux
substances avaient amené des vomissements et des perturbations nerveuses intenses; il avait dû, tout aussitôt,
renoncer à les absorber et, sans le secours de ces grossiers
excitants, demander à sa cervelle seule, de l'emporter loin
de la vie, dans les rêves.

Quelle journée! se disait-il, maintenant, s'épongeant
le cou, sentant ce qui pouvait lui rester de forces, se
dissoudre en de nouvelles sueurs; une agitation fébrile
l'empêchait encore de demeurer en place; une fois de
plus, il errait au travers de ses pièces, essayant, les uns
après les autres, tous les sièges. De guerre lasse, il finit
par s'abattre devant son bureau et, appuyé sur la table,
machinalement, sans songer à rien, il mania un astrolabe

placé, en guise de presse-papier, sur un amas de livres et de notes.

Il avait acheté cet instrument en cuivre gravé et doré, d'origine allemande et datant du XVIIe siècle, chez un brocanteur de Paris, après une visite au Musée de Cluny, où longuement il s'était pâmé devant un merveilleux astrolabe, en ivoire ciselé, dont l'allure cabalistique l'avait ravi.

Ce presse-papier remua, en lui, tout un essaim de réminiscences. Déterminée et mue par l'aspect de ce joyau, sa pensée partit de Fontenay, pour Paris, chez le bric-à-brac qui l'avait vendu, puis rétrograda jusqu'au Musée des Thermes et, mentalement, il revit l'astrolabe d'ivoire, alors que ses yeux continuaient à considérer, mais sans plus le voir, l'astrolabe de cuivre, sur sa table.

Puis, il sortit du Musée et, sans quitter la ville, flâna en chemin, vagabonda par la rue du Sommerard et le boulevard Saint-Michel, s'embrancha dans les rues avoisinantes et s'arrêta devant certaines boutiques dont la fréquence et dont la tenue toute spéciale l'avaient mainte fois frappé.

Commencé à propos d'un astrobale, ce voyage spirituel aboutissait aux caboulots du quartier Latin.

Il se rappelait la foison de ces établissements, dans toute la rue Monsieur-le-Prince et dans ce bout de la rue de Vaugirard qui touche à l'Odéon; parfois, ils se suivaient, ainsi que les anciens riddecks de la rue du Canal-aux-Harengs, d'Anvers, s'étalaient, à la queue leu leu, surmontant les trottoirs de devantures presque semblables.

Au travers des portes entrouvertes et des fenêtres mal obscurcies par des carreaux de couleur ou par des rideaux, il se souvenait d'avoir entrevu des femmes qui marchaient, en se traînant et en avançant le cou, comme font les oies; d'autres, prostrées sur des banquettes, usaient leurs coudes au marbre des tables et ruminaient, en chantonnant, les tempes entre les poings; d'autres encore se dandinaient debout devant des glaces, en pianotant, du bout des doigts, leurs faux cheveux lustrés par un coiffeur; d'autres enfin tiraient d'escarcelles aux ressorts dérangés, des piles de pièces blanches et de sous qu'elles alignaient, méthodiquement, en des petits tas.

La plupart avaient des traits massifs, des voix enrouées, des gorges molles et des yeux peints, et toutes, pareilles à des automates remontés à la fois par la même clef,

lançaient du même ton les mêmes invites, débitaient avec
le même sourire les mêmes propos biscornus, les mêmes
réflexions baroques.

Des associations d'idées se formaient dans l'esprit de
des Esseintes qui arrivait à une conclusion, maintenant
qu'il embrassait par le souvenir, à vol d'oiseau, ces tas
d'estaminets et de rues.

Il comprenait la signification de ces cafés qui répon-
daient à l'état d'âme d'une génération tout entière, et il
en dégageait la synthèse de l'époque.

Et, en effet, les symptômes étaient manifestes et
certains; les maisons de tolérance disparaissaient, et à
mesure que l'une d'elles se fermait, un caboulot opérait
son ouverture.

Cette diminution de la prostitution soumise au profit
des amours clandestines, résidait évidemment dans les
incompréhensibles illusions des hommes, au point de
vue charnel.

Si monstrueux que cela pût paraître, le caboulot
satisfaisait un idéal.

Bien que les penchants utilitaires transmis par l'hérédité
et développés par les précoces impolitesses et les
constantes brutalités des collèges, eussent rendu la
jeunesse contemporaine singulièrement mal élevée et
aussi singulièrement positive et froide, elle n'en avait pas
moins gardé, au fond du cœur, une vieille fleur bleue,
un vieil idéal d'une affection rance et vague.

Aujourd'hui, quand le sang la travaillait, elle ne pouvait
se résoudre à entrer, à consommer, à payer et à sortir;
c'était, à ses yeux, de la bestialité, du rut de chien couvrant sans préambules une chienne; puis la vanité fuyait,
inassouvie, de ces maisons tolérées où il n'y avait eu,
ni simulacre de résistance, ni semblant de victoire, ni
préférence espérée, ni même de largesse obtenue de la
part de la marchande qui aurait ses tendresses, suivant
les prix. Au contraire, la cour faite à une fille de brasserie,
ménageait toutes les susceptibilités de l'amour, toutes les
délicatesses du sentiment. Celle-là, on se la disputait, et
ceux auxquels elle consentait à octroyer, moyennant de
copieux salaires, un rendez-vous, s'imaginaient, de bonne
foi, l'avoir emporté sur un rival, être l'objet d'une distinction honorifique, d'une faveur rare.

Cependant, cette domesticité était aussi bête, aussi
intéressée, aussi vile et aussi repue que celle qui desservait
les maisons à numéros. Comme elle, elle buvait sans soif,

riait sans motif, raffolait des caresses d'un blousier, s'insultait et se crêpait le chignon, sans cause; malgré tout, depuis le temps, la jeunesse parisienne ne s'était pas encore aperçue que les bonnes des caboulots étaient, au point de vue de la beauté plastique, au point de vue des attitudes savantes et des atours nécessaires bien inférieures aux femmes enfermées dans des salons de luxe! Mon Dieu, se disait des Esseintes, qu'ils sont donc godiches ces gens qui papillonnent autour des brasseries; car, en sus de leurs ridicules illusions, ils en viennent même à oublier le péril des appâts dégradés et suspects, à ne plus tenir compte de l'argent dépensé dans un nombre de consommations tarifé d'avance par la patronne, du temps perdu à attendre une livraison différée pour en augmenter le prix, des atermoiements répétés pour décider et activer le jeu des pourboires!

Ce sentimentalisme imbécile combiné avec une férocité pratique, représentait la pensée dominante du siècle; ces mêmes gens qui auraient éborgné leur prochain, pour gagner dix sous, perdaient toute lucidité, tout flair, devant ces louches cabaretières qui les harcelaient sans pitié et les rançonnaient sans trêve. Des industries travaillaient, des familles se grugeaient entre elles sous prétexte de commerce, afin de se laisser chiper de l'argent par leurs fils qui se laissaient, à leur tour, escroquer par ces femmes que dépouillaient, en dernier ressort, les amants de cœur.

Dans tout Paris, de l'est à l'ouest, et du nord au sud, c'était une chaîne ininterrompue de carottes, un carambolage de vols organisés qui se répercutait de proche en proche, et tout cela parce qu'au lieu de contenter les gens tout de suite, on savait les faire patienter et les faire attendre.

Au fond, le résumé de la sagesse humaine consistait à traîner les choses en longueur; à dire non puis enfin oui; car l'on ne maniait vraiment les générations qu'en les lanternant!

— Ah! s'il en était de même de l'estomac, soupira des Esseintes, tordu par une crampe qui ramenait vivement son esprit égaré au loin, à Fontenay.

XIV

Cahin-caha, quelques jours s'écoulèrent, grâce à des ruses qui réussirent à leurrer la défiance de l'estomac, mais un matin, les marinades qui masquaient l'odeur de graisse et le fumet de sang des viandes ne furent plus acceptées et des Esseintes anxieux, se demanda si sa faiblesse déjà grande, n'allait pas s'accroître et l'obliger à garder le lit. Une lueur jaillit soudain dans sa détresse; il se rappela que l'un de ses amis, jadis bien malade, était parvenu, à l'aide d'un sustenteur, à enrayer l'anémie, à maintenir le dépérissement, à conserver son peu de force.

Il dépêcha son domestique à Paris, à la recherche de ce précieux instrument et, d'après le prospectus que le fabriquant y joignit, il enseigna lui-même à la cuisinière la façon de couper le rosbif en petits morceaux, de le jeter à sec, dans cette marmite d'étain, avec une tranche de poireau et de carotte, puis de visser le couvercle et de mettre le tout bouillir, au bain-marie, pendant quatre heures.

Au bout de ce temps, on pressait les filaments et l'on buvait une cuillerée du jus bourbeux et salé, déposé au fond de la marmite. Alors, on sentait comme une tiède moelle, comme une caresse veloutée, descendre.

Cette essence de nourriture arrêtait les tiraillements et les nausées du vide, incitait même l'estomac qui ne se refusait pas à accepter quelques cuillerées de soupe.

Grâce à ce sustenteur, la névrose stationna, et des Esseintes se dit : — C'est toujours autant de gagné; peut-être que la température changera, que le ciel versera un peu de cendre sur cet exécrable soleil qui m'épuise, et que j'atteindrai ainsi, sans trop d'encombre, les premiers brouillards et les premiers froids.

Dans cet engourdissement, dans cet ennui désœuvré

où il plongeait, sa bibliothèque dont le rangement demeurait inachevé, l'agaça; ne bougeant plus de son fauteuil, il avait constamment sous les yeux ses livres profanes, posés de guingois sur les tablettes, empiétant les uns sur les autres, s'étayant entre eux ou gisant de même que des capucins de cartes, sur le flanc, à plat; ce désordre le choqua d'autant plus qu'il contrastait avec le parfait équilibre des œuvres religieuses, soigneusement alignées à la parade, le long des murs.

Il tenta de faire cesser cette confusion, mais après dix minutes de travail, des sueurs l'inondèrent; cet effort l'épuisait; il fut s'étendre, brisé, sur un divan, et il sonna son domestique.

Sur ses indications, le vieillard se mit à l'œuvre, lui apportant, un à un, les livres qu'il examinait et dont il désignait la place.

Cette besogne fut de courte durée, car la bibliothèque de des Esseintes ne renfermait qu'un nombre singulièrement restreint d'œuvres laïques, contemporaines.

A force de les avoir passées, dans son cerveau, comme on passe des bandes de métal dans une filière d'acier d'où elles sortent ténues, légères, presque réduites en d'imperceptibles fils, il avait fini par ne plus posséder de livres qui résistassent à un tel traitement et fussent assez solidement trempés pour supporter le nouveau laminoir d'une lecture; à avoir ainsi voulu raffiner, il avait restreint et presque stérilisé toute jouissance, en accentuant encore l'irrémédiable conflit qui existait entre ses idées et celles du monde où le hasard l'avait fait naître. Il était arrivé maintenant à ce résultat, qu'il ne pouvait plus découvrir un écrit qui contentât ses secrets désirs; et même son admiration se détachait des volumes qui avaient certainement contribué à lui aiguiser l'esprit, à le rendre aussi soupçonneux et aussi subtil.

En art, ses idées étaient pourtant parties d'un point de vue simple; pour lui, les écoles n'existaient point; seul le tempérament de l'écrivain importait; seul le travail de sa cervelle intéressait, quel que fût le sujet qu'il abordât. Malheureusement, cette vérité d'appréciation, digne de La Palisse, était à peu près inapplicable, par ce simple motif que, tout en désirant se dégager des préjugés, s'abstenir de toute passion, chacun va de préférence aux œuvres qui correspondent le plus intimement à son propre tempérament et finit par reléguer en arrière toute les autres.

Ce travail de sélection s'était lentement opéré en lui; il avait naguère adoré le grand Balzac, mais en même temps que son organisme s'était déséquilibré, que ses nerfs avaient pris le dessus, ses inclinations s'étaient modifiées et ses admirations avaient changé.

Bientôt même, et quoiqu'il se rendît compte de son injustice envers le prodigieux auteur de *La Comédie humaine*, il en était venu à ne plus ouvrir ses livres dont l'art valide le froissait; d'autres aspirations l'agitaient maintenant, qui devenaient, en quelque sorte, indéfinissables.

En se sondant bien, néanmoins, il comprenait d'abord que, pour l'attirer, une œuvre devait revêtir ce caractère d'étrangeté que réclamait Edgar Poe, mais il s'aventurait volontiers plus loin, sur cette route et appelait des flores byzantines de cervelle et des déliquescences compliquées de langue; il souhaitait une indécision troublante sur laquelle il pût rêver, jusqu'à ce qu'il la fît, à sa volonté, plus vague ou plus ferme selon l'état momentané de son âme. Il voulait, en somme, une œuvre d'art et pour ce qu'elle était par elle-même et pour ce qu'elle pouvait permettre de lui prêter; il voulait aller avec elle, grâce à elle, comme soutenu par un adjuvant, comme porté par un véhicule, dans une sphère où les sensations sublimées lui imprimeraient une commotion inattendue et dont il chercherait longtemps et même vainement à analyser les causes.

Enfin, depuis son départ de Paris, il s'éloignait, de plus en plus, de la réalité et surtout du monde contemporain qu'il tenait en une croissante horreur; cette haine avait forcément agi sur ses goûts littéraires et artistiques, et il se détournait le plus possible des tableaux et des livres dont les sujets délimités se reléguaient dans la vie moderne.

Aussi, perdant la faculté d'admirer indifféremment la beauté sous quelque forme qu'elle se présente, préférait-il, chez Flaubert, *La Tentation de saint Antoine* à *L'Education sentimentale;* chez de Goncourt, *La Faustin* à *Germinie Lacerteux;* chez Zola, *La Faute de l'abbé Mouret* à *L'Assommoir*.

Ce point de vue lui paraissait logique; ces œuvres moins immédiates, mais aussi vibrantes, aussi humaines, le faisaient pénétrer plus loin dans le tréfonds du tempérament de ces maîtres qui livraient avec un plus sincère abandon les élans les plus mystérieux de leur être, et elles

l'enlevaient, lui aussi, plus haut que les autres, hors de
cette vie triviale dont il était si las.

Puis il entrait, avec elles, en complète communion
d'idées avec les écrivains qui les avaient conçues, parce
qu'ils s'étaient alors trouvés dans une situation d'esprit
analogue à la sienne.

En effet, lorsque l'époque où un homme de talent est
obligé de vivre, est plate et bête, l'artiste est, à son insu
même, hanté par la nostalgie d'un autre siècle.

Ne pouvant s'harmoniser qu'à de rares intervalles avec
le milieu où il évolue; ne découvrant plus dans l'examen
de ce milieu et des créatures qui le subissent, des jouissances d'observation et d'analyse suffisantes à le distraire,
il sent sourdre et éclore en lui de particuliers phénomènes.
De confus désirs de migration se lèvent qui se débrouillent
dans la réflexion et dans l'étude. Les instincts, les sensations, les penchants légués par l'hérédité se réveillent, se
déterminent, s'imposent avec une impérieuse assurance.
Il se rappelle des souvenirs d'êtres et de choses qu'il n'a
pas personnellement connus, et il vient un moment où il
s'évade violemment du pénitencier de son siècle et rôde,
en toute liberté, dans une autre époque avec laquelle, par
une dernière illusion, il lui semble qu'il eût été mieux
en accord.

Chez les uns, c'est un retour aux âges consommés, aux
civilisations disparues, aux temps morts; chez les autres,
c'est un élancement vers le fantastique et vers le rêve,
c'est une vision plus ou moins intense d'un temps à
éclore dont l'image reproduit, sans qu'il le sache, par un
effet d'atavisme, celle des époques révolues.

Chez Flaubert, c'étaient des tableaux solennels et
immenses, des pompes grandioses dans le cadre barbare
et splendide desquels gravitaient des créatures palpitantes
et délicates, mystérieuses et hautaines, des femmes
pourvues, dans la perfection de leur beauté, d'âmes en
souffrance, au fond desquelles il discernait d'affreux
détraquements, de folles aspirations, désolées qu'elles
étaient déjà par la menaçante médiocrité des plaisirs qui
pouvaient naître.

Tout le tempérament du grand artiste éclatait en ces
incomparables pages de *La Tentation de saint Antoine* et
de *Salammbô* où, loin de notre vie mesquine, il évoquait
les éclats asiatiques des vieux âges, leurs éjaculations et
leurs abattements mystiques, leurs démences oisives,
leurs férocités commandées par ce lourd ennui qui

découle, avant même qu'on les ait épuisées, de l'opulence et de la prière.

Chez de Goncourt, c'était la nostalgie du siècle précédent, un retour vers les élégances d'une société à jamais perdue. Le gigantesque décor des mers battant les môles, des déserts se déroulant à perte de vue sous de torrides firmaments, n'existait pas dans son œuvre nostalgique qui se confinait, près d'un parc aulique, dans un boudoir attiédi par les voluptueux effluves d'une femme au sourire fatigué, à la moue perverse, aux prunelles irrésignées et pensives. L'âme dont il animait ses personnages, n'était plus cette âme insufflée par Flaubert à ses créatures, cette âme révoltée d'avance par l'inexorable certitude qu'aucun bonheur nouveau n'était possible; c'était une âme révoltée après coup, par l'expérience, de tous les inutiles efforts qu'elle avait tentés pour inventer des liaisons spirituelles plus inédites et pour remédier à cette immémoriale jouissance qui se répercute, de siècles en siècles, dans l'assouvissement plus ou moins ingénieux des couples.

Bien qu'elle vécût parmi nous et qu'elle fût bien et de vie et de corps de notre temps, là Faustin était, par les influences ancestrales, une créature du siècle passé, dont elle avait les épices d'âme, la lassitude cérébrale, l'excèdement sensuel.

Ce livre d'Edmond de Goncourt était l'un des volumes les plus caressés par des Esseintes; et, en effet, cette suggestion au rêve qu'il réclamait, débordait de cette œuvre où sous la ligne écrite, perçait une autre ligne visible à l'esprit seul, indiquée par un qualificatif qui ouvrait des échappées de passion, par une réticence qui laissait deviner des infinis d'âme qu'aucun idiome n'eût pu combler; puis, ce n'était plus la langue de Flaubert, cette langue d'une inimitable magnificence, c'était un style perspicace et morbide, nerveux et retors, diligent à noter l'impalpable impression qui frappe les sens et détermine la sensation, un style expert à moduler les nuances compliquées d'une époque qui était par elle-même singulièrement complexe. En somme, c'était le verbe indispensable aux civilisations décrépites qui, pour l'expression de leurs besoins, exigent, à quelque âge qu'elles se produisent, des acceptions, des tournures, des fontes nouvelles et de phrases et de mots.

A Rome, le paganisme mourant avait modifié sa prosodie, transmué sa langue, avec Ausone, avec Claudien, avec Rutilius dont le style attentif et scrupuleux, capiteux et sonnant, présentait, surtout dans ses parties descriptives de reflets, d'ombres, de nuances, une nécessaire analogie avec le style des de Goncourt.

A Paris, un fait unique dans l'histoire littéraire s'était produit; cette société agonisante du XVIIIe siècle, qui avait eu des peintres, des sculpteurs, des musiciens, des architectes, pénétrés de ses goûts, imbus de ses doctrines, n'avait pu façonner un réel écrivain qui rendît ses élégances moribondes, qui exprimât le suc de ses joies fébriles, si durement expiées; il avait fallu attendre l'arrivée de de Goncourt, dont le tempérament était fait de souvenirs, de regrets avivés encore par le douloureux spectacle de la misère intellectuelle et des basses aspirations de son temps, pour que, non seulement dans ses livres d'histoire, mais encore dans une œuvre nostalgique comme *La Faustin*, il pût ressusciter l'âme même de cette époque, incarner ses nerveuses délicatesses dans cette actrice, si tourmentée à se presser le cœur et à s'exacerber le cerveau, afin de savourer jusqu'à l'épuisement, les douloureux révulsifs de l'amour et de l'art!

Chez Zola, la nostalgie des au-delà était différente. Il n'y avait en lui aucun désir de migration vers les régimes disparus, vers les univers égarés dans la nuit des temps; son tempérament, puissant, solide, épris des luxuriances de la vie, des forces sanguines, des santés morales, le détournait des grâces artificielles et des chloroses fardées du dernier siècle, ainsi que de la solennité hiératique, de la férocité brutale et des rêves efféminés et ambigus du vieil Orient. Le jour où, lui aussi, il avait été obsédé par cette nostalgie, par ce besoin qui est en somme la poésie même, de fuir loin de ce monde contemporain qu'il étudiait, il s'était rué dans une idéale campagne, où la sève bouillait au plein soleil; il avait songé à de fantastiques ruts de ciel, à de longues pâmoisons de terre, à de fécondantes pluies de pollen tombant dans les organes haletants des fleurs : il avait abouti à un panthéisme gigantesque, avait, à son insu peut-être, créé, avec ce milieu édénique où il plaçait son Adam et son Eve, un prodigieux poème hindoue, célébrant en un style dont les larges teintes, plaquées à cru, avaient comme un bizarre éclat de peinture indienne, l'hymne de la chair, la matière, animée, vivante, révélant par sa fureur de génération, à la créature humaine, le fruit défendu de l'amour, ses suffocations, ses caresses instinctives, ses naturelles poses.

Avec Baudelaire, ces trois maîtres étaient, dans la littérature française, moderne et profane, ceux qui avaient le mieux interné et le mieux pétri l'esprit de des Esseintes, mais à force de les relire, de s'être saturé de leurs œuvres, de les savoir, par cœur, tout entières, il avait dû, afin de les pouvoir absorber encore, s'efforcer de les oublier et les laisser pendant quelque temps sur ses rayons, au repos.

Aussi les ouvrait-il à peine, maintenant que le domestique les lui tendait. Il se bornait à indiquer la place qu'elles devaient occuper, veillant à ce qu'elles fussent classées, en bon ordre, et à l'aise.

Le domestique lui apporta une nouvelle série de livres; ceux-là l'opprimèrent davantage; c'étaient des livres vers lesquels son inclination s'était peu à peu portée, des livres qui le délassaient de la perfection des écrivains de plus vaste encolure, par leurs défauts mêmes; ici, encore, à avoir voulu raffiner, des Esseintes était arrivé à chercher parmi de troubles pages des phrases dégageant une sorte d'électricité qui le faisait tressaillir alors qu'elles déchargeaient leur fluide dans un milieu qui paraissait tout d'abord réfractaire.

L'imperfection même lui plaisait, pourvu qu'elle ne fût, ni parasite, ni servile, et peut-être y avait-il une dose de vérité dans sa théorie que l'écrivain subalterne de la décadence, que l'écrivain encore personnel mais incomplet, alambique un baume plus irritant, plus apéritif, plus acide, que l'artiste de la même époque, qui est vraiment grand, vraiment parfait. A son avis, c'était parmi leurs turbulentes ébauches qu'on apercevait les exaltations de la sensibilité les plus suraiguës, les caprices de la psychologie les plus morbides, les dépravations les plus outrées de la langue sommée dans ses derniers refus de contenir, d'enrober les sels effervescents des sensations et des idées.

Aussi, forcément, après les maîtres, s'adressait-il à quelques écrivains que lui rendait encore plus propices et plus chers, le mépris dans lequel les tenait un public incapable de les comprendre.

L'un d'eux, Paul Verlaine, avait jadis débuté par un volume de vers, les *Poèmes saturniens*, un volume presque débile, où se coudoyaient des pastiches de Leconte de Lisle et des exercices de rhétorique romantique, mais où filtrait déjà, au travers de certaines pièces, telles que le sonnet intitulé « Rêve familier », la réelle personnalité du poète.

A chercher ses antécédents, des Esseintes retrouvait sous les incertitudes des esquisses, un talent déjà profondément imbibé de Baudelaire, dont l'influence s'était plus tard mieux accentuée sans que néanmoins la sportule consentie par l'indéfectible maître, fût flagrante.

Puis, d'aucuns de ses livres, *La Bonne Chanson, Les Fêtes galantes, Romances sans paroles,* enfin son dernier volume, *Sagesse,* renfermaient des poèmes où l'écrivain original se révélait, tranchant sur la multitude de ses confrères.

Muni de rimes obtenues par des temps de verbes, quelquefois même par de longs adverbes précédés d'un monosyllabe d'où ils tombaient comme du rebord d'une pierre, en une cascade pesante d'eau, son vers, coupé par d'invraisemblables césures, devenait souvent singulièrement abstrus, avec ses ellipses audacieuses et ses étranges incorrections qui n'étaient point cependant sans grâce.

Maniant mieux que pas un la métrique, il avait tenté de rajeunir les poèmes à forme fixe : le sonnet qu'il retournait, la queue en l'air, de même que certains poissons japonais en terre polychrome qui posent sur leur socle, les ouïes en bas ; ou bien il le dépravait, en n'accouplant que des rimes masculines pour lesquelles il semblait éprouver une affection ; il avait également et souvent usé d'une forme bizarre, d'une strophe de trois vers dont le médian restait privé de rime, et d'un tercet, monorime, suivi d'un unique vers, jeté en guise de refrain et se faisant écho avec lui-même tels que les *streets* : « Dansons la Gigue » ; il avait employé d'autres rythmes encore où le timbre presque effacé ne s'entendait plus que dans des strophes lointaines, comme un son éteint de cloche.

Mais sa personnalité résidait surtout en ceci : qu'il avait pu exprimer de vagues et délicieuses confidences, à mi-voix, au crépuscule. Seul, il avait pu laisser deviner certains au-delà troublants d'âme, des chuchotements si bas de pensées, des aveux si murmurés, si interrompus, que l'oreille qui les percevait, demeurait hésitante, coulant à l'âme des langueurs avivées par le mystère de ce souffle plus deviné que senti. Tout l'accent de Verlaine était dans ces adorables vers des *Fêtes galantes* :

> *Le soir tombait, un soir équivoque d'automne,*
> *Les belles se pendant rêveuses à nos bras,*
> *Dirent alors des mots si spécieux tout bas,*
> *Que notre âme depuis ce temps tremble et s'étonne.*

Ce n'était plus l'horizon immense ouvert par les inoubliables portes de Baudelaire, c'était, sous un clair de lune, une fente entrebâillée sur un champ plus restreint et plus intime, en somme particulier à l'auteur qui avait, du reste, en ces vers dont des Esseintes était friand, formulé son système poétique :

> *Car nous voulons la nuance encore,*
> *Pas la couleur, rien que la nuance*
> . . . .
> *Et tout le reste est littérature.*

Volontiers, des Esseintes l'avait accompagné dans ses œuvres les plus diverses. Après ses *Romances sans paroles* parues dans l'imprimerie d'un journal à Sens, Verlaine s'était assez longuement tu, puis en des vers charmants où passait l'accent doux et transi de Villon, il avait reparu, chantant la Vierge, « loin de nos jours d'esprit charnel, et de chair triste ». Des Esseintes relisait souvent ce livre de *Sagesse* et se suggérait devant ses poèmes des rêveries clandestines, des fictions d'un amour occulte pour une Madone byzantine qui se muait, à un certain moment, en une Cydalise égarée dans notre siècle, et si mystérieuse et si troublante, qu'on ne pouvait savoir si elle aspirait à des dépravations tellement monstrueuses qu'elles deviendraient, aussitôt accomplies, irrésistibles ; ou bien, si elle s'élançait, elle-même, dans le rêve, dans un rêve immaculé, où l'adoration de l'âme flotterait autour d'elle, à l'état continuellement inavoué, continuellement pur.

D'autres poètes l'incitaient encore à se confier à eux : Tristan Corbière, qui, en 1873, dans l'indifférence générale, avait lancé un volume des plus excentriques, intitulé : *Les Amours jaunes*. Des Esseintes qui, en haine du banal et du commun, eût accepté les folies les plus appuyées, les extravagances les plus baroques, vivait de légères heures avec ce livre où le cocasse se mêlait à une énergie désordonnée, où des vers déconcertants éclataient dans des poèmes d'une parfaite obscurité, telles que les litanies du *Sommeil*, qu'il qualifiait, à un certain moment, d'

> *Obscène confesseur des dévotes mort-nées.*

C'était à peine français ; l'auteur parlait nègre, procédait par un langage de télégramme, abusait des suppressions de verbes, affectait une gouaillerie, se livrait à des quolibets de commis-voyageur insupportable, puis tout à coup, dans ce fouillis, se tortillaient des concelti falots, des minauderies interlopes, et soudain jaillissait un cri de douleur aiguë, comme une corde de violoncelle qui se brise. Avec cela, dans ce style rocailleux, sec, décharné à plaisir, hérissé de vocables inusités, de néologismes inattendus, fulguraient des trouvailles d'expression, des vers nomades amputés de leur rime, superbes; enfin, en sus de ses *Poèmes parisiens* où des Esseintes relevait cette profonde définition de la femme :

> *Eternel féminin de l'éternel jocrisse,*

Tristan Corbière avait, en un style d'une concision presque puissante, célébré la mer de Bretagne, les sérails marins, le Pardon de Sainte-Anne, et il s'était même élevé jusqu'à l'éloquence de la haine, dans l'insulte dont il abreuvait, à propos du camp de Conlie, les individus qu'il désignait sous le nom de « forains du Quatre-Septembre ».

Ce faisandage dont il était gourmand et que lui présentait ce poète, aux épithètes crispées, aux beautés qui demeuraient toujours à l'état un peu suspect, des Esseintes le retrouvait encore dans un autre poète, Théodore Hannon, un élève de Baudelaire et de Gautier, mû par un sens très spécial des élégances recherchées et des joies factices.

A l'encontre de Verlaine qui dérivait, sans croisement, de Baudelaire, surtout par le côté psychologique, par la nuance captieuse de la pensée, par la docte quintessence du sentiment, Théodore Hannon descendait du maître, surtout par le côté plastique, par la vision extérieure des êtres et des choses.

Sa corruption charmante correspondait fatalement aux penchants de des Esseintes qui, par les jours de brume, par les jours de pluie, s'enfermait dans le retrait imaginé par ce poète et se grisait les yeux avec les chatoiements de ses étoffes, avec les incandescences de ses pierres, avec ses somptuosités, exclusivement matérielles, qui concouraient aux incitations cérébrales et montaient comme une poudre de cantharide dans un nuage de tiède encens vers une Idole Bruxelloise, au visage fardé, au ventre tanné par des parfums.

A l'exception de ces poètes et de Stéphane Mallarmé qu'il enjoignit à son domestique de mettre de côté, pour

le classer à part, des Esseintes n'était que bien faiblement
attiré par les poètes.

En dépit de sa forme magnifique, en dépit de l'imposante allure de ses vers qui se dressaient avec un tel éclat
que les hexamètres d'Hugo même semblaient, en comparaison, mornes et sourds, Leconte de Lisle ne pouvait
plus maintenant le satisfaire. L'antiquité si merveilleu-
sement ressuscitée par Flaubert, restait entre ses mains
immobile et froide. Rien ne palpitait dans ses vers tout
en façade que n'étayait, la plupart du temps, aucune idée;
rien ne vivait dans ces poèmes déserts dont les impas-
sibles mythologies finissaient par le glacer. D'autre part,
après l'avoir longtemps choyée, des Esseintes arrivait
aussi à se désintéresser de l'œuvre de Gautier; son admiration pour l'incomparable peintre qu'était cet homme,
était allée en se dissolvant de jours en jours, et maintenant il demeurait plus étonné que ravi, par ses descrip-
tions en quelque sorte indifférentes. L'impression des
objets s'était fixée sur son œil si perceptif, mais elle s'y
était localisée, n'avait pas pénétré plus avant dans sa cervelle et dans sa chair; de même qu'un prodigieux réflec-
teur, il s'était constamment borné à réverbérer, avec une
impersonnelle netteté, des alentours.

Certes, des Esseintes aimait encore les œuvres de ces
deux poètes, ainsi qu'il aimait les pierres rares, les
matières précieuses et mortes, mais aucune des variations
de ces parfaits instrumentistes ne pouvait plus l'extasier,
car aucune n'était ductile au rêve, aucune n'ouvrait, pour
lui du moins, l'une de ces vivantes échappées qui lui
permettaient d'accélérer le vol lent des heures.

Il sortait de leurs livres à jeun, et il en était de même de
ceux d'Hugo; le côté Orient et patriarche était trop
convenu, trop vide, pour le retenir; et le côté tout à la
fois bonne d'enfant et grand-père, l'exaspérait; il lui
fallait arriver aux *Chansons des rues et des bois* pour hennir
devant l'impeccable jonglerie de sa métrique, mais combien, en fin de compte, il eût échangé tous ces tours de
force pour une nouvelle œuvre de Baudelaire qui fût
l'égale de l'ancienne, car décidément celui-là était à peu
près le seul dont les vers continssent, sous leur splendide
écorce, une balsamique et nutritive moelle!

En sautant d'un extrême à l'autre, de la forme privée
d'idées, aux idées privées de forme, des Esseintes demeurait non moins circonspect et non moins froid. Les
labyrinthes psychologiques de Stendhal, les détours analy-

tiques de Duranty le séduisaient, mais leur langue administrative, incolore, aride, leur prose en location, tout au plus bonne pour l'ignoble industrie du théâtre, le repoussait. Puis les intéressants travaux de leurs astucieux démontages s'exerçaient, pour tout dire, sur des cervelles agitées par des passions qui ne l'émouvaient plus. Il se souciait peu des affections générales, des associations d'idées communes, maintenant que la rétention de son esprit s'exagérait et qu'il n'admettait plus que les sensations superfines et que les tourmentes catholiques et sensuelles.

Afin de jouir d'une œuvre qui joignît, suivant ses vœux, à un style incisif, une analyse pénétrante et féline, il lui fallait arriver au maître de l'Induction, à ce profond et étrange Edgar Poe, pour lequel, depuis le temps qu'il le relisait sa dilection n'avait pu déchoir.

Plus que tout autre, celui-là peut-être répondait par d'intimes affinités aux postulations méditatives de des Esseintes.

Si Baudelaire avait déchiffré dans les hiéroglyphes de l'âme le retour d'âge des sentiments et des idées, lui avait, dans la voie de la psychologie morbide, plus particulièrement scruté le domaine de la volonté.

En littérature, il avait, le premier, sous ce titre emblématique : « Le démon de la Perversité », épié ces impulsions irrésistibles que la volonté subit sans les connaître et que la pathologie cérébrale explique maintenant d'une façon à peu près sûre ; le premier aussi, il avait sinon signalé, du moins divulgué l'influence dépressive de la peur qui agit sur la volonté, de même que les anesthésiques qui paralysent la sensibilité et que le curare qui anéantit les éléments nerveux moteurs ; c'était sur ce point, sur cette léthargie de la volonté, qu'il avait fait converger ses études, analysant les effets de ce poison moral, indiquant les symptômes de sa marche, les troubles commençant avec l'anxiété, se continuant par l'angoisse, éclatant enfin dans la terreur qui stupéfie les volitions, sans que l'intelligence, bien qu'ébranlée, fléchisse.

La mort dont tous les dramaturges avaient tant abusé, il l'avait, en quelque sorte, aiguisée, rendue autre, en y introduisant un élément algébrique et surhumain ; mais c'était, à vrai dire, moins l'agonie réelle du moribond qu'il décrivait, que l'agonie morale du survivant hanté, devant le lamentable lit, par les monstrueuses hallucinations

qu'engendrent la douleur et la fatigue. Avec une fascination atroce, il s'appesantissait sur les actes de l'épouvante, sur les craquements de la volonté, les raisonnait
froidement, serrant peu à peu la gorge du lecteur, suffoqué, pantelant devant ces cauchemars mécaniquement
agencé de fièvre chaude.

Convulsées par d'héréditaires névroses, affolées par
des chorées morales, ses créatures ne vivaient que par les
nerfs; ses femmes, les Morella, les Ligeia, possédaient
une érudition immense, trempée dans les brumes de la
philosophie allemande et dans les mystères cabalistiques
du vieil Orient, et toutes avaient des poitrines garçon-
nières et inertes d'anges, toutes étaient, pour ainsi dire,
insexuelles.

Baudelaire et Poe, ces deux esprits qu'on avait souvent
appariés, à cause de leur commune poétique, de leur inclination partagée pour l'examen des maladies mentales,
différaient radicalement par les conceptions affectives
qui tenaient une si large place dans leurs œuvres; Baudelaire avec son amour, altéré et inique, dont le cruel dégoût
faisait songer aux représailles d'une inquisition; Poe, avec
ses amours chastes, aériennes, où les sens n'existaient pas,
où la cervelle solitaire s'érigeait, sans correspondre à des
organes qui, s'ils existaient, demeuraient à jamais glacés
et vierges.

Cette clinique cérébrale où, vivisectant dans une atmosphère étouffante, ce chirurgien spirituel devenait, dès que
son attention se lassait, la proie de son imagination qui
faisait poudroir comme de délicieux miasmes, des apparitions somnambulesques et angéliques, était pour des
Esseintes une source d'infatigables conjectures; mais
maintenant que sa névrose s'était exaspérée, il y avait des
jours où ces lectures le brisaient, des jours où il restait,
les mains tremblantes, l'oreille au guet, se sentant, ainsi
que le désolant Usher, envahi par une transe irraisonnée,
par une frayeur sourde.

Aussi devait-il se modérer, toucher à peine à ces redoutables élixirs, de même qu'il ne pouvait plus visiter impunément son rouge vestibule et s'enivrer à la vue des ténèbres
d'Odilon Redon et des supplices de Jan Luyken.

Et cependant, lorsqu'il était dans ces dispositions d'esprit, toute littérature lui semblait fade après ces terribles
philtres importés de l'Amérique. Alors, il s'adressait à
Villiers de l'Isle-Adam, dans l'œuvre éparse duquel il
notait des observations encore séditieuses, des vibrations

encore spasmodiques, mais qui ne dardaient plus, à l'exception de sa Claire Lenoir du moins, une si bouleversante horreur.

Parue, en 1867, dans la *Revue des lettres et des arts*, cette Claire Lenoir ouvrait une série de nouvelles comprises sous le titre générique d' « Histoires moroses ». Sur un fond de spéculations obscures empruntées au vieil Hegel, s'agitaient des êtres démantibulés, un docteur Tribulat Bonhomet, solennel et puéril, une Claire Lenoir, farce et sinistre, avec les lunettes bleues rondes, et grandes comme des pièces de cent sous, qui couvraient ses yeux à peu près morts.

Cette nouvelle roulait sur un simple adultère et concluait à un indicible effroi, alors que Bonhomet, déployant les prunelles de Claire, à son lit de mort, et les pénétrant avec de monstrueuses sondes, apercevait distinctement réfléchi le tableau du mari qui brandissait, au bout du bras, la tête coupée de l'amant, en hurlant, tel qu'un Canaque, un chant de guerre.

Basé sur cette observation plus ou moins juste que les yeux de certains animaux, des bœufs, par exemple, conservent jusqu'à la décomposition, de même que des plaques photographiques, l'image des êtres et des choses situés, au moment où ils expiraient, sous leur dernier regard, ce conte dérivait évidemment de ceux d'Edgar Poe, dont il s'appropriait la discussion pointilleuse et l'épouvante.

Il en était de même de l' « Intersigne » qui avait été plus tard réuni aux *Contes cruels*, un recueil d'un indiscutable talent, dans lequel se trouvait « Véra » une nouvelle, que des Esseintes considérait ainsi qu'un petit chef-d'œuvre.

Ici, l'hallucination était empreinte d'une tendresse exquise ; ce n'était plus les ténébreux mirages de l'auteur américain, c'était une vision tiède et fluide, presque céleste ; c'était, dans un genre identique, le contre-pied des Béatrice et des Ligeia, ces mornes et blancs fantômes engendrés par l'inexorable cauchemar du noir opium !

Cette nouvelle mettait aussi en jeu les opérations de la volonté, mais elle ne traitait plus des ses affaiblissements et de ses défaites, sous l'effet de la peur ; elle étudiait, au contraire, ses exaltations, sous l'impulsion d'une conviction tournée à l'idée fixe ; elle démontrait sa puissance qui parvenait même à saturer l'atmosphère, à imposer sa foi aux choses ambiantes.

Un autre livre de Villiers, *Isis*, lui semblait curieux à

d'autres titres. Le fatras philosophique de Claire Lenoir obstruait également celui-là qui offrait un incroyable tohu-bohu d'observations verbeuses et troubles et de souvenirs de vieux mélodrames, d'oubliettes, de poignards, d'échelles de corde, de tous ces ponts-neufs romantiques que Villiers ne devait point rajeunir dans son « Elën », dans sa « Morgane », des pièces oubliées, éditées chez un inconnu, le sieur Francisque Guyon, imprimeur à Saint-Brieuc.

L'héroïne de ce livre, une marquise Tullia Fabrina, qui était censée s'être assimilé la science chaldéenne des femmes d'Edgar Poe et les sagacités diplomatiques de la Sanseverina-Taxis de Stendhal, s'était, en sus, composé l'énigmatique contenance d'une Bradamante mâtinée d'une Circé antique. Ces mélanges insolubles développaient une vapeur fuligineuse au travers de laquelle des influences philosophiques et littéraires se bousculaient, sans avoir pu s'ordonner, dans le cerveau de l'auteur, au moment où il écrivait les prolégomènes de cette œuvre qui ne devait pas comprendre moins de sept volumes.

Mais, dans le tempérament de Villiers, un autre coin, bien autrement perçant, bien autrement net, existait, un coin de plaisanterie noire et de raillerie féroce ; ce n'étaient plus alors les paradoxales mystifications d'Edgar Poe, c'était un bafouage d'un comique lugubre, tel qu'en ragea Swift. Une série de pièces, *Les Demoiselles de Bienfilâtre*, *L'Affichage céleste*, *La Machine à gloire*, *Le Plus beau dîner du monde*, décelaient un esprit de goguenardise singulièrement inventif et âcre. Toute l'ordure des idées utilitaires contemporaines, toute l'ignominie mercantile du siècle, étaient glorifiées en des pièces dont la poignante ironie transportait des Esseintes.

Dans ce genre de la fumisterie grave et acerbe, aucun autre livre n'existait en France ; tout au plus, une nouvelle de Charles Cros, *La Science de l'amour*, insérée jadis dans la *Revue du Monde Nouveau*, pouvait-elle étonner par ses folies chimiques, son humour pincé, ses observations froidement bouffonnes, mais le plaisir n'était plus que relatif, car l'exécution péchait d'une façon mortelle. Le style ferme, coloré, souvent original de Villiers, avait disparu pour faire place à une rillette raclée sur l'établi littéraire du premier venu.

— Mon Dieu ! mon Dieu ! qu'il existe donc peu de livres qu'on puisse relire, soupira des Esseintes, regardant le domestique qui descendait de l'escabelle où il était juché et s'effaçait pour lui permettre d'embrasser d'un coup d'œil tous les rayons.

Des Esseintes approuva de la tête. Il ne restait plus sur la table que deux plaquettes. D'un signe, il congédia le vieillard et il parcourut quelques feuilles reliées en peau d'onagre, préalablement satinée à la presse hydraulique, pommelée à l'aquarelle de nuées d'argent et nantie de gardes de vieux lampas, dont les ramages un peu éteints, avaient cette grâce des choses fanées que Mallarmé célébra dans un si délicieux poème.

Ces pages, au nombre de neuf, étaient extraites d'uniques exemplaires des deux premiers Parnasses, tirés sur parchemin, et précédées de ce titre : *Quelques vers de Mallarmé*, dessiné par un surprenant calligraphe, en lettres onciales, coloriées, relevées, comme celles des vieux manuscrits, de points d'or.

Parmi les onze pièces réunies sous cette couverture, quelques-unes, *Les Fenêtres*, *L'Epilogue*, *Azur*, le requéraient; mais une entre autres, un fragment de l'*Hérodiade*, le subjuguait de même qu'un sortilège, à certaines heures.

Combien de soirs, sous la lampe éclairant de ses lueurs baissées la silencieuse chambre, ne s'était-il point senti effleuré par cette Hérodiade qui, dans l'œuvre de Gustave Moreau maintenant envahie par l'ombre, s'effaçait plus lègère, ne laissant plus entrevoir qu'une confuse statue, encore blanche, dans un brasier éteint de pierres !

L'obscurité cachait le sang, endormait les reflets et les ors, enténébrait les lointains du temple, noyait les comparses du crime ensevelis dans leurs couleurs mortes, et, n'épargnant que les blancheurs de l'aquarelle, sortait la femme du fourreau de ses joailleries et la rendait plus nue.

Invinciblement, il levait les yeux vers elle, la discernait à ses contours inoubliés et elle revivait, évoquant sur ses lèvres ces bizarres et doux vers que Mallarmé lui prête :

> «   ...   *O miroir !*
> « *Eau froide par l'ennui dans ton cadre gelée*
> « *Que de fois, et pendant les heures, désolée*
> « *Des songes et cherchant mes souvenirs qui sont*
> « *Comme des feuilles sous ta glace au trou profond,*
> « *Je m'apparus en toi comme une ombre lointaine !*
> « *Mais, horreur ! des soirs, dans ta sévère fontaine,*
> « *J'ai de mon rêve épars connu la nudité !* »

Ces vers, il les aimait comme il aimait les œuvres de ce poète qui, dans un siècle de suffrage universel et dans un temps de lucre, vivait à l'écart des lettres, abrité de la sottise environnante par son dédain, se complaisant, loin du monde, aux surprises de l'intellect, aux visions de sa cervelle, raffinant sur des pensées déjà spécieuses, les greffant de finesses byzantines, les perpétuant en des déductions légèrement indiquées que reliait à peine un imperceptible fil.

Ces idées nattées et précieuses, il les nouait avec une langue adhésive, solitaire et secrète, pleine de rétractions de phrases, de tournures elliptiques, d'audacieux tropes.

Percevant les analogies les plus lointaines, il désignait souvent d'un terme donnant à la fois, par un effet de similitude, la forme, le parfum, la couleur, la qualité, l'éclat, l'objet ou l'être auquel il eût fallu accoler de nombreuses et de différentes épithètes pour en dégager toutes les faces, toutes les nuances, s'il avait été simplement indiqué par son nom technique. Il parvenait ainsi à abolir l'énoncé de la comparaison qui s'établissait, toute seule, dans l'esprit du lecteur, par l'analogie, dès qu'il avait pénétré le symbole, et il se dispensait d'éparpiller l'attention sur chacune des qualités qu'auraient pu présenter, un à un, les adjectifs placés à la queue leu leu, la concentrait sur un seul mot, sur un tout, produisant, comme pour un tableau par exemple, un aspect unique et complet, un ensemble.

Cela devenait une littérature condensée, un coulis essentiel, un sublimé d'art; cette tactique d'abord employée d'une façon restreinte, dans ses première œuvres, Mallarmé l'avait hardiment arborée dans une pièce sur Théophile Gautier et dans *L'Après-midi du faune*, une églogue, où les subtilités des joies sensuelles se déroulaient en des vers mystérieux et câlins que trouaient tout à coup ce cri fauve et délirant du faune :

> « *Alors m'éveillerai-je à la ferveur première,*
> « *Droit et seul sous un flot antique de lumière,*
> « *Lys ! et l'un de vous tous pour l'ingénuité.* »

Ce vers qui avec le monosyllabe lys! en rejet, évoquait l'image de quelque chose de rigide, d'élancé, de blanc, sur le sens duquel appuyait encore le substantif ingénuité mis à la rime, exprimait allégoriquement, en un seul terme, la passion, l'effervescence, l'état momentané du faune vierge, affolé de rut par la vue des nymphes.

Dans cet extraordinaire poème, des surprises d'images nouvelles et invues surgissaient, à tout bout de vers, alors que le poète décrivait les élans, les regrets du chèvre-pied contemplant sur le bord du marécage les touffes des roseaux gardant encore, en un moule éphémère, la forme creuse des naïades qui l'avaient empli.

Puis, des Esseintes éprouvait aussi de captieuses délices à palper cette minuscule plaquette, dont la couverture en feutre du Japon, aussi blanche qu'un lait caillé, était fermée par deux cordons de soie, l'un rose de Chine, et l'autre noir.

Dissimulée derrière la couverture, la tresse noire rejoignait la tresse rose qui mettait comme un souffle de veloutine, comme un soupçon de fard japonais moderne, comme un adjuvant libertin, sur l'antique blancheur, sur la candide carnation du livre, et elle l'enlaçait, nouant en une légère rosette, sa couleur sombre à la couleur claire, insinuant un discret avertissement de ce regret, une vague menace de cette tristesse qui succèdent aux transports éteints et aux surexcitations apaisées des sens.

Des Esseintes reposa sur la table L'Après-midi du faune, et il feuilleta une autre plaquette qu'il avait fait imprimer, à son usage, une anthologie du poème en prose, une petite chapelle, placée sous l'invocation de Baudelaire, et ouverte sur le parvis de ses poèmes.

Cette anthologie comprenait un selectæ du Gaspard de la nuit de ce fantasque Aloysius Bertrand qui a transféré les procédés du Léonard dans la prose et peint, avec ses oxydes métalliques, des petits tableaux dont les vives couleurs chatoient, ainsi que celle des émaux lucides. Des Esseintes y avait joint Le Vox populi, de Villiers, une pièce superbement frappée dans un style d'or, à l'effigie de Leconte de Lisle et de Flaubert, et quelques extraits de ce délicat Livre de Jade dont l'exotique parfum de ginseng et de thé se mêle à l'odorante fraîcheur de l'eau qui babille sous un clair de lune, tout le long du livre.

Mais, dans ce recueil, avaient été colligés certains poèmes sauvés de revues mortes : Le Démon de l'analogie, La Pipe, Le Pauvre Enfant pâle, Le Spectacle interrompu, Le Phénomène futur, et surtout Plaintes d'automne et Frisson d'hiver, qui étaient les chefs-d'œuvre de Mallarmé et comptaient également parmi les chefs-d'œuvre du poème en prose, car ils unissaient une langue si magnifiquement ordonnée qu'elle berçait, par elle-même, ainsi qu'une mélancolique incantation, qu'une enivrante mélodie, à des pensées d'une suggestion irrésistible, à des pulsations d'âme de sensitif dont les nerfs en émoi vibrent avec une acuité qui vous pénètre jusqu'au ravissement, jusqu'à la douleur.

De toutes les formes de la littérature, celle du poème en prose était la forme préférée de des Esseintes. Maniée par un alchimiste de génie, elle devait, suivant lui, renfermer, dans son petit volume, à l'état d'of meat, la puissance du roman dont elle supprimait les longueurs analytiques et les superfétations descriptives. Bien souvent, des Esseintes avait médité sur cet inquiétant problème, écrire un roman concentré en quelques phrases qui contiendraient le suc cohobé des centaines de pages toujours employées à établir le milieu, à dessiner les caractères, à entasser à l'appui les observations et les menus faits. Alors les mots choisis seraient tellement impermutables qu'ils suppléeraient à tous les autres ; l'adjectif posé d'une si ingénieuse et d'une si définitive façon qu'il ne pourrait être légalement dépossédé de sa place, ouvrirait de telles perspectives que le lecteur pourrait rêver, pendant des semaines entières, sur son sens, tout à la fois précis et multiple, constaterait le présent, reconstruirait le passé, devinerait l'avenir d'âmes des personnages, révélés par les lueurs de cette épithète unique.

Le roman, ainsi conçu, ainsi condensé en une page ou deux, deviendrait une communion de pensée entre un magique écrivain et un idéal lecteur, une collaboration spirituelle consentie entre dix personnes supérieures éparses dans l'univers, une délectation offerte aux délicats, accessible à eux seuls.

En un mot, le poème en prose représentait, pour des Esseintes, le suc concret, l'osmazôme de la littérature, l'huile essentielle de l'art.

Cette succulence développée et réduite en une goutte, elle existait déjà chez Baudelaire, et aussi dans ces poèmes de Mallarmé qu'il humait avec une si profonde joie.

Quand il eut fermé son anthologie, des Esseintes se dit que sa bibliothèque arrêtée sur ce dernier livre, ne s'augmenterait probablement jamais plus.

En effet, la décadence d'une littérature, irréparablement atteinte dans son organisme, affaiblie par l'âge des idées, épuisée par les excès de la syntaxe, sensible seulement aux curiosités qui enfièvrent les malades et cependant pressée de tout exprimer à son déclin, acharnée à vouloir réparer toutes les omissions de jouissance, à léguer les plus subtils souvenirs de douleur, à son lit de mort, s'était incarnée en Mallarmé, de la façon la plus consommée et la plus exquise.

C'étaient, poussées jusqu'à leur dernière expression, les quintessences de Baudelaire et de Poe; c'étaient leurs fines et puissantes substances encore distillées et dégageant de nouveaux fumets, de nouvelles ivresses.

C'était l'agonie de la vieille langue qui, après s'être persillée de siècle en siècle, finissait par se dissoudre, par atteindre ce deliquium de la langue latine qui expirait dans les mystérieux concepts et les énigmatiques expressions de saint Boniface et de saint Adhelme.

Au demeurant, la décomposition de la langue française s'était faite d'un coup. Dans la langue latine, une longue transition, un écart de quatre cents ans existait entre le verbe tacheté et superbe de Claudien et de Rutilius, et le verbe faisandé du VIIIe siècle. Dans la langue française aucun laps de temps, aucune succession d'âges n'avait eu lieu; le style tacheté et superbe des de Goncourt et le style faisandé de Verlaine et de Mallarmé se coudoyaient à Paris, vivant en même temps, à la même époque, au même siècle.

Et des Esseintes sourit, regardant l'un des in-folios ouverts sur son pupitre de chapelle, pensant que le moment viendrait où un érudit préparerait pour la décadence de la langue française, un glossaire pareil à celui dans lequel le savant du Cange a noté les dernières balbuties, les derniers spasmes, les derniers éclats, de la langue latine râlant de vieillesse au fond des cloîtres.

XV

Allumé comme un feu de paille, son enthousiasme pour le sustenteur tomba de même. D'abord engourdie, la dyspepsie nerveuse se réveilla — puis, cette échauffante essence de nourriture détermina une telle irritation dans ses entrailles que des Esseintes dut, au plus tôt, en cesser l'usage.

La maladie reprit sa marche; des phénomènes inconnus l'escortèrent. Après les cauchemars, les hallucinations de l'odorat, les troubles de la vue, la toux rèche, réglée de même qu'une horloge, les bruits des artères et du cœur et les suées froides, surgirent les illusions de l'ouïe, ces altérations qui ne se produisent que dans la dernière période du mal.

Rongé par une ardente fièvre, des Esseintes entendit subitement des murmures d'eau, des vols de guêpes, puis ces bruits se fondirent en un seul qui ressemblait au ronflement d'un tour; ce ronflement s'éclaircit, s'atténua et peu à peu se décida en un son argentin de cloche.

Alors, il sentit son cerveau délirant emporté dans des ondes musicales, roulé dans les tourbillons mystiques de son enfance. Les chants appris chez les jésuites reparurent, établissant par eux-mêmes, le pensionnat, la chapelle, où ils avaient retenti, répercutant leurs hallucinations aux organes olfactifs et visuels, les voilant de fumée d'encens et de ténèbres irradiées par des lueurs de vitraux, sous de hauts cintres.

Chez les Pères, les cérémonies religieuses se pratiquaient en grande pompe; un excellent organiste et une remarquable maîtrise faisaient de ces exercices spirituels un délice artistique profitable au culte. L'organiste était amoureux des vieux maîtres et, aux jours fériés, il célébrait des messes de Palestrina et d'Orlando Lasso, des

psaumes de Marcello, des oratorios de Haendel, des
motets de Sébastien Bach, exécutait de préférence aux
molles et faciles compilations du père Lambillotte si en
faveur auprès des prêtres, des « Laudi spirituali » du
XVIe siècle dont la sacerdotale beauté avait mainte fois
capté des Esseintes.

Mais il avait surtout éprouvé d'ineffables allégresses à
écouter le plain-chant que l'organiste avait maintenu en
dépit des idées nouvelles.

Cette forme maintenant considérée comme une forme
caduque et gothique de la liturgie chrétienne, comme une
curiosité archéologique, comme une relique des anciens
temps, c'était le verbe de l'antique Eglise, l'âme du
moyen âge; c'était la prière éternelle chantée, modulée
suivant les élans de l'âme, l'hymne permanente élancée
depuis des siècles vers le Très-Haut.

Cette mélodie traditionnelle était la seule qui, avec son
puissant unisson, ses harmonies solennelles et massives,
ainsi que des pierres de taille, put s'accoupler avec les
vieilles basiliques et emplir les voûtes romanes dont elle
semblait l'émanation et la voix même.

Combien de fois des Esseintes n'avait-il pas été saisi et
courbé par un irrésistible souffle, alors que le « Christus
factus est » du chant grégorien s'élevait dans la nef dont
les piliers tremblaient parmi les mobiles nuées des encen-
soirs, ou que le faux-bourdon du « De profundis » gémis-
sait, lugubre de même qu'un sanglot contenu, poignant
ainsi qu'un appel désespéré de l'humanité pleurant sa
destinée mortelle, implorant la miséricorde attendrie de
son Sauveur!

En comparaison de ce chant magnifique, créé par le
génie de l'Eglise, impersonnel, anonyme comme l'orgue
même dont l'inventeur est inconnu, toute musique religieuse lui paraissait profane. Au fond, dans toutes les
œuvres de Jomelli et de Porpora, de Carissimi et de
Durante, dans les conceptions les plus admirables de
Haendel et de Bach, il n'y avait pas la renonciation d'un
succès public, le sacrifice d'un effet d'art, l'abdication
d'un orgueil humain s'écoutant prier; tout au plus, avec
les imposantes messes de Lesueur célébrées à Saint-
Roch, le style religieux s'affirmait-il, grave et auguste,
se rapprochant au point de vue de l'âpre nudité, de l'austère majesté du vieux plain-chant.

Depuis lors, absolument révolté par ces prétextes à
Stabat, imaginés par les Pergolèse et les Rossini, par

toute cette intrusion de l'art mondain dans l'art liturgique, des Esseintes s'était tenu à l'écart de ces œuvres
équivoques que tolère l'indulgente Eglise.

D'ailleurs, cette faiblesse consentie par désir de recettes
et sous une fallacieuse apparence d'attrait pour les fidèles,
avait aussitôt abouti à des chants empruntés à des opéras
italiens, à d'abjectes cavatines, à d'indécents quadrilles,
enlevés à grand orchestre dans les églises elles-mêmes
converties en boudoirs, livrées aux histrions des théâtres
qui bramaient dans les combles, alors qu'en bas les
femmes combattaient à coups de toilettes et se pâmaient
aux cris des cabots dont les impures voix souillaient les
sons sacrés de l'orgue!

Depuis des années, il s'était obstinément refusé à
prendre part à ces pieuses régalades, restant sur ses souvenirs d'enfance, regrettant même d'avoir entendu
quelques Te Deum, inventés par de grands maîtres, car
il se rappelait cet admirable Te Deum du plain-chant,
cette hymne si simple, si grandiose, composée par un
saint quelconque, un saint Ambroise ou un saint Hilaire,
qui, à défaut des ressources compliquées d'un orchestre,
à défaut de la mécanique musicale de la science moderne,
révélait une ardente foi, une délirante jubilation, échappées, de l'âme de l'humanité tout entière, en des accents
pénétrés, convaincus, presque célestes!

D'ailleurs, les idées de des Esseintes sur la musique
étaient en flagrante contradiction avec les théories qu'il
professait sur les autres arts. En fait de musique religieuse, il n'approuvait réellement que la musique monastique du moyen âge, cette musique émaciée qui agissait
instinctivement sur ses nerfs, de même que certaines
pages de la vieille latinité chrétienne; puis, il l'avouait
lui-même, il était incapable de comprendre les ruses que
les maîtres contemporains pouvaient avoir introduites
dans l'art catholique; d'abord, il n'avait pas étudié la
musique avec cette passion qui l'avait porté vers la peinture et vers les lettres. Il jouait, ainsi que le premier venu,
du piano, était, après de longs ânonnements, à peu près
apte à mal déchiffrer une partition, mais il ignorait l'harmonie, la tehnique nécessaire pour saisir réellement une
nuance, pour apprécier une finesse, pour savourer, en
toute connaissance de cause, un raffinement.

D'autre part, la musique profane est un art de promiscuité lorsqu'on ne peut la lire chez soi, seul, ainsi
qu'on lit un livre; afin de la déguster, il eût fallu se mêler

à cet invariable public qui regorge dans les théâtres et qui assiège ce Cirque d'hiver où, sous un soleil frisant, dans une atmosphère de lavoir, l'on aperçoit un homme à tournure de charpentier, qui bat en l'air une rémolade et massacre des épisodes dessoudés de Wagner, à l'immense joie d'une inconsciente foule!

Il n'avait pas eu le courage de se plonger dans ce bain de multitude, pour aller écouter du Berlioz dont quelques fragments l'avaient pourtant subjugué par leurs exaltations passionnées et leurs bondissantes fougues, et il savait pertinemment aussi qu'il n'était pas une scène, pas même une phrase d'un opéra du prodigieux Wagner qui pût être impunément détachée de son ensemble.

Les morceaux, découpés et servis sur le plat d'un concert, perdaient toute signification, demeuraient privés de sens, attendu que, semblables à des chapitres qui se complètent les uns les autres et concourent tous à la même conclusion, au même but, ses mélodies lui servaient à dessiner le caractère de ses personnages, à incarner leurs pensées, à exprimer leurs mobiles, visibles ou secrets, et que leurs ingénieux et persistants retours n'étaient compréhensibles que pour les auditeurs qui suivaient le sujet depuis son exposition et voyaient peu à peu les personnages se préciser et grandir dans un milieu d'où l'on ne pouvait les enlever sans les voir dépérir, tels que des rameaux séparés d'un arbre.

Aussi des Esseintes pensait-il que, parmi cette tourbe de mélomanes qui s'extasiait, le dimanche, sur les banquettes, vingt à peine connaissaient la partition qu'on massacrait, quand les ouvreuses consentaient à se taire pour permettre d'écouter l'orchestre.

Étant donné également que l'intelligent patriotisme empêchait un théâtre français de représenter un opéra de Wagner, il n'y avait pour les curieux qui ignorent les arcanes de la musique et ne peuvent ou ne veulent se rendre à Bayreuth, qu'à rester chez soi, et c'est le raisonnable parti qu'il avait su prendre.

D'un autre côté, la musique plus publique, plus facile et les morceaux indépendants des vieux opéras ne le retenaient guère; les bas fredons d'Auber et de Boieldieu, d'Adam et de Flotow et les lieux communs de rhétorique professés par les Ambroise Thomas et les Bazin lui répugnaient au même titre que les minauderies surannées et que les grâces populacières des Italiens. Il s'était donc résolument écarté de l'art musical, et, depuis des années que durait son abstention, il ne se rappelait avec plaisir que certaines séances de musique de chambre où il avait entendu du Beethoven et surtout du Schumann et du Schubert qui avaient trituré ses nerfs à la façon des plus intimes et des plus tourmentés poèmes d'Edgar Poe.

Certaines parties pour violoncelle de Schumann l'avaient positivement laissé haletant et étranglé par l'étouffante boule de l'hystérie; mais c'étaient surtout des lieders de Schubert qui l'avaient soulevé, jeté hors de lui, puis prostré de même qu'après une déperdition de fluide nerveux, après une ribote mystique d'âme.

Cette musique lui entrait, en frissonnant, jusqu'aux os et refoulait un infini de souffrances oubliées, de vieux spleen, dans le cœur étonné de contenir tant de misères confuses et de douleurs vagues. Cette musique de désolation, criant du plus profond de l'être, le terrifiait en le charmant. Jamais, sans que de nerveuses larmes lui montassent aux yeux, il n'avait pu se répéter « les Plaintes de la jeune fille », car il y avait dans ce lamento, quelque chose de plus que de navré, quelque chose d'arraché qui lui fouillait les entrailles, quelque chose comme une fin d'amour dans un paysage triste.

Et toujours lorsqu'elles lui revenaient aux lèvres, ces exquises et funèbres plaintes évoquaient pour lui un site de banlieue, un site avare, muet, où, sans bruit, au loin, des files de gens, harassés par la vie, se perdaient, courbés en deux, dans le crépuscule, alors qu'abreuvé d'amertumes, gorgé de dégoût, il se sentait, dans la nature éplorée, seul, tout seul, terrassé par une indicible mélancolie, par une opiniâtre détresse, dont la mystérieuse intensité excluait toute consolation, toute pitié, tout repos. Pareil à un glas de mort, ce chant désespéré le hantait, maintenant qu'il était couché, anéanti par la fièvre et agité par une anxiété d'autant plus inapaisable qu'il n'en discernait plus la cause. Il finissait par s'abandonner à la dérive, culbuté par le torrent d'angoisses que versait cette musique tout d'un coup endiguée, pour une minute, par le chant des psaumes qui s'élevait, sur un ton lent et bas, dans sa tête dont les tempes meurtries lui semblaient frappées par des battants de cloches.

Un matin, pourtant, ces bruits se calmèrent; il se posséda mieux et demanda au domestique de lui présenter une glace; elle lui glissa aussitôt des mains; il se reconnaissait à peine; la figure était couleur de terre, les lèvres

boursouflées et sèches, la langue ridée, la peau rugueuse ;
ses cheveux et sa barbe que le domestique n'avait plus
taillés depuis la maladie, ajoutaient encore à l'horreur de
la face creuse, des yeux agrandis et liquoreux qui brûlaient d'un éclat fébrile dans cette tête de squelette,
hérissée de poils. Plus que sa faiblesse, que ses vomissements incoercibles qui rejetaient tout essai de nourriture,
plus que ce marasme où il plongeait, ce changement de
visage l'effraya. Il se crut perdu ; puis, dans l'accablement
qui l'écrasa, une énergie d'homme acculé le mit sur son
séant, lui donna la force d'écrire une lettre à son médecin
de Paris et de commander au domestique de partir à
l'instant à sa recherche et de le ramener, coûte que coûte,
le jour même.

Subitement, il passa de l'abandon le plus complet au
plus fortifiant espoir ; ce médecin était un spécialiste
célèbre, un docteur renommé pour ses cures des maladies
nerveuses : « il doit avoir guéri des cas plus têtus et plus
périlleux que les miens, se disait des Esseintes ; à coup
sûr, je serai sur pied, dans quelques jours » ; puis, à cette
confiance, un désenchantement absolu succédait ; si
savants, si intuitifs qu'ils puissent être, les médecins ne
connaissent rien aux névroses, dont ils ignorent jusqu'aux
origines. De même que les autres, celui-là lui prescrirait
l'éternel oxyde de zinc et la quinine, le bromure de potas-
sium et la valériane ; qui sait, continuait-il, se raccrochant
aux dernières branches, si ces remèdes m'ont été
jusqu'alors infidèles, c'est sans doute parce que je n'ai
pas su les utiliser à de justes doses.

Malgré tout, cette attente d'un soulagement le ravi-
taillait, mais il eut une appréhension nouvelle : pourvu
que le médecin soit à Paris et qu'il veuille se déranger,
et aussitôt la peur que son domestique ne l'eût pas
rencontré, l'atterra. Il recommençait à défaillir, sautant,
d'une seconde à l'autre, de l'espoir le plus insensé aux
transes les plus folles, s'exagérant et ses chances de
soudaine guérison et ses craintes de prompt danger ; les
heures s'écoulèrent et le moment vint où, désespéré, à
bout de force, convaincu que décidément le médecin
n'arriverait pas, il se répéta rageusement que, s'il avait
été secouru à temps, il eût été certainement sauvé ; puis
sa colère contre le domestique, contre le médecin qu'il
accusait de le laisser mourir, s'évanouit, et enfin il s'irrita
contre lui-même, se reprochant d'avoir attendu aussi
longtemps pour requérir un aide, se persuadant qu'il

serait actuellement guéri s'il avait, depuis la veille seulement, réclamé des médicaments vigoureux et des soins
utiles.

Peu à peu, ces alternatives d'alarmes et d'espérances
qui cahotaient dans sa tête vide s'apaisèrent; ces chocs
achevèrent de le briser; il tomba dans un sommeil de
lassitude traversé par des rêves incohérents, dans une
sorte de syncope entrecoupée par des réveils sans connaissance; il avait tellement fini par perdre la notion de ses
désirs et de ses peurs qu'il demeura ahuri, n'éprouvant
aucun étonnement, aucune joie, alors que tout à coup le
médecin entra.

Le domestique l'avait sans doute mis au courant de
l'existence menée par des Esseintes et des divers symptômes qu'il avait pu lui-même observer depuis le jour où
il avait ramassé son maître, assommé par la violence des
parfums, près de la fenêtre, car il questionna peu le
malade dont il connaissait d'ailleurs et depuis de longues
années les antécédents; mais il l'examina, l'ausculta et
observa avec attention les urines où certaines traînées
blanches lui révélèrent l'une des causes les plus détermi-
nantes de sa névrose. Il écrivit une ordonnance et, sans
dire mot, partit, annonçant son prochain retour.

Cette visite réconforta des Esseintes qui s'effara pourtant de ce silence et adjura le domestique de ne pas lui
cacher plus longtemps la vérité. Celui-ci lui affirma que le
docteur ne manifestait aucune inquiétude et, si défiant
qu'il fût, des Esseintes ne put saisir un signe quelconque
qui décelât l'hésitation d'un mensonge sur le tranquille
visage du vieil homme.

Alors ses pensées se déridèrent; d'ailleurs ses souffrances s'étaient tues et la faiblesse qu'il ressentait par
tous les membres s'entait d'une certaine douceur, d'un
certain dorlotement tout à la fois indécis et lent; il fut
enfin stupéfié et satisfait de ne pas être encombré de
drogues et de fioles, et un pâle sourire remua les lèvres
quand le domestique apporta un lavement nourrissant à
la peptone et le prévint qu'il répéterait cet exercice trois
fois dans les vingt-quatre heures.

L'opération réussit et des Esseintes ne put s'empêcher
de s'adresser de tacites félicitations à propos de cet
événement qui couronnait, en quelque sorte, l'existence
qu'il s'était créée; son penchant vers l'artificiel avait
maintenant, et sans même qu'il l'eût voulu, atteint
l'exaucement suprême; on n'irait pas plus loin; la nourri-

ture ainsi absorbée était, à coup sûr, la dernière déviation
qu'on pût commettre.

Ce serait délicieux, se disait-il, si l'on pouvait, une fois
en pleine santé, continuer ce simple régime. Quelle écono-
mie de temps, quelle radicale délivrance de l'aversion
qu'inspire aux gens sans appétit, la viande! quel définitif
débarras de la lassitude qui découle toujours du choix
forcément restreint des mets! quelle énergique protesta-
tion contre le bas péché de la gourmandise! enfin quelle
décisive insulte jetée à la face de cette vieille nature dont
les uniformes exigences seraient pour jamais éteintes!

Et il poursuivait, se parlant à mi-voix : il serait facile
de s'aiguiser la faim, en s'ingurgitant un sévère apéritif,
puis lorsqu'on pourrait logiquement se dire : « Quelle
heure se fait-il donc ? il me semble qu'il serait temps de
se mettre à table, j'ai l'estomac dans les talons », on dres-
serait le couvert, en déposant le magistral instrument sur
la nappe et alors, le temps de réciter le bénédicité, et l'on
aurait supprimé l'ennuyeuse et vulgaire corvée du repas.

Quelques jours après, le domestique présenta un
lavement dont la couleur et dont l'odeur différaient
absolument de celles de la peptone.

— Mais ce n'est plus le même! s'écria des Esseintes
qui regarda très ému le liquide versé dans l'appareil. Il
demanda, comme dans un restaurant, la carte, et, dépliant
l'ordonnance du médecin, il lut :

Huile de foie de morue	....	*20 grammes*
Thé de bœuf	....	*200 grammes*
Vin de Bourgogne	....	*200 grammes*
Jaune d'œuf	....	*n° 1.*

Il resta rêveur. Lui qui n'avait pu, en raison du délabrement de son estomac, s'intéresser sérieusement à l'art
de la cuisine, il se surprit tout à coup à méditer sur des
combinaisons de faux gourmet; puis, une idée biscornue
lui traversa la cervelle. Peut-être le médecin avait-il cru
que l'étrange palais de son client était déjà fatigué par
le goût de la peptone; peut-être avait-il voulu, pareil à
un chef habile, varier la saveur des aliments, empêcher
que la monotonie des plats n'amenât une complète
inappétence. Une fois lancé dans ces réflexions, des
Esseintes rédigea des recettes inédites, préparant des
dîners maigres, pour le vendredi, forçant la dose d'huile
de foie de morue et de vin et rayant le thé de bœuf ainsi

qu'un manger gras, expressément interdit par l'Eglise ;
mais il n'eut bientôt plus à délibérer de ces boissons
nourrissantes, car le médecin parvenait, peu à peu à
dompter les vomissements et à lui faire avaler, par les
voies ordinaires, un sirop de punch à la poudre de viande
dont le vague arôme de cacao plaisait à sa réelle bouche.

Des semaines s'écoulèrent, et l'estomac se décida à
fonctionner ; à certains instants, des nausées revenaient
encore, que la bière de gingembre et la potion antiémé-
tique de Rivière arrivaient pourtant à réduire.

Enfin, peu à peu, les organes se restaurèrent ; aidées
par les pepsines, les véritables viandes furent digérées ;
les forces se rétablirent et des Esseintes put se tenir
debout dans sa chambre et s'essayer à marcher, en
s'appuyant sur une canne et en se soutenant aux coins
des meubles ; au lieu de se réjouir de ce succès, il oublia
ses souffrances défuntes, s'irrita de la longueur de la
convalescence, et reprocha au médecin de le traîner ainsi
à petits pas. Des essais infructueux ralentirent, il est vrai,
la cure ; pas mieux que le quinquina, le fer, même mitigé
par le laudanum, n'était accepté et l'on dut les remplacer
par les arséniates, après quinze jours perdus en d'inutiles
efforts, comme le constatait impatiemment des Esseintes.

Enfin, le moment échut où il put demeurer levé pendant des après-midi entières et se promener, sans aide,
parmi ses pièces. Alors son cabinet de travail l'agaça ; des
défauts auxquels l'habitude l'avait accoutumé lui sau-
tèrent aux yeux, dès qu'il y revint après une longue
absence. Les couleurs choisies pour être vues aux
lumières des lampes lui parurent se désaccorder aux
lueurs du jour ; il pensa à les changer et combina pendant
des heures de factieuses harmonies de teintes, d'hybrides
accouplements d'étoffes et de cuirs.

— Décidément, je m'achemine vers la santé, se dit-il,
relatant le retour de ses anciennes préoccupations, de ses
vieux attraits.

Un matin, tandis qu'il contemplait ses murs orange et
bleu, songeant à d'idéales tentures fabriquées avec des
étoles de l'Eglise grecque, rêvant à des dalmatiques russes
d'orfroi, à des chapes en brocart, ramagées de lettres
slavones figurées par des pierres de l'Oural et des rangs
de perles, le médecin entra et, observant les regards de
son malade, l'interrogea.

Des Esseintes lui fit part de ses irréalisables souhaits,
et il commençait à manigancer de nouvelles investigations

de couleurs, à parler des concubinages et des ruptures de tons qu'il ménagerait, quand le médecin lui assena, une douche glacée sur la tête, en lui affirmant, d'une façon péremptoire, que ce ne serait pas, en tout cas, dans ce logis qu'il mettrait à exécution ses projets.

Et, sans lui laisser le temps de respirer, il déclara qu'il était allé au plus pressé en rétablissant les fonctions digestives et qu'il fallait maintenant attaquer la névrose qui n'était nullement guérie et nécessiterait des années de régime et de soins. Il ajouta enfin qu'avant de tenter tout remède, avant de commencer tout traitement hydrothérapique, impossible d'ailleurs à suivre à Fontenay, il fallait quitter cette solitude, revenir à Paris, rentrer dans la vie commune, tâcher enfin de se distraire comme les autres.

— Mais, ça ne me distrait pas, moi, les plaisirs des autres, s'écria des Esseintes indigné!

Sans discuter cette opinion, le médecin assura simplement que ce changement radical d'existence qu'il exigeait était, à ses yeux, une question de vie ou de mort, une question de santé ou de folie compliquée à brève échéance de tubercules.

— Alors c'est la mort ou l'envoi au bagne! s'exclama des Esseintes exaspéré.

Le médecin, qui était imbu de tous les préjugés d'un homme du monde, sourit et gagna la porte sans lui répondre.

XVI

Des Esseintes s'enferma dans sa chambre à coucher, se bouchant les oreilles aux coups de marteaux qui clouaient les caisses d'emballage apprêtées par les domestiques; chaque coup lui frappait le cœur, lui enfonçait une souffrance vive, en pleine chair. L'arrêt rendu par le médecin s'accomplissait; la crainte de subir, une fois de plus, les douleurs qu'il avait supportées, la peur d'une atroce agonie avaient agi plus puissamment sur des Esseintes que la haine de la détestable existence à laquelle la juridiction médicale le condamnait.

Et pourtant, se disait-il, il y a des gens qui vivent solitaires, sans parler à personne, qui s'absorbent à l'écart du monde, tels que les réclusionnaires et les trappistes, et rien ne prouve que ces malheureux et que ces sages deviennent des déments ou des phtisiques. Ces exemples, il les avait cités au docteur sans résultat; celui-ci avait répété d'un ton sec et qui n'admettait plus aucune réplique, que son verdict, d'ailleurs confirmé par l'avis de tous les nosographes de la névrose, était que la distraction, que l'amusement, que la joie, pouvaient seuls influer sur cette maladie dont tout le côté spirituel échappait à la force chimique des remèdes; et, impatienté par les récriminations de son malade, il avait, une dernière fois, déclaré qu'il se refusait à lui continuer ses soins s'il ne consentait pas à changer d'air, à vivre dans de nouvelles conditions d'hygiène.

Des Esseintes s'était aussitôt rendu à Paris, avait consulté d'autres spécialistes, leur avait impartialement soumis son cas, et, tous ayant, sans hésiter, approuvé les prescriptions de leur confrère, il avait loué un appartement encore inoccupé dans une maison neuve, était revenu à Fontenay et, blanc de rage, avait donné des ordres pour que le domestique préparât les malles.

Enfoui dans son fauteuil, il ruminait maintenant sur cette expresse observance qui bouleversait ses plans, rompait les attaches de sa vie présente, enterrait ses projets futurs. Ainsi, sa béatitude était finie! ce havre qui l'abritait, il fallait l'abandonner, rentrer en plein dans cette intempérie de bêtise qui l'avait autrefois battu!

Les médecins parlaient d'amusement, de distraction; et avec qui, et, avec quoi, voulaient-ils donc qu'il s'égayât et qu'il se plût?

Est-ce qu'il ne s'était pas mis lui-même au ban de la société? est-ce qu'il connaissait un homme dont l'existence essayerait, telle que la sienne, de se reléguer dans la contemplation, de se détenir dans le rêve? est-ce qu'il connaissait un homme capable d'apprécier la délicatesse d'une phrase, le subtil d'une peinture, la quintessence d'une idée, un homme dont l'âme fût assez chantournée, pour comprendre Mallarmé et aimer Verlaine?

Où, quand, dans quel monde devait-il sonder pour découvrir un esprit jumeau, un esprit détaché des lieux communs, bénissant le silence comme un bienfait, l'ingratitude comme un soulagement, la défiance comme un garage, comme un port?

Dans le monde où il avait vécu, avant son départ pour Fontenay? — Mais la plupart des hobereaux qu'il avait fréquentés, avaient dû, depuis cette époque, se déprimer davantage dans les salons, s'abêtir devant les tables de jeux, s'achever dans les lèvres des filles; la plupart même devaient s'être mariés; après avoir eu, leur vie durant, les restants de voyous, c'était leurs femmes qui possédaient maintenant les restes des voyoutes, car, maître des prémices, le peuple était le seul qui n'eût pas du rebut!

Quel joli chassé-croisé, quel bel échange que cette coutume adoptée par une société pourtant bégueule! se disait des Esseintes.

Puis, la noblesse décomposée était morte; l'aristocratie avait versé dans l'imbécillité ou dans l'ordure! Elle s'éteignait dans le gâtisme de ses descendants dont les facultés baissaient à chaque génération et aboutissaient à des instincts de gorilles fermentés dans des crânes de palefreniers et de jockeys, ou bien encore, ainsi que les Choiseul-Praslin, les Polignac, les Chevreuse, elle roulait dans la boue de procès qui la rendaient égale en turpitude aux autres classes.

Les hôtels mêmes, les écussons séculaires, la tenue héraldique, le maintien pompeux de cette antique caste

avaient disparu. Les terres ne rapportant plus, elles
avaient été avec les châteaux mises à l'encan, car l'or manquait pour acheter les maléfices vénériens aux descendants
hébétés des vieilles races !

Les moins scrupuleux, les moins obtus, jetaient toute
vergogne à bas ; ils trempaient dans des gabegies,
vannaient la bourbe des affaires, comparaissaient, ainsi
que de vulgaires filous, en cour d'assises, et ils servaient à
rehausser un peu la justice humaine qui, ne pouvant se
dispenser toujours d'être partiale, finissait par les nom-
mer bibliothécaires dans les maisons de force.

Cette âpreté de gain, ce prurit de lucre, s'étaient aussi
répercutés dans cette autre classe qui s'était constamment étayée sur la noblesse, dans le clergé. Maintenant on
apercevait, aux quatrièmes pages des journaux, des
annonces de cors aux pieds guéris par un prêtre. Les
monastères s'étaient métamorphosés en des usines
d'apothicaires et de liquoristes. Ils vendaient des recettes
ou fabriquaient eux-mêmes : l'ordre de Cîteaux, du
chocolat, de la trappistine, de la semouline et de l'alcoo-
lature d'arnica ; les ff. maristes du biphosphate de chaux
médicinal et de l'eau d'arquebuse ; les jacobins de l'elixir
antiapoplectique ; les disciples de saint Benoît, de la
bénédictine ; les religieux de saint Bruno, de la chartreuse.

Le négoce avait envahi les cloîtres où, en guise d'anti-
phonaires, les grands livres de commerce posaient sur des
lutrins. De même qu'une lèpre, l'avidité du siècle rava-
geait l'Eglise, courbait des moines sur des inventaires et
des factures, transformait les supérieurs en des confiseurs
et des médicastres, les frères lais et les convers, en de
vulgaires emballeurs et de bas potards.

Et cependant, malgré tout, il n'y avait encore que les
ecclésiastiques parmi lesquels des Esseintes pouvait
espérer des relations appariées jusqu'à un certain point
avec ses goûts ; dans la société de chanoines généralement
doctes et bien élevés, il aurait pu passer quelques soirées
affables et douillettes ; mais encore eût-il fallu qu'il
partageât leurs croyances, qu'il ne flottât point entre des
idées sceptiques et des élans de conviction qui remontaient
de temps à autre, sur l'eau, soutenus par les souvenirs de
son enfance.

Il eût fallu avoir des opinions identiques, ne pas
admettre, et il le faisait volontiers dans ses moments
d'ardeur, un catholicisme salé d'un peu de magie, comme

sous Henri III, et d'un peu de sadisme, comme à la fin du dernier siècle. Ce cléricalisme spécial, ce mysticisme dépravé et artistement pervers vers lequel il s'acheminait, à certaines heures, ne pouvait même être discuté avec un prêtre qui ne l'eût pas compris ou l'eût aussitôt banni avec horreur.

Pour la vingtième fois, cet irrésoluble problème l'agitait. Il eût voulu que cet état de suspicion dans lequel il s'était vainement débattu, à Fontenay, prît fin ; maintenant qu'il devait faire peau neuve, il eût voulu se forcer à posséder la foi, à se l'incruster dès qu'il la tiendrait, à se la visser par des crampons dans l'âme, à la mettre enfin à l'abri de toutes ces réflexions qui l'ébranlent et qui la déracinent ; mais plus il la souhaitait et moins la vacance de son esprit se comblait, plus la visitation du Christ tardait à venir. A mesure même que sa faim religieuse s'augmentait, à mesure qu'il appelait de toutes ses forces, comme une rançon pour l'avenir, comme un subside pour sa vie nouvelle, cette foi qui se laissait voir, mais dont la distance à franchir l'épouvantait, des idées se pressaient dans son esprit toujours en ignition, repoussant sa volonté mal assise, rejetant par des motifs de bon sens, par des preuves de mathématique, les mystères et les dogmes !

Il faudrait pouvoir s'empêcher de discuter avec soi-même, se dit-il douloureusement ; il faudrait pouvoir fermer les yeux, se laisser emporter par ce courant, oublier ces maudites découvertes qui ont détruit l'édifice religieux, du haut en bas, depuis deux siècles.

Et encore, soupira-t-il, ce ne sont ni les physiologistes ni les incrédules qui démolissent le catholicisme, ce sont les prêtres, eux-mêmes, dont les maladroits ouvrages extirperaient les convictions les plus tenaces.

Dans la bibliothèque dominicaine, un docteur en théologie, un frère prêcheur, le R. P. Rouard de Card, ne s'était-il pas trouvé qui, à l'aide d'une brochure intitulée : « De la falsification des substances sacramentelles » avait péremptoirement démontré que la majeure partie des messes n'était pas valide, par ce motif que les matières servant au culte étaient sophistiquées par des commerçants.

Depuis des années, les huiles saintes étaient adultérées par de la graisse de volaille ; la cire, par des os calcinés ; l'encens, par de la vulgaire résine et du vieux benjoin. Mais ce qui était pis, c'était que les substances, indispensables au saint sacrifice, les deux substances sans lesquelles

aucune oblation n'est possible, avaient, elles aussi, été
dénaturées : le vin, par de multiples coupages, par d'illicites
introductions de bois de Fernambouc, de baies d'hièble,
d'alcool, d'alun, de salicylate, de litharge ; le pain, ce pain
de l'Eucharistie qui doit être pétri avec la fine fleur des
froments, par de la farine de haricots, de la potasse et de la
terre de pipe !

Maintenant enfin, l'on était allé plus loin ; l'on avait osé
supprimer complètement le blé et d'éhontés marchands
fabriquaient presque toutes les hosties avec de la fécule de
pomme de terre !

Or, Dieu se refusait à descendre dans la fécule. C'était
un fait indéniable, sûr ; dans le second tome de sa
théologie morale, S. E. le cardinal Gousset, avait, lui
aussi, longuement traité cette question de la fraude au
point de vue divin ; et, suivant l'incontestable autorité de
ce maître, l'on ne pouvait consacrer le pain composé de
farine d'avoine, de blé sarrasin, ou d'orge, et si le cas
demeurait au moins douteux pour le pain de seigle, il ne
pouvait soutenir aucune discussion, prêter à aucun litige,
quand il s'agissait d'une fécule qui, selon l'expression
ecclésiastique, n'était, à aucun titre, matière compétente
du sacrement.

Par suite de la manipulation rapide de la fécule et de la
belle apparence que présentaient les pains azymes créés
avec cette matière, cette indigne fourberie s'était tellement propagée que le mystère de la transsubstantiation
n'existait presque jamais plus et que les prêtres et les
fidèles communiaient, sans le savoir, avec des espèces
neutres.

Ah ! le temps était loin où Radegonde, reine de France,
préparait elle-même le pain destiné aux autels, le temps
où, d'après les coutumes de Cluny, trois prêtres ou trois
diacres, à jeun, vêtus de l'aube et de l'amict, se lavaient
le visage et les doigts, triaient le froment, grain à grain,
l'écrasaient sous la meule, pétrissaient la pâte dans une
eau froide et pure et la cuisaient eux-mêmes sur un feu
clair, en chantant des psaumes !

Tout cela n'empêche, se dit des Esseintes, que cette
perspective d'être constamment dupé, même à la sainte
table, n'est point faite pour enraciner des croyances déjà
débiles ; puis, comment admettre cette omnipotence
qu'arrêtent une pincée de fécule et un soupçon d'alcool ?

Ces réflexions assombrirent encore l'aspect de sa vie
future, rendirent son horizon plus menaçant et plus noir.

Décidément, il ne lui restait aucune rade, aucune berge. Qu'allait-il devenir dans ce Paris où il n'avait ni famille ni amis ? Aucun lien ne l'attachait plus à ce faubourg Saint-Germain qui chevrotait de vieillesse, s'écaillait en une poussière de désuétude, gisait dans une société nouvelle comme une écale décrépite et vide! Et quel point de contact pouvait-il exister entre lui et cette classe bourgeoise qui avait peu à peu monté, profitant de tous les désastres pour s'enrichir, suscitant toutes les catastrophes pour imposer le respect de ses attentats et de ses vols ?

Après l'aristocratie de la naissance, c'était maintenant l'aristocratie de l'argent; c'était le califat des comptoirs, le despotisme de la rue du Sentier, la tyrannie du commerce aux idées vénales et étroites, aux instincts vaniteux et fourbes.

Plus scélérate, plus vile que la noblesse dépouillée et que le clergé déchu, la bourgeoisie leur empruntait leur ostentation frivole, leur jactance caduque, qu'elle dégradait par son manque de savoir-vivre, leur volait leurs défauts qu'elle convertissait en d'hypocrites vices; et, autoritaire et sournoise, basse et couarde, elle mitraillait sans pitié son éternelle et nécessaire dupe, la populace, qu'elle avait elle-même démuselée et apostée pour sauter à la gorge des vieilles castes!

Maintenant, c'était un fait acquis. Une fois sa besogne terminée, la plèbe avait été, par mesure d'hygiène, saignée à blanc; le bourgeois, rassuré, trônait, jovial, de par la force de son argent et la contagion de sa sottise. Le résultat de son avènement avait été l'écrasement de toute intelligence, la négation de toute probité, la mort de tout art, et, en effet, les artistes avilis s'étaient agenouillés, et ils mangeaient, ardemment, de baisers les pieds fétides des hauts maquignons et des bas satrapes dont les aumônes les faisaient vivre!

C'était, en peinture, un déluge de niaiseries molles; en littérature, une intempérance de style plat et d'idées lâches, car il lui fallait de l'honnêteté au tripoteur d'affaires, de la vertu au flibustier qui pourchassait une dot pour son fils et refusait de payer celle de sa fille; de l'amour chaste au voltairien qui accusait le clergé de viols, et s'en allait renifler hypocritement, bêtement, sans dépravation réelle d'art, dans des chambres troubles, l'eau grasse des cuvettes et le poivre tiède des jupes sales!

C'était le grand bagne de l'Amérique transporté sur

notre continent; c'était enfin, l'immense, la profonde,
l'incommensurable goujaterie du financier et du parvenu,
rayonnant, tel qu'un abject soleil, sur la ville idolâtre qui
éjaculait, à plat ventre, d'impurs cantiques devant le
tabernacle impie des banques!

Eh! croule donc, société! meurs donc, vieux monde!
s'écria des Esseintes, indigné par l'ignominie du spectacle qu'il évoquait; ce cri rompit le cauchemar qui l'opprimait.

Ah! fit-il, dire que tout cela n'est pas un rêve! dire que
je vais rentrer dans la turpide et servile cohue du siècle!
Il appelait à l'aide pour se cicatriser, les consolantes
maximes de Schopenhauer; il se répétait le douloureux
axiome de Pascal « L'âme ne voit rien qui ne l'afflige
quand elle y pense », mais les mots résonnaient, dans son
esprit comme des sons privés de sens; son ennui les désa-
grégeait, leur ôtait toute signification, toute vertu séda-
tive, toute vigueur effective et douce.

Il s'apercevait enfin que les raisonnements du pessimisme étaient impuissants à le soulager, que l'impossible
croyance en une vie future serait seule apaisante.

Un accès de rage balayait, ainsi qu'un ouragan, ses
essais de résignation, ses tentatives d'indifférence. Il ne
pouvait se le dissimuler, il n'y avait rien, plus rien, tout
était par terre; les bourgeois bâfraient de même qu'à
Clamart sur leurs genoux, dans du papier, sous les ruines
grandioses de l'Eglise qui étaient devenues un lieu de
rendez-vous, un amas de décombres, souillées par d'in-
qualifiables quolibets et de scandaleuses gaudrioles.
Est-ce que, pour montrer une bonne fois qu'il existait,
le terrible Dieu de la Genèse et le pâle Décloué du Gol-
gotha n'allaient point ranimer les cataclysmes éteints,
rallumer les pluies de flamme qui consumèrent les cités
jadis réprouvées et les villes mortes ? Est-ce que cette
fange allait continuer à couler et à couvrir de sa pestilence
ce vieux monde où ne poussaient plus que des semailles
d'iniquités et des moissons d'opprobres ?

La porte s'ouvrit brusquement; dans le lointain, encadrés par le chambranle, des hommes coiffés d'un lam-
pion, avec des joues rasées et une mouche sous la lèvre,
parurent, maniant des caisses et charriant des meubles,
puis la porte se referma sur le domestique qui emportait
des paquets de livres.

Des Esseintes tomba, accablé, sur une chaise. — Dans
deux jours, je serai à Paris; allons, fit-il, tout est bien fini;

comme un raz de marée, les vagues de la médiocrité humaine montent jusqu'au ciel et elles vont engloutir le refuge dont j'ouvre, malgré moi, les digues. Ah! le courage me fait défaut et le cœur me lève! — Seigneur, prenez pitié du chrétien qui doute, de l'incrédule qui voudrait croire, du forçat de la vie qui s'embarque seul, dans la nuit, sous un firmament que n'éclairent plus les consolants fanaux du vieil espoir!

ARCHIVES DE L'ŒUVRE

1. *L'accueil.*

Des innombrables réactions, généralement déconcertées et souvent ironiques, que suscita *A Rebours* (Brunetière se distingua par son incompréhension dans la *Revue des Deux Mondes* du 1ᵉʳ août 1884, Emile Hennequin par sa lucidité dans la *Revue indépendante* du 4 juillet, Jules Lemaitre par son art de doser la sévérité et l'indulgence dans la *Revue contemporaine* du 25 avril 1885) le lecteur retiendra seulement deux lettres et deux articles.

Parmi les premières, l'une émane de Zola dont la *Préface écrite vingt ans après le roman* a fait connaître la réaction irritée à la sortie d'*A Rebours*. Elle la complète et la précise, avec beaucoup de courtoisie, dès le 20 mai 1884; après avoir détaillé « tout ce qui (lui) plaît infiniment » (le « début très net », le chapitre sur la décadence latine, « la tortue, exquise », « de belles pages de critique artistique », « les anciennes amours de des Esseintes, qui (le) ravissent », « le morceau des parfums qui est absolument réussi, avec une certitude magistrale et une fantaisie lyrique », « le voyage à Londres, la merveille », enfin « les hosties falsifiées et les lavements nourrissants » qui sont « dans la blague sérieusement faite, ciselée avec un soin d'artiste, tout ce qu'(il) connaît de plus extraordinaire ») Zola ajoute : « Voulez-vous maintenant que je vous dise très franchement ce qui me gêne dans le livre ? D'abord... de la confusion. Peut-être est-ce mon tempérament de constructeur qui regimbe, mais il me déplaît que des Esseintes soit aussi fou au commencement qu'à la fin, qu'il n'y ait pas une progression quelconque, que les morceaux soient toujours amenés par une transition pénible da'uteur, que vous nous mon-

triez enfin un peu la lanterne magique, au hasard des
verres. Est-ce la névrose de votre héros qui le jette dans
cette vie exceptionnelle ou est-ce cette vie exceptionnelle qui lui donne sa névrose ? Il y a réciprocité,
n'est-ce pas ? Mais tout cela n'est pas nettement établi.
Je crois que l'œuvre aurait été d'une portée plus fou-
droyante, surtout dans l'au-delà, si vous l'aviez assise
sur plus de logique, toute folle qu'elle pouvait être.
Autre remarque : pourquoi des Esseintes prend-il peur devant
la maladie ? Il n'est donc pas un schopenhauerien, pour
redouter la mort ? Le mieux pour lui serait de se laisser
emporter par sa maladie d'estomac, puisque le monde ne
lui paraît pas habitable. Votre dénouement, sa résignation à la bêtise de vivre, me le gâte un peu. Il eût été
beau de le voir raffiner sur la mort, quitte à le laisser
gâteux si vous ne vouliez pas finir par l'intérêt bas d'une
mort. Voilà, mon cher ami, toutes mes réserves. Je n'ai
pas voulu vous les cacher, car vous me connaissez assez
pour vous douter, n'est-ce pas, que le factice n'est guère
mon affaire. Mais, il y a heureusement autre chose chez
vous, il y a une outrance d'art qui me ravit, il y a une
originalité de sensations aiguës qui suffit à vous mettre
à part, très haut... » Tant de modération de la part de
Zola, à laquelle répond du côté de Huysmans une prudence toute diplomatique, n'empêchera pas de s'établir
le froid progressif que l'on sait, entre les deux amis.

La logique dont Zola déplore l'insuffisance est précisément la qualité que Mallarmé loue d'abord dans *A
Rebours*. Voici sa lettre à Huysmans, du 18 mai 1884 :
« Mon cher Huysmans, le voici le livre unique, qui
devait être fait — l'est-il bien par vous! — cela à nul
autre moment littéraire que maintenant.

« Vraiment, fermé comme je le vois sur ma table, alors
que se recueille, sous le regard, tout le trésor de ses
savoirs, je ne le conçois pas autre; vous savez, à cette
heure de rêverie qui suit la lecture, quand un livre
différent, presque toujours, se substitue, même à celui
qu'on admire. Non! c'est cela, rien n'y manque, parfums, musique, liqueurs et les livres vieux ou presque
futurs; et ces fleurs! vision absolue de tout ce que peut,
à un individu placé devant la jouissance barbare ou
moderne, ouvrir de paradis la sensation seule. L'admirable, en tout ceci, et la force de votre œuvre (qu'on
criera d'imagination démente, etc.) c'est qu'il n'y a pas
un atome de fantaisie : vous êtes arrivé, dans cette dégus-

tation affinée de toute essence, à vous montrer plus stric-
tement documentaire qu'aucun, et à n'user que de faits,
ou de rapports, réels, existants au même point que les
grossiers, subtils et voulant l'œil d'un prince, voilà tout.
Mais auxquels, jouir exigeant qu'on dépouille de plus en
plus son plaisir, aboutira, certainement, quiconque est
intense et délicat. On ira là même et pas plus loin et pas
autrement; s'arrêtant au point constaté par vous. Ainsi,
votre ouvrage prend, à l'esprit, un aspect effrayant;
posant quelque chose de définitif. » Ces remarques, « lui
évitant le découragement et le délectant d'un succès
essentiel » selon la formule heureuse d'Henri Mondor,
furent incontestablement agréables à Huysmans. Deux
articles, dans la presse écrite, ne durent pas le surprendre moins favorablement.

Dans *Le Chat noir* du 14 juin 1884, Léon Bloy souli-
gnait avec perspicacité le caractère du livre qui est « une
espèce d'autobiographie lapidaire à forme d'épitaphe (qui)
dénonce à toute page le néant, l'irréparable néant de tous
les états par lesquels la vieille entité psychique fait semblant de se soutenir encore ». Il pressentait surtout en
Huysmans un besoin religieux que le catholicisme aurait
du mal à contenter : « Huysmans, le naturaliste, l'auteur
des *Sœurs Vatard*, le collaborateur de Zola et de sa répugnante clique dans les *Soirées de Médan*, s'offre aujour-
d'hui comme le lamentateur solitaire du spiritualisme
chrétien décédé... Dans ce défilé kaléidoscopique de tout
ce qui peut intéresser à un degré quelconque la pensée
moderne, il n'est rien qui ne soit flétri, bafoué, vilipendé
et maudit par ce misanthrope qui n'accepte pas que
l'ignoble homme qu'il voit partout soit la vraie fin de
l'homme et qui demande éperdument un Dieu. A l'exception de Pascal personne n'avait encore exalté d'aussi
pénétrantes lamentations. » Avec non moins de véhémence, Bloy caractérisait encore l'effort de style de
Huysmans : « Son expression toujours armée et jetant le
défi ne supporte jamais de contrainte, pas même celle de
sa mère l'Image, qu'elle outrage à la moindre velléité de
tyrannie et qu'elle traîne continuellement par les cheveux
ou par les pieds dans l'escalier vermoulu de la syntaxe
épouvantée. »

Les pages de Barbey d'Aurevilly sont les plus magis-
trales de toutes, aiguës, décisives, « fulgurantes, dit
Lucien Descaves, comme l'éclair d'un cerveau orageux ».
Elles parurent dans *Le Constitutionnel* du 28 juillet 1884

et furent reprises le lendemain dans *Le Pays*. C'est à leur conclusion (« après un tel livre il ne reste plus à l'auteur qu'à choisir entre la bouche d'un pistolet ou les pieds de la croix ») que fait écho Huysmans à la fin de sa *Préface* de 1903, en répondant : « c'est fait ». Mais tout au long de ce texte sans défaut, le flair de Barbey avait mis au jour des vérités essentielles. Lui qui détestait le naturalisme, avait célébré « ce livre qui coupe comme un rasoir, mais un rasoir empoisonné, sur les platitudes ineptes et impies de la littérature contemporaine ». Ayant souverainement porté son diagnostic (« le névropathe de M. Huysmans est une âme malade d'infini dans une société qui ne croit qu'aux choses finies ») il avait pu découvrir, au terme d'une analyse éloquente, les fondements sociologiques de la portée du roman : « En écrivant la biographie de son héros, il (Huysmans) ne fait pas que la confession particulière d'une personnalité dépravée et solitaire, mais, du même coup, il nous écrit la nosographie d'une société putréfiée de matérialisme, et cela uniquement donne à son livre une importance que n'ont pas les autres romans physiologiques de ce temps... Jamais renseignement plus formidable ne fut donné sur une société raisonnable et rythmée autrefois, mais où, en ces dernières années, tant de bons sens ont fait la culbute. Jamais l'extravagance d'un livre n'a plus énergiquement témoigné de l'extravagance universelle. » Tout est dit, qui pose magistralement le problème du livre, mais permet surtout de comprendre les raisons de son audience.

Il faudrait une poussière de citations pour décrire cette audience, car il n'est pratiquement aucun écrivain de la génération de 1885 qui n'ait subi le choc d'*A Rebours* et reconnu sa dette envers Huysmans. Mais à une ou deux exceptions près, il n'y a pas de texte de quelque ampleur qui mérite d'être reproduit. La vérité est que non seulement les thèmes du roman, et les états de sensibilité ou de pensée qu'il décrit sont profondément accordés au mouvement des esprits, et l'encouragent, et le suscitent, mais qu'en faisant connaître ou en précisant les raisons d'admirer des œuvres comme celles de Baudelaire, de Mallarmé, de Corbière et de tant d'autres — l'année même où Verlaine publie ses *Poètes maudits* — le roman de Huysmans communique une impulsion décisive à la littérature de son temps et, par delà la décadence, précipite son évolution vers le symbolisme, dont il apparaît comme un des pères-fondateurs.

2. La critique, jusqu'à nos jours.

Ce rôle d'initiateur d'une littérature nouvelle a été éclairé en particulier par Valéry, dans ses écrits comme dans ses propos, chaque fois que Huysmans lui offre, à l'instar d'un Flaubert, l'occasion de montrer quelle transmutation de valeurs entraîne dans l'ordre de la langue et du style la volonté d'écrire le réel. A Rebours est ainsi au cœur d'une démonstration qui établit comment le projet réaliste aboutit nécessairement à l'artifice et à la mise en œuvre d'une écriture apparente dans sa recherche à celle que Mallarmé poursuit au même moment. Mais l'exemple de Valéry est surtout là pour attester le plaisir que nombre de jeunes écrivains de sa génération trouvèrent de se contempler dans A Rebours ou de se découvrir à travers lui.

« Quel livre! écrivait-il le 14 septembre 1890[1]. Quel Faust plus exaspéré, plus malade, plus tordu et sans rémission et sans ange de la fin! Mais avec la rare et subtile consolation du songe du paradis artificiel cherché dans les agaceries des sens ou dans les bouquets exquis de Mallarmé! » Il s'obstinait à défendre « sa Bible » contre Pierre Louÿs qui ne parvenait pas à l'aimer. Qu'on ne voie ici qu'un exemple de l'enthousiasme qu'inspirait A Rebours à ses admirateurs et du ton dont ils en parlaient : « Vous méconnaissez, je crois, l'idée générale de l'œuvre. Le propre exemple de mes goûts m'assure qu'on peut trouver dans le même individu la conception d'une chambre monastique et d'une salle à manger aménagée dans un entrepont. Cette page de la salle à manger, je l'aime beaucoup car je sens profondément la mer au bord de laquelle je suis né, où j'ai quelque peu voyagé. J'adore le navire, mais la dunette ne me fait pas oublier l'abside, ni le tillac le cloître. Cela se concilie.

« Vous ne songez pas non plus à louer le très beau passage du voyage fictif à Londres. C'est un chef-d'œuvre de sensations qui correspond beaucoup en moi (peut-être sous l'influence du souvenir d'un voyage réel à Londres que je fis assez jeune).

« Relisez la description de Gustave Moreau! Quels morceaux! En somme c'est pour moi et je me sers ainsi de

1. Lettre publiée dans : Henri Mondor, Précocité de Valéry, © éd. Gallimard, 1957.

ce livre une suite de très beaux poèmes en prose très nerveux.

« Quant à la portée musicale, j'avais déploré son manque ; mais s'il est aussi ignorant que moi en musique, il est pardonnable. Dans la littérature il n'a rien tiré de Poe (mon grand génie favori peut-être) et il a raté Verlaine. N'importe ! Le livre est d'un esprit ! »

Peut-être conviendrait-il de clore sur cette note de ferveur (encore une fois tenue pour simplement représentative de bien d'autres) un « dossier d'*A Rebours* ». Après le symbolisme, et surtout après que sa conversion a fait connaître Huysmans d'un public beaucoup plus vaste, mais en tant qu'écrivain catholique, il est difficile d'isoler exactement le sillage de notre roman. Les livres antérieurs à *En route*, éventuellement à *Là-bas*, furent largement éclipsés par ceux qui les suivirent et la part se fait malaisément, dans ce qu'ont pu dire de Huysmans des écrivains comme Claudel, Mauriac ou d'autres, non religieux, comme le Valéry de *Variétés* entre l'admiration qui va au créateur de des Esseintes et le jugement porté sur l'ensemble d'une œuvre importante. C'est aussi l'époque où Huysmans est examiné surtout par des critiques professionnels ou des historiens de la littérature dont l'appréciation nous importe moins...

La flamme d'*A Rebours* ne s'éteint pourtant pas. Non seulement elle est entretenue dans telle ou telle des multiples chapelles où se dit le culte huysmansien, mais elle communique sa brûlure à des adolescents, à des lecteurs isolés, à des écrivains qui se découvrent à son contact. Ce n'est sans doute pas un hasard si elle brille d'un particulier éclat dans les parages du surréalisme. Le goût de l'évasion et de la « révolte supérieure de l'esprit », la pratique d'un humour très spécial pour exorciser l'ennui du quotidien, la curiosité d'un onirisme qui se satisfait dans l'art par une commune dévotion aux œuvres de Gustave Moreau (« le grand méconnu » de l'histoire officielle de la peinture, assure Breton), de Redon ou de Bresdin, la conviction que l'imagination est source d'espoir et valeur émancipatrice, la fascination de l'érotisme ou du fantastique, autant de raisons, croyons-nous, qui aident à comprendre pourquoi Huysmans en général, et l'auteur d'*A Rebours* en particulier, a pu sembler à Breton avoir « formulé de toutes pièces, avec une clairvoyance sans égale, la plupart des lois qui vont régir l'affectivité moderne ». S'il est vrai, comme il est écrit dans *Point du Jour*, que « tout, en fin de compte, dépend de notre pouvoir d'hallucination volontaire » on s'explique quelle communauté d'idées avec des Esseintes a fait si souvent célébrer André Breton, dans le *Manifeste du Surréalisme*, dans l'*Art magique*, dans l'*Anthologie de l'humour noir*, dans *Nadja*, la gloire de Huysmans. La plupart de ces textes sont très connus et nous ne les citerons pas ; aussi bien ne sont-ils pas assez exclusivement consacrés au seul roman d'*A Rebours*.

Il n'en va pas de même de ces émouvantes notes que trace Roger Vailland en 1965, quelques semaines avant sa mort. Il relit *A Rebours* qui fut, dit-il, « capital pour moi en seconde ou en rhéto, mais c'était en 1922 » et il recopie quelques phrases du livre, qu'il assaisonne de commentaires, avant de conclure le 2 avril : « Achevé *A Rebours*. Aucun livre ne m'a davantage marqué. »

Rien ne dit qu'un écrivain d'envergure, ou un plus obscur lecteur, ne puisse toujours faire cette confidence.

TABLE DES MATIÈRES

PUBLICATIONS NOUVELLES

Vous trouverez chez votre libraire le catalogue complet des livres de poche GF-Flammarion et Champs-Flammarion.

GF — TEXTE INTÉGRAL — GF

91/12/M0243–I 1992 – Impr. MAURY Eurolivres SA, 45300 Manchecourt.
Nº d'édition 13528 – 1ᵉ trimestre 1978. – Printed in France.